모빌리티와 ___ 푸코

이 저서는 2018년 대한민국 교육부와 한국연구재단의 지원을 받아 수행된 연구임 (NRF–2018S1A6A3A03043497)

MHI 18

Mobility
Humanities
Interconnect

모빌리티와 ___ 푸코

Mobilities and Foucault

편저 **카타리나 만더샤이트**
팀 슈바넨
데이비드 타이필드

김나현 옮김

앨피

모빌리티인문학 Mobility Humanities

모빌리티인문학은 기차, 자동차, 비행기, 인터넷, 모바일 기기 등 모빌리티 테크놀로지의 발전에 따른 인간, 사물, 관계의 실재적·가상적 이동을 인간과 테크놀로지의 공-진화co-evolution라는 관점에서 사유하고, 모빌리티가 고도화됨에 따라 발생하는 현재와 미래의 문제들에 대한 해법을 인문학적 관점에서 제안함으로써 생명, 사유, 문화가 생동하는 인문-모빌리티 사회 형성에 기여하는 학문이다.

모빌리티는 기차, 자동차, 비행기, 인터넷, 모바일 기기 같은 모빌리티 테크놀로지에 기초한 사람, 사물, 정보의 이동과 이를 가능하게 하는 테크놀로지를 의미한다. 그리고 이에 수반하는 것으로서 공간(도시) 구성과 인구 배치의 변화, 노동과 자본의 변형, 권력 또는 통치성의 변용 등을 통칭하는 사회적 관계의 이동까지도 포함한다.

오늘날 모빌리티 테크놀로지는 인간, 사물, 관계의 이동에 시간적·공간적 제약을 거의 남겨두지 않을 정도로 발전해 왔다. 개별 국가와 지역을 연결하는 항공로와 무선통신망의 구축은 사람, 물류, 데이터의 무제약적 이동 가능성을 증명하는 물질적 지표들이다. 특히 전 세계에 무료 인터넷을 보급하겠다는 구글Google의 프로젝트 룬Project Loon이 현실화되고 우주 유영과 화성 식민지 건설이 본격화될 경우 모빌리티는 지구라는 행성의 경계까지도 초월하게 될 것이다. 이 점에서 오늘날은 모빌리티 테크놀로지가 인간의 삶을 위한 단순한 조건이나 수단이 아닌 인간의 또 다른 본성이 된 시대, 즉 고-모빌리티high-mobilities 시대라고 말할 수 있다. 말하자면, 인간과 테크놀로지의 상호보완적·상호구성적 공-진화가 고도화된 시대인 것이다.

고-모빌리티 시대를 사유하기 위해서는 우선 과거 '영토'와 '정주' 중심 사유의 극복이 필요하다. 지난 시기 글로컬화, 탈중심화, 혼종화, 탈영토화, 액체화에 대한 주장은 글로벌과 로컬, 중심과 주변, 동질성과 이질성, 질서와 혼돈 같은 이분법에 기초한 영토주의 또는 정주주의 패러다임을 극복하려는 중요한 시도였다. 하지만 그 역시 모빌리티 테크놀로지의 의의를 적극적으로 사유하지 못했다는 점에서, 그와 동시에 모빌리티 테크놀로지를 단순한 수단으로 간주했다는 점에서 고-모빌리티 시대를 사유하는 데 한계를 지니고 있었다. 말하자면, 글로컬화, 탈중심화, 혼종화, 탈영토화, 액체화를 추동하는 실재적·물질적 행위자agency로서의 모빌리티 테크놀로지를 인문학적 사유의 대상으로서 충분히 고려하지 못했던 것이다. 게다가 첨단 웨어러블 기기에 의한 인간의 능력 향상과 인간과 기계의 경계 소멸을 추구하는 포스트-휴먼 프로젝트, 또한 사물인터넷과 사이버 물리 시스템 같은 첨단 모빌리티 테크놀로지에 기초한 스마트시티 건설은 오늘날 모빌리티 테크놀로지를 인간과 사회, 심지어는 자연의 본질적 요소로 만들고 있다. 이를 사유하기 위해서는 인문학 패러다임의 근본적 전환이 필요하다.

이에 건국대학교 모빌리티인문학 연구원은 '모빌리티' 개념으로 '영토'와 '정주'를 대체하는 동시에, 인간과 모빌리티 테크놀로지의 공-진화라는 관점에서 미래 세계를 설계할 사유 패러다임을 정립하려고 한다.

일부 '모빌리티' 연구자들이 푸코의 연구에 주목하며 이 둘을 열성적으로 접목시키긴 했지만, 이 두 전통에 대한 지금까지의 논의는 대부분 편파적이고 비체계적이었다. 하지만 푸코의 연구는 현대사회에서 모빌리티 관리 문제를 사유하는 데에 비판적으로 기여할 수 있고, 반대로 모빌리티 연구는 푸코에 대한 새로운 관점을 열어 준다. 이 작업은 다음과 같은 다양한 문제를 조명할 수 있다.

첫째, 모빌리티 시스템(교통, 관광, 무역, 인터넷 사용) 간의 상호의존성 증대 문제, 둘째, 원치 않는 바이러스, 산불 같은 자연재해, (잠정적인) 범죄의 확산과 세계화가 초래하는 불가피한 부차적 결과들의 확산 문제, 셋째, 기후변화, 석유 고갈, 에너지 안보 문제와 전쟁 및 테러가 모빌리티 형태에 가하는 위협 문제, 마지막으로 신자유주의 하에서의 선택과 책임, 경제적 (재)배치를 전제로 한 통치 논리가 점점 각광받고 있는 문제를 들 수 있다.

이러한 배경에서 이 책은 푸코적 사유와 모빌리티 둘 다에 대한 관심에서, 사회과학 전반에 걸친 주목할 만한 논의들을 한데 묶었다. 모든 글의 출처는 저널 《모빌리티Mobilities》 특별호이다.

차례

■ 푸코의 저작 목록

《정신병과 인격체》 Maladie mentale et personnalité, Paris, Presses universitaires de France, coll. «
Initiation Philosophique », 1954.

《정신병과 심리학》 Maladie mentale et psychologie, Paris, Presses universitaires de France,
coll. «Quadrige Grands textes », 1962. (Seconde édition remaniée de Maladie mentale et
personnalité)

《광기와 문명》 Folie et déraison. Histoire de la folie à l'âge Classique, Paris, Librairie Plon, s.d. (1961).

《광기의 역사》 Histoire de la folie à l'âge classique, Paris, UGE, coll. « 10/18 », 1964.

《임상의학의 탄생》 Naissance de la clinique. Une archéologie du regard médical, Paris, Presses
Universitaires de France, 1963.

《레이몽 루셀》 Raymond Roussel, Paris, Gallimard, 1963.

《말과 사물》 Les Mots et les choses. Une archéologie des sciences humaines, Paris, Gallimard,
coll. « Bibliothèque des sciences humaines », 1966.

《지식의 고고학》 L'Archéologie du savoir, Paris, Gallimard, coll. «Bibliothèque des Sciences
humaines», 1969.

《담론의 질서》 L'Ordre du discours, Paris, Gallimard, 1971.

《이것은 파이프가 아니다》 Ceci n'est pas une pipe : Sur Magritte, Fontfroide-le-Haut, Fata
Morgana, 1973.

《감시와 처벌》 Surveiller et punir. Naissance de la prison, Paris, Gallimard, 1975.

《성의 역사 1: 앎의 의지》 Histoire de la sexualité, vol. 1 : La volonté de savoir, Paris, Gallimard, 1976.

《성의 역사 2: 쾌락의 활용》 Histoire de la sexualité, vol. 2 : L'usage des plaisirs, Paris, Gallimard, 1984.

《성의 역사 3: 자기 배려》 Histoire de la sexualité, vol. 3 : Le souci de soi, Paris, Gallimard, 1984.

《성의 역사 4: 육체의 고백》 Histoire de la sexualité, vol. 4 : Les aveux de la chair, Paris, Gallimard, 2018.

■ 푸코의 콜레주 드 프랑스 강의

지식의 의지에 관한 강의 1970-1971 La Volonté de savoir

형벌이론과 기관 1971-1972 Théories et institutions pénales

처벌사회 1972-1973 La Société punitive

정신의학의 권력 1973-1974 Le Pouvoir psychiatrique

이상자異常者 1974-1975 Les Anormaux

사회를 보호해야 한다 1975-1976 « Il faut défendre la société »

안전, 영토, 인구 1977-1978 Sécurité, territoire et population

생명관리정치의 탄생 1978-1979 Naissance de la biopolitique

현 정부에 관하여 1979-1980 Du Gouvernement des vivants

진리와 주체성 1980-1981 Subjectivité et vérité

주체의 해석학 1981-1982 L'Herméneutique du sujet

자체와 타인의 정부 1982-1983 Le Gouvernement de soi et des autres

자체와 타인의 정부: 진리의 용기 1983-1984 Le Gouvernement de soi et des autres : le courage
de la vérité

1장

서문

: 푸코와 모빌리티는 어디서, 어떻게 만나는가

카타리나 만더샤이트_스위스 루체른대학 사회과학대학
팀 슈바넨_영국 옥스포드대학 지리환경학부
데이비드 타이필드_영국 랭커스터대학 모빌리티연구소

서론 : 이동도 담론적으로 구성된다

최근 몇 년 새 모빌리티 연구자들 사이에서 푸코 연구에 대한 관심이 증가했다. 본지가 모빌리티 연구를 대표하는 저널로 꼽혔던 2013년에는 푸코를 다룬 논문이 8편이나 발표되었다. 지난 4년 동안 10편이 실렸던 것과는 대조된다. 심지어 저널 웹사이트에서 '관련성' 순서로 정렬했을 때 검색된 상위 20개 논문 중 6개가 2013년에 발표된 것을 알 수 있다. 다운로드 및 인용 횟수를 봤을 때 적어도 2편 이상이 읽히거나 광범위하게 검토되고 있음을 알 수 있다 (Bærenholdt 2013; Salter 2013). 푸코적 관점에서의 모빌리티 연구가 점점 각광받고 있음은 2013년 1월 〔스위스〕 루체른대학에서 '모빌리티와 푸코' 워크숍을 조직하면서도 알 수 있었다. 이번 특별호는 이 워크숍의 결과물이다.[1]

푸코적인 접근과 모빌리티 전통 간의 상호작용은 일단 처음에는 거의 찾아보기 어려워 보인다. '푸코' 독해 방식은 공간적 임모빌리티immobility〔실제 발음은 '이모빌리티'〕(부동성)의 제도들(정신병원, 감옥)에 초점이 맞춰진 반면에, '모빌리티' 연구에서는 이동과 유동성, 변화에 대한 매혹이 강조되기 때문이다. 사실 '새로운 모빌리티 패러다임'에서 중요한 저작들에서도 푸코에 대한 언급은 거의 찾아보기 힘

---

[1] 이 워크숍은 스위스 국립재단과 루체른대학 Fortschungsk 위원회의 지원을 받았다.

들다(Featherstone · Thrift · Urry 2004, Urry 2004, Sheller · Urry 2006, Cresswell 2010). 마찬가지로 모빌리티는 푸코 연구자들 사이에서 주요한 논의 대상이 되지 않았다. 푸코의 작업이 (도시) 공간, 공간적 수행, 영토성 분석에 탁월한 효용을 발휘함에도 불구하고 말이다(Philo 1992, Crampton · Elden 2007, Elden 2009).

그러나 '푸코'와 '모빌리티' 연구는 다양하고 광범위한 문헌들을 참고하고 있어 접목할 여지가 많다. 아래에서 더 논의하겠지만 푸코의 저작은 여러 주제를 다루고 있으며 광범위한 개념들을 도입하고 재정의했다. 그리고 주체, 제도, 도시와 국가 문제를 포함하는 동시에 이에 한정되지 않으면서 다양한 규모의 분석에 집중한다. 마찬가지로 모빌리티 연구도 특정한 이동과 모빌리티(자동차모빌리티, 항공모빌리티 같은) 문제에 대한 구체적인 접근뿐만 아니라, 역동적이고 복잡한 사회문화적 시스템과 그 출현을 다루는 '동원된mobilized' 사회과학의 광범위한 사회적 조건과 필연적이고 (세계화 혹은 세계시민화 같은) 존재론적인 동시에 인식론적인 접근을 다룬다.

그렇다면 두 연구 사이에 어느 정도 체계적인 상호작용이 이미 있었다는 것도 그리 놀랄 일은 아니다. 영어 문헌에 한해서 보자면, 자동차모빌리티(Böhm et al. 2006; Dodge and Kitchin 2007; Huijbens and Benediktsson 2007; Merriman 2007; Paterson 2007; Seiler 2008), 여행(Molz 2006; Ek and Hultman 2008; Newmeyer 2008), 자전거 타기(Bonham and Cox 2010; Stehlin 2014), 항공모빌리티(Adey 2007; Salter 2007), 아동 모빌리티(Barker 2009; Barker et al. 2009), 국제적 이주(Shamir 2005; Fortier and Lewis 2006; Gray 2006; Nowicka 2006; Frello 2008; Buscema

2011; Hammond 2011; Bærenholdt 2013; Salter 2013)에 관한 저서에서 두 연구 간의 상호작용이 분명히 드러난다. 이러한 맥락에서 계획 실천(Jensen and Richardson 2003; Huxley 2006; Jensen 2013), 신체적 움직임(Turnbull 2002; Jensen 2011), 새로운 미디어 관행(Brighenti 2012)을 통한 이동의 물리적 공간 창출을 다루는 최근 연구도 관련된다. 또한, 이동하는 신체와 주체의 창출(Bonham 2006; D'Andrea 2006; Seiler 2008; Jensen 2009; Haverig 2011; Manderscheid 2014) 및 국가 정치, 국경, 감시, 보안, 테러 문제(Amoore 2006; Molz 2006; Packer 2006; Walters 2006; de Goede 2012; Moran, Piacentini, and Pallot 2012)와도 관련된다.

두 연구의 결합은 공통의 중요 관심사뿐만 아니라 방법론적이고 이론적인 중첩의 핵심 측면도 잘 보여 준다. 두 전통 사이에 강한 다리가 놓여 있는 것은 분명하다. 학제간연구에 대한 야망과 비전, 이와 관련된 존재론, 폭넓게는 비판적이지만 탈구조적인 작업들, 구체적인 다양성과 통치 및 권력에 대한 관심도를 봤을 때 말이다. 푸코 사상에도 잘 알려진 맹점과 약점이 있지만, 모빌리티 연구자들이 —특히 그의 작업으로 빛나게 될 분야에서—푸코의 작업에 좀 더 체계적으로 참여할 여지는 충분하다. 예컨대 로Law(1994)의 호의적인 비평이 제시한 바와 같이, "푸코 글의 상당 부분이 공시적"이라는 말은 담론이 다시 형성되고 새로워지는 방법이 그의 원저작에서는 충분히 명확하지 않음을 의미한다. 더 가혹한 비평의 전형적인 예로는 푸코가 (인간의) 감각과 지각, 감정/정동affective, 공간과 기술적 인공물에 대한 이해를 넓히는 데에 거의 도움이 되지 않는다고 한 스리프트Thrift(2007)의 고찰을 들 수 있다.

모빌리티에 대한 푸코적인 관점은 신성시되고 있다. 그럼에도 불구하고, 푸코적 관점은 '모빌리티' 자체의 추상적인 개념화에 독특한 통찰을 제공할 수 있다. 예를 들어, 모빌리티에 대한 크레스웰(2006, 3; 2010, 27)의 논의를 생각해 보자. 그는 **이동** 혹은 '잠재적으로 관찰되는 것이며 경험적 실제인 세계 속의 존재인 외면할 수 없는 사실로서의 모빌리티', **재현** 혹은 '다양한 재현 전략의 집합체를 통해 전달되는 모빌리티에 대한 생각들', 그리고 실행되고 경험되고 구체화되는 것으로서의 모빌리티인 **실천**을 다룬다. 하지만 지식의 대상들에 대한 푸코의 담론적 생산을 바탕으로 프렐로Frello(2008, 31)는 다음과 같이 말했다.

'모빌리티'뿐만 아니라 '이동movement' 역시 담론적으로 구성된다. … 특정 관습은 모빌리티에 대해 말할 수 있는 가능성의 조건을 지배하지만, '모빌리티'의 관점에서 어떤 행위가 무슨 의미를 가지며 어떻게, 어떠한 의미를 갖게 되지를 정확히 결정짓는 것은 물질성도 아니고 관습도 아니다.

여기에서 필요한 (푸코적) 관점은, 어떤 것을 이동이나 움직임으로 분류하는 것이 그것이 묘사한다고 주장하는 것을 공동–구성하는 수행적인 행위일 뿐만 아니라, 무언가를 알고 지배할 수 있게 만드는 권력의 기술이라는 점이다.

그럼에도 불구하고 질문은 여전히 남는다. 한계를 알고 있으면서도 푸코의 작업과 계속 결합함으로써 얻을 수 있는 것은 무엇인가? 아니면 좀 더 명료하게 말해서, 왜 푸코를 모빌리티 연구에 활용하는가? 그리고 왜 지금인가? 또한 푸코적인 접근이 '어떻게'라는 질문으로 특징지어진다면, 이러한 전통은 **어떻게** 통합되어야(해야) 하는가? 이 글의 과제는 이 세 가지 질문에 차례로 답하는 것이다.

왜 푸코인가?

푸코의 모든 작업은 담론, 지식, 권력, 통치, 주체성에 관한 새로운 개념과 생각을 보여 준다. 심지어 모빌리티 연구와 관련성이 높은 것이더라도 이것들을 다 다루는 것은 이 책의 본분을 넘어서는 일이다. 푸코의 통찰과 그의 여러 개념들이 시간에 따라 그의 생각과 함께 **이동했다**고 말하는 것으로 충분하다. 그것들의 의미나 정의를 고정하려는 시도는 실패할 수밖에 없다는 뜻이다. 그가 새로 만든 말, 통치성governmentality을 생각해 보자. 1978년 통치성 강의로 알려진 작업(Foucault 2007)이 이미 특정 유형의 통치 인구와 국가에 대한 세 가지 다른 설명[2]을 제공했다면, 그 후의 작업은 그 분석 규모

---

[2] 이런 설명 중 가장 널리 알려진 것은, 통치성이란 인구를 겨냥하는 매우 구체적이면서 복잡한 권력 행사를 허용하는 제도, 절차, 분석, 성찰, 계산 및 전술로 형성된 복합체라는 설명이다. 통치성은 정치경제학을 지식의 주요 형태로 삼고, 안전장치를 필수적인 기술 도구로 삼는다(Foucault 2007, 108).

와 초점에서 분명한 이동을 보여 주었다. 예컨대 잘 알려진 또 다른 강연, 1982년 버몬트대학에서 진행한 자기 기술technologies of the self에 대한 강연에서 통치성은 '통치 테크놀로지와 자기 테크놀로지의 만남'(Foucault 1997, 225)으로 정의되었다. 푸코가 스스로를 자신의 생각을 바꾸기 위해 글을 쓰는 '실험자'라고 생각했음을 상기할 때 놀라운 일은 아니다.

나는 내가 관심 있는 것들과 내가 이미 생각하고 있는 것들과의 관련 속에서 이동하고 있다는 것을 언제나 잘 알고 있다. 내가 생각하는 것은 완전히 똑같지는 않다. 왜냐하면 나에게 내 책들은 어떤 의미에서 내가 가능한 한 꽉 채워서 하고 싶은 경험이기 때문이다. 경험은 사람을 변형시키는 것으로 드러나는 어떤 것이다. 내가 글을 쓰기 전에 이미 생각하고 있는 어떤 것을 소통하기 위해서 책을 쓴다면, 나는 결코 시작할 엄두가 나지 않을 것이다(Faubion 2000, 238).

이런 의미에서만이 아니라, '상태나 조건의 침해를 … 특징으로 하는 상대적 개념'(Frello 2008, 32)으로 이해되는 모빌리티는 푸코의 접근법과 방법론의 핵심이다.

주석자가 푸코 사상에 나타난 모빌리티와 복합성을 줄이기 위해 일반적으로 취하는 방법은, 그의 커리어와 주요 주제에 따라 사상을 나눠 보는 것이다. 대체로 초기의 고고학적 방법과 후기의 계보학적 방법(예컨대 Foucault 1980) 사이의—종종 과장된—차이를 드러내는 식으로 서술된다. 또한, 연구 주제는 광기(Foucault 1965)에서 치료(Foucault 1973)와 인문과학(Foucault 1970)을 거쳐 범죄와 처벌(Foucault 1977)로 이동하고, 마지막으로 성sexuality(Foucault 1978, 1985, 1986)으로 옮아간 것으로 정리된다. 하지만 이 같은 선형적 이해 방식은, 콜레주 드 프랑스에서의 푸코 강의 시리즈의 후속편이 출간되고 영어로 번역되면서 깨졌다. 예를 들어 1972~73년 강의는《감시와 처벌》일 거라고 예상됐지만 그 다음 후속 강의는, 물론《감시와 처벌》의 렌즈를 통한 것이었지만 1960년대의 연구 주제였던 광기에 대한 연구로 돌아갔다.

　푸코의 강의 시리즈는 주요 저작들 사이에 존재하는 여러 간극을 메워 줄 뿐만 아니라, '살아 있는 푸코'(Philo 2012, 498)라는 새로운 상을 보여 준다. 푸코는 언어·담론·제도에 단순히 초점을 맞추는 것이 아니라, 삶의 힘이 담론에 기반한 다른 기술 및 방법들을 통해 어떻게 (일시적으로) 관통되고 길들여지는지에 주목한 사상가다(Philo, 본서). 이 강의들은《푸코 선집Essential Works》(Faubion 1997, 1998, 2000)으로 묶인 글들과 다른 몇몇 출판물(Rainbow 1984; Deleuze 1988)과 함께 푸코를, 그의 친구 들뢰즈와 함께, 니체의 위대한 현대적 계승자로 이해시켰다.

　1982~83년 콜레주 드 프랑스 강의 초반에 푸코는 자신의 지적 프로젝트가 '생각의 역사'를 만드는 것이라고 스스로 말한 바 있는데 (2010, 2-3), 이는 '경험의 초점' 내 역학 관계를 통해 시간이 흐를수록 잘 드러났다. 푸코는 상호 관련되는 세 가지 초점을 다음과 같이 정의했다. 그중 첫 번째는 광기나 성과 같은 것으로부터 만들어지고 구성되는 **다양한 형태의 지식 형성**으로 이루어진다. 푸코는 시간에 따른

특정 지식의 진화를 연구하기보다는, 어떤 주장이 의미 있는 것—특히 진실한 것—이 되도록 만드는 규범들과 실천들을 명확히 하려고 노력했다. 《말과 사물》(Foucault 1970)에는 이 첫 번째 초점에 대한 푸코의 업적이 집약되어 있는 한편, 《지식의 고고학》(Foucault 1972)에서는 담론 형성의 다층성을 어떻게 분석해야 하는지가 상세히 설명된다. 그러나 이후의 연구는 범죄학(Foucault 1977), 통계학(Foucault 2007), 호모 에코노미쿠스homo æconomicus(Foucault 2008), 자기의 테크놀로지와 파레시아parrhēsia(또는 위험을 감수하며 비판적 진실-말하기)에 대한 글에서 알 수 있듯이, 지식 형성에 대한 깊은 관심을 계속 보인다.

모빌리티에 대한 몇몇 연구들은 지식 형성에 대한 푸코의 사상과 글을 겨냥한다(예를 들면 Bonham 2006; Merriman 2007; Frello 2008; Jensen 2011). 이러한 관점을 기후변화 문제나 지속 가능한 모빌리티 형태(걷기, 자전거 타기, 대중교통이나 고속 철도 이용 등)의 비율을 높이자는 등의 시급한 문제에 적용해 보면, 이것이 경제·공학·심리학에서 주로 언어와 추론을 통해 계속 구성되고 이해되는 이유를 전면화할 수 있다(Schwanen, Banister, and Anable 2011). 또한, 이러한 관점은 연구자들이 다른 형태의 지식—특히 모빌리티 연구(Manderscheid 2014)—이 학제의 울타리를 넘어서는 것이 왜 그렇게 어려운지를 이해하는 데에 도움이 되며, 국가 및 지방정부 혹은 교통서비스 제공자의 통치행위에 실제로 큰 영향을 미칠 수 있다. 그럼에도 불구하고 지식 형성에 대한 푸코의 사유를 적용하는 모빌리티 연구자들은 앞서 언급한 로Law(1994)의 비판을 염두에 두면서 담론 형태로서의 지식이 어떻게 "그 자신을 새로운 형태나 실체로 **재편성하는지**" 주의 깊게 살펴야 한다(22, 강조는 원문).

푸코의 두 번째 초점은 행동의 규범적 틀에 관한 것으로, 권력의 '미시물리학'(《감시와 처벌》)과 광범위한 권력 기술을 분석하는 연구이다. 즉, 감금하면서도 생산적인 다양한 층위의 강제력을 연구한다. 푸코의 특징적 통찰 중 하나는, 권력의 다양한 양식—다시 말해 지식과 매커니즘, 기술의 다양한 조합—이 규범의 다양한 종류와 강도를 만들어 낸다는 점에 주목한 것이다. 허용과 금지라는 이 항대립 안에서 주권의 양상이 작동하는 경우(Foucault 1977, 183), 대개 신체적 폭력을 동반하긴 하지만, 규율은 외부적으로 부과된 사회적 규칙을 따르게 만들고 비정상성을 제재하고자 개인을 집단이나 전체와 비교하고 차등화하는 '정상적 규범normative norm'(Waldschmidt 2005, 193)을 만들어 낸다. 이는 다시 안전 양상과 그 '정상주의적 규범normalistic norms'(Waldschmidt 2005)과 대조된다. 이것은 규칙을 준수하는 행동이라기보다는 규칙적인 행동을 의미하며, 통계 기법과 절차의 도움으로 구성되는 것이다. 여기에서 규범은 선험적으로 존재하는 것이 아니라 공간 설계에 포함되어 있다. 신자유주의적 도시주의에서의 도심 속 파놉티콘 감옥, 학교, 병원, 광장에서, 혹은 심지어 도로, 공항, 국경 횡단 등에서 유사한 방식으로 행동하는 여러 사람들에 의해 만들어진다.

주권, 규율, 안전을 역사의 흐름에 따른 순차적인 것으로 보아 각각 전근대(중세 이후), 근대(18세기부터), 현대(20세기)에 대응되는 것으로 생각하고 싶을 수 있다. 하지만 푸코는 오래된 양식은 새로운 것으로 나타날 양식을 이미 포함하고 있다고 주장했다(2008, 6). 이는, 최소한 초기에는, 시간성에 대한 선형적 이해를 붕괴시키려 했던 모빌리티 전통의 또 다른 유사성으로 이해되었다(Callon and Law 2004; Sheller and Urry 2006). 어느 쪽으로든 정상성 틀에서의 분석은 합법적으로 움직이는 사람과 불법적으로 움직이는 사람, 자유로운 이동과 강제된 이동, 좋은 움직임과 나쁜 움직임 등뿐만 아니라, 모빌리티와 임모빌리티 간의 차이를 민감하게 고려하도록 만든다. 이런 차이 때문에 모빌리티 연구자들은 불법 이민자, 해외 주재원, 집시, 여행객, 창의적 노마드와 같은 사람들이 생겨나는 과정을 조사하게 되었다(Endres, Manderscheid, and Mincke, forthcoming).

모빌리티와 관련된 정상주의적 규범과 정상성의 구성 및 효과는 최근 웹브라우저, 휴대폰, 교통카드를 통해 수집된—대개 민간기업에 의한—빅데이터의 출현과 관련해서도 찾아볼 수 있다. 이런 발전은 프라이버시와 감시를 둘러싼 복잡한 문제를 제기할 뿐만 아니라 전례 없는 수준의 새로운 정상주의적 규범을 확산시켜 결과적으로 사회적 분류를 가능케 하는 새로운 기술, '위험한' 모빌리티를 통치하고 구성하는 새로운 기술을 불러온다(예컨대 Lyon 2013).

푸코의 마지막 초점은 이미 앞서 언급한 대로 **주체의 잠재적 양태**the potential modes of being for subjects에 관한 것이었다. 감옥과 같은 제도(Foucault 1977)나 신자유주의 체제 하에서(Foucault 2008) 사람들이 다른 사람에 의해 통치되는 주체화subjectification 혹은 실천에 대한 푸코의 분석은 모빌리티 연구에서도 그 영향력이 입증되었다(Paterson 2007, Seiler 2008;

Manderscheid 본서; Mincke and Lemonne 본서; Philo 본서). 최근 사회과학 전반에 대한 관심이 높아졌음에도(Paterson and Stripple 2010; Macmillan 2011; Skinner 2012; Little 2013), 자기 통치를 통한 개인의 자기-만들기 실천인 주체화에 대한 푸코의 후기 연구는 크게 주목받지 못하고 있다. 1980년대 들어 현재에 대한 푸코의 역사는 제도나 인구에 대한 관심을 넘어 자기 (윤리)와의 관계에 대한 비판적 성찰로 옮아갔다. 이런 변화는 현재의 자기들이 (재)구성된 기술들이, 대상화되는 동시에 지배를 돕는 주체화 방식을 만든다는 푸코의 주장을 반영했다. 몇 가지만 예만 들더라도, 자기 행동을 돌아보며 이산화탄소 배출량을 추적하는 것, 식단을 조절하는 것, 헬스장에 가는 것, 비아그라를 사용하는 것, 안식년을 갖는 것, 긍정적으로 사고하는 것, 요가를 하고 생태관광을 떠나거나 몸을 움직이는 여행(자전거 타기나 걷기)을 하는 것 등을 생각해 보라. 푸코에게 이런 기술들은 궁극적으로 복종과 자책에 뿌리를 둔, 개인의 진정한 자유나 자율을 방해하는 것이다. 그래서 푸코는 말년에 고대 그리스에서 온 대안적 자기 기술을 연구했다. 진정한 자율적 주체를 만들어 내는 파레시아*parrhēsia* 같은 것 말이다 (Foucault 2005, 2010).

건강을 위한 자전거 타기, 안식년 여행, 생태관광 같은 '기술 techniques'이 얼마나 주체성을 대상화시키고 지배력을 만들어 내는지에는 논란의 여지가 있다. 이런 실천들을 감각과 지각, 내재된 경험과 정동/감정과 같은 과정에 특히 민감한 이론적이고 방법론적인 렌즈를 통해 분석해 보면, 다양한 형태의 모빌리티가 전체적인 만족

감, 자존감, 진정으로 긍정적인 감정을 발생시킨다는 점이 명백해진 다(Bissell 2010; Middleton 2010; Schwanen, Banister, and Bowling 2012). 게다가 모빌리티 실천은 자기에 대한 당대의 기술에 새겨진 사회적 코드를 재배치하거나 그에 저항할 수 있는 무수한 기회를 제공한다(Cresswell 2006). 그럼에도 불구하고 모빌리티를 지배와 자기-만들기의 복잡한 혼합물로 간주하고 다양한 시공간 속에서 개인들이 만들어 낸 다양한 움직임 형태 각각의 상대적 중요성을 확인하려고 노력하는 것은 모빌리티 연구를 풍부하게 만들어 준다. 주체화에 대한 푸코의 원저작이 감각과 지각, 감정/정동과 물질성을 충분히 다루지 못하고 있음에도 불구하고, 푸코의 윤리학으로 추동된 모빌리티 실천과 경험에 대한 이론적 접근은 개인과 그들의 일상을 탐구하는 연구자들에게 유용할 수 있다. 심리학에서의 자발적 행동 개념, 대체적인 신경과학에서의 신경화학 환원주의, '탈중심'의 사회적 이론화에 유용한 대안을 제공할 수 있기 때문이다.

왜 지금인가?

이처럼 다양한 이유로 푸코적인 개념을 도입한 모빌리티 연구가 조직적으로 일어나고 있다. 그런데 가장 중요한 이유는, 단순한 시간적 우연이었지만 푸코의 콜레주 드 프랑스 강의 시리즈의 영어 번역과 영어권 모빌리티 연구의 출현이 겹쳤다는 점이다. 이 강의에서 논의된 주체성, 통치, 순환에 관한 많은 문제들은 모빌리티 패러다임에서도 중심적인 문제가 되었다. 따라서 푸코의 강의에 쏟아지는 관심은 사회과학의 수많은 분야들 못지않게 모빌리티 연구에 영향을 끼쳤다. 더욱이 '푸코'는 모빌리티의 **장치**dispositifs, 즉 지식, 과학적 사실의 체계, 권력의 테크놀로지, 분류 체계, 계층, 정상적인 규범, 그리고 주체화의 총체를 분석할 수 있게 해 준다. 또한 푸코의 윤리학과 주체화 작업은 개별적으로 경험되는 임/모빌리티 경험과 이동하는 삶에 대한 연구의 핵심에 권력과 통치 문제를 더 체계적으로 배치하도록 만들어 준다(Adey and Bissell 2010; D'Andrea, Ciolfi, and Gray 2011). 이전의 모빌리티 연구자들이 푸코의 담론, 권력, 규율, 통치성, 주체화에 끌리는 경향이 있었다면, 모빌리티 전통은 푸코 사상의 다른 요소들과 결합함으로써 더욱 풍성해질 수 있었다.

최소한 세 가지 측면을 들 수 있다. 첫째, 모빌리티 연구자들 사이에서 현재는 중대한 도전의 순간이자 이에 수반되는 심오한 사회적 변화의 순간으로 받아들여지고 있다. 모빌리티는 이론적이고 방법론적인 렌즈인 동시에 실질적 쟁점이라는 측면에서 중요한 것이다. 이처럼 '세계' 자체가 위태로워 보이고 권력의 생산적 본성이 도처에 도사리고 있는 불확실성의 시기에는 적어도 현재의 위기를 상식의 중단 사태로 파악하는 것이 유익해 보인다. 푸코가 추적했던 주권, 규율, 생명관리정치의 계보학적 역사에 따르면, 이는 권력의 새로운 논리학의 출현이라 부를 만한 것이다.

구체적으로 말해서 여기서 우리가 다루려는 것은 기후변화/환경 및 인류세Anthropocene 문제나 정치의 감시와 보안, 세계화와 지속적인 글로벌 이동의 가속화, 또는 모두에게 닥친 도시적 존재로의 변화라는 (상호연결된) 주제만이 아니다. '모빌리티'와 거리가 멀어 보이지만 이러한 발전이 요구하는 것처럼 보이는 개념, 특히 '자연'과 '지리' 문제를 재고하려는 것이다(Dalby 2011; Clark 2013). 달비Dalby가 지적했듯이 "행성계의 미래는 세계화에 힘을 실어 줄 대규모 에너지 시스템을 결정하는 사람들의 손에 달렸다(2011, 16)." 따라서 모빌리티를 가속화하는 체계적인 글로벌 정치경제 문제든(Paterson 본서), 현대 통치의 핵심 영역으로서의 모빌리티 문제든(Bærenholdt 2013), 혹은 화석연료 기반의 자동차모빌리티 시스템의 지속적인 급성장으로 인해 가속화되고 있는 생태 파괴 문제든(Tyfield, 본서) 모빌리티 연구의 핵심 문제들은, 우리로 하여금 푸코의 렌즈를 사용해 생산적으로 개념화할 수 있는 물질적-담론적 상식의 전체 별자리를 권력으로 둘러싸인 문제로 재구성하도록 만들어 준다.

둘째, 현재는 지식의 형태에 특정한 요구를 하고 있는 것이 분명하다는 점이다. 지식 자체의 궤적과 결과를 이해하고 **형성**(푸코적 의미)할 수 있는 지식의 형태 말이다. 다시 말해서, 현재는 새로운 형태의 사회적 자기-이해에 대한 사회적 요구가 강렬하여, '**사회과학**'(으로 간주되는) 형태가 그 자체로 도전받고 열려 있는 시기이기도 하다. 모빌리티 패러다임은 그 창립 선언에서부터 사회과학을 재구성하려 한다는 목적이 분명히 명시되어 있는 연구 프로그램인 만큼 이러한 곤경과 위기에 대응할 준비가 잘 되어 있는 것처럼 보인다. 그러나 이러한 잠재력은 푸코와 관련된 모빌리티 작업에서 더 강하게 나타나는 듯하다. 특히 시급한 현재적 요청에 응답하는 연구에서는 서로의 도움으로 양쪽 접근법 모두의 허점과 격차를 줄일 수 있는 상호작용이 가능해진다. 이처럼 현재 푸코의 핵심 개념에 대한 재고가 일어나고 있으며, 모빌리티 연구도 이에 적극 기여할 수 있다.

예컨대 달비Dalby(2011)가 보여 주었듯, 현재 (자동차)모빌리티의 글로벌 구조와 긴급성에 대한 관심은 생명정치에 관한 푸코의 통찰력 있는 논의의 갱신과 발전을 가능케 한다. 자유주의 통치와 자유로운 순환의 '기능적' 시스템을 위한 전제 조건으로 인구의 신체적 건강을 확보하는 것은 더 이상 중요하지 않다. 점점 더 중요해지는 생태학적 영향력과 더불어 모빌리티의 중요성이 강조되면서, 이제는 새롭게 재정의된 '지정학geopolitics'으로 재구성된 현대 '생명관리정치'의 핵심부에 글로벌 환경 문제가 도입된다. 지구 자체의 물질적 상황이라는 더 큰 관점에서 지정학의 '지리'를 다시 생각해 보는 유소프Yusoff(2013)와 클라크Clark(2013)의 최근 연구는 이를 잘 보여 준다.

반대로, 모빌리티 연구의 발전과 관련하여 새로운 생산적 사회 시스템 출현에 뒤따르는 '어두운 면'이나 권력의 환원불가능성 같은 푸코식 주제에 주목하는 일은, 몇몇 연구자들이 모빌리티 시스템을 가리켜 지나치게 체계적이고/이거나 자기생산적 분석이라고 말한 것(Böhm et al. 2006; Goodwin 2010; Salter 2013; 이 책에서는 Manderscheid, Mincke & Lemonne, Tyfield 논문을 참조할 수 있다)뿐만 아니라 모빌리티 연구에서 종종 나타나는 기술중심주의 경향과 새로운 것에 대한 애정(Cresswell 2010, 28)을 넘어서는 유용한 개념적 자원을 제공할 수 있다.

마지막으로 특정 연구 주제와 이론, 방법론을 열어 가는 것 외에도, 모빌리티 연구와 푸코 연구를 모두 풍성하게 만드는 상호연구는 이 새로운 사회과학**처럼** 모빌리티 연구의 목적과 형태에 인식론적이고 정치적인 성찰을 이끌어 낸다. 예컨대 방금 언급한 거의 모든 모빌리티 문제들을 살펴보면 이러한 철학적 탐구의 필요성은 분명해진다. 거의 재앙적인 수준으로 지속되는 (자동차)모빌리티의 확장, 새로운 글로벌 감시사회 혹은 아마도 (최소한 북반구에서는) 20세기 중반에 얘기됐던 구조적 불평등의 재-등장 및 고착에 직면한 상황에서, 단순히 그 구조를 도표화하고 '세계 종말'을 선언하는 것은 너무나 부적절하다(Dalby 2011). 따라서 비판적 사회과학의 표준 형태는, 시스템적 위기라는 '기회'에도 불구하고, 오늘날 전 세계의 비판적 진보 정치 담론과 상상력이 보여 주는 무기력과 완벽한 대칭을 이룬다. 반면에 권력 지식 게임에 대한 전략적 개입으로서 푸코식 개념을 적용한 모빌리티 연구는, 사회 연구 과제를 공식화할 더 생산적이고 긍정적인 출발점을 제공하는 것으로 보인다. 확실히 '비판critique'이 아닌 '비평criticism'이라는 이 푸코식 개념 자체는 어느 정도 갱신이 필요해 보인다. 중요한 것은 모빌리티와 푸코가 어떻게 결합되느냐에 달렸다. 이제 이 부분을 검토할 차례다.

어떻게?

앞서 살펴본 바와 같이 푸코와 모빌리티는 둘 다 다양한 사상을 담고 있기 때문에 이 둘 사이에서 대화할 수 있는 방법은 여러 가지가 있다. 분석적으로 보자면, 모빌리티 논의를 위해 푸코의 글을 연구하거나 또는 푸코식 주제나 개념에 대해 작업하는 두 방향 중 하나로 나아갈 수 있다. 어느 경우가 됐든 그 연구의 목표는 푸코의 사상을 발전시키거나 모빌리티를 명료하게 하는 두 전통에 기여하는 일일 것이다. 이는 이 책에서 만날 수 있는 일련의 접근 방식을 시사한다.

이런 다양한 접근 방식은 두 연구 전통 간의 대화에서 나올 수 있는 분명한 강점인 통찰력의 다양성으로 이어진다. 이는 다양한 쟁점과 관점에서의 통찰뿐 아니라 상호 정보를 제공하고 중요한 수렴과 공명을 보여 주는 작업으로도 이어진다. 이 거친 '스펙트럼'을 가로지르며 진행되는 다양성을 먼저 고려해야 한다.

첫 번째 글에서 필로Philo는 임모빌리티 제도에 관한 푸코의 텍스트 중 가장 주목받지 않았던 글에서마저 긍정적인 모빌리티를 훈련시키고 관리할 목적으로 정확히 어떤 특정한 (해부–정치학적) 개입이 일어났음을 드러낸다. 이로써 푸코의 작업은 사회적 현상(명령, 조건, 정치 형태)으로서의 **모빌리티**를 조명하는 데에 많은 도움이 된다는 점을 역설한다. 모빌리티 연구에 적용할 수 있는 푸코 연구에 대한 통찰력의 원형이 여기 있다.

사회가 요구하는 바가 사회적으로 고정된 것에서 최대한의 이동성을 확보하는 쪽으로 바뀌게 되면서, 오그래디O'Grady는 재난 서비스의 정치적 지형을 조명하는 데에 푸코의 '환경milieu' 개념이 중요하다는 점을 설명한다. 그는 이 개념에 집중하면서 푸코의 원래 정식화를 발전시켜 영국의 소방서 부지에 대한 기술-지원 결정에서 나타난 당대의 경험적 변화를 고찰한다.

민케Mincke와 르몬느Lemonne는 우리를 감옥으로 데려가지만 푸코식 주석을 수행하는 것은 아니다. 이들은 현대 서구 정부들(특히 벨기에)이 어떻게 제도로서의 감옥에 대한 엄격한 규범적 사례를 구축하겠다는 추상적 불가능성과 씨름하고 있는지를 보여 준다. 처벌 및/혹은 교정의 관점에서 합법화를 둘러싼 최근 여러 담론들의 고갈 상태와 함께 말이다. 이때 죄수는 책임감 있는 모빌리티 능력이 결여된 것으로 재구성되어 현대 사회정책의 '이동주의적' 체체에 대한 이해를 돕는 동시에 이 과정을 이해할 수 있게 하는 푸코식 개념의 발전에도 통찰력을 제공한다.

어셔Usher는 푸코로부터 한 걸음 더 나아가 푸코의 개념과 논의들을 발전시켜 나간다. '통치의 본성'을 특징짓는 데에 물질적 흐름과 '자연의 통치', 특히 물이 중요하다는 점을 이야기한다. 따라서 근대적 통치에서 도시 순환의 중요성에 대한 푸코의 설명을 매개로 모빌리티와 정치적 생태학을 연결해 나가며, 에너지를 포함한 물질에 의한, 물질을 통한, 물질에 대한 통치를 둘러싼 모빌리티에 물질적 변화를 불러일으킨다(Urry 2013; Tyfield and Urry 2014).

패터슨Paterson은 다시 모빌리티의 출발점에서 훨씬 더 낯선 형태의 모빌리티, 즉 기이하게 비물질적 물질인 물신화된 탄소를 다룬다. 그는 "기후변화 정책은 새로운 모바일 대상—특히 탄소배출권—의 창출을 중심으로 신중하게 조직되었다"면서, 이것이 어떻게 현재의 글로벌 정치경제에서 모빌리티의 중요성을 강조하는 동시에 모빌리티 연구에서 (푸코에게 자극받은) 문화정치경제학의 중요성을 강화하는지 보여 준다. 끊임없이 확장되는 축적의 전제 조건으로서, 모빌리티는 이러한 정치경제적 질서의 유지에 발맞추려는 탄소시장의 지속적 형성의 기반이 되며, 사람과 물자의 모빌리티를 가속화시키는 에너지 비용, 환경 비용을 수반한다. 여기서 모빌리티와 푸코의 결합은 생태학적 비상사태에 대한 대응이 어떻게 이해되어야 하는지를 극명하게 보여 준다. 자본이 어떻게 자본의 모빌리티와 관련된 축적 명령을 실현할 다른 방법을 찾아야 하는지와 관련해서 말이다[p. 580].

타이필드Tyfield는 기후변화 프로젝트에서 가장 주목할 장소로 떠오르는 중국에서 벌어지고 있는 자동차모빌리티 자체를 탈탄소화하려는 지속적 움직임에 초점을 맞춘다. 역시 문화정치경제학적 관점의 일환으로 사회-기술 시스템의 전환을 이론화할 두 가지 핵심 과제를 제기하는 데에 푸코가 활용된다. 이는 질적인 사회-기술 시스템 변화를 통한 사고 능력 그리고 권력 개념과 관련된다.

마지막으로 만더샤이트Manderscheid는 문화에 주목하는 후기구조주의적 정치경제, 특히 규제 처리 방법에 푸코를 활용한다. 이로써 자동차모빌리티 시스템에서 나온 **장치** 개념의 가치와 이를 통해 체계적으로 (재)생산되는 깊은 불평등 개념을 설명한다. 이 푸코식 개념은 이동하는 사회성의 다양한 구현에 대한 다층적 관점을 허용하고, 숨겨져 있는 권력구조 양식을 전면화한다(p. 605).

여기서 우리는 불평등, 기후변화, 도시화, 비상/재해 서비스 및 감옥 경비를 포함한 현재의 주요 문제를 둘러싸고 이동적인 것으로부터 전형적으로 이동하지 않는 것에 이르는 실질적 쟁점의 패러다임을 만나게 되며, 푸코를 읽기 위해 모빌리티를 활용하고 모빌리티를 드러내고자 푸코를 읽는 관점을 다루게 된다. 따라서 책 전반에 걸쳐 등장하는 논의 방식에 많은 것을 기대하기보다는 여기에서 나오는 공명과 새로운 주제들에 주목할 수 있다. 네 가지만 들어 보자.

첫째, 몇몇 글은 모든 위험 가능성에 대한 일반화된 관리뿐만 아니라 구체적인 (어쩌면 예외적인) 사례들에 대한 준비 체제 속에서 점점 드러나는 권력/지식 테크놀로지의 복합화와 유동화를 이야기한다(Lentzos and Rose 2009; Adey and Anderson 2010; Oels 2014). 이는 신자유주의적 통치 정신과 개인의 기업가적 자아에 대한 강조에서 드러나는 정치적 논리 전환을 나타내며, 시스템 차원의 책임에 대한 새로운 명령과 개인의 자율성을 침해하는 도덕 담론의 부활 사이의 역설적인 결합처럼 보인다(본서의 O'Grady, Mincke and Lemonne, Usher, Paterson, and Tyfield).

둘째, (개인주의적 자유주의 용어로 이해된) 순환은 글로벌 정치경제(Paterson, Tyfield, Manderscheid), 환경(Usher, Paterson, Tyfield), 사회정책 및 '법과 질서'(Philo, O'Grady, and Mincke and Lemonne)와 관련하여 현대 정치의 핵심적 측면이라는 점이 확인된다.

셋째, 이러한 여러 쟁점과 관점들의 이질적인 집합이 서로에게 말을 건다는 것은 오늘날 작동하는 엄청난 개념 변화를 예리하게 감각했기에 가능한 것이며—앞서 논의한 바와 같이 이는 이 글들에서만이 아니라 독자의 마음속에도 있는 것이리라—이는 개념적인 '경계'라고 생각되는 곳을 가로지르는 일이다. 요컨대 이 두 학파의 지속적인 연대는 사회구조가 조정되는 이 중대한 순간에 더욱 중요할 것으로 전망된다. 모빌리티에 대한 일반화된 관심과 모빌리티의 구성과 관련된 권력 문제가 결합되는 것이니 말이다. 자동차, 국경, 호텔, 감옥, 운하, 탄소시장, 대기, 소방서를 둘러싼 각 프로젝트들은 체계적 사회 변화를 목격하고 거기에 개입할 수 있을 것이다. 그리하여 사회과학을 변화시킬 선한 모빌리티 패러다임을 만들어 낼 수 있을 것이다.

넷째, 몇몇 작업들은 **장치** 개념을 사용함으로써, 지식/담론, 물질화/대상화, 움직임 관행, 통치성, 주체화라는 모빌리티의 다양한 요소들 사이의 연계를 뒷받침한다(O'Grady, Mincke and Lemmone, and Manderscheid). 우리는 더 넓은 사회-정치적 과정이라는 맥락에 맞서는 단일체로 모빌리티를 이해하고자 함이 아니다. 여기서의 주안점은 기존의 모빌리티 체제를 강화하고 변화의 씨앗을 구성하는 연속성, 모순, 자기생산적 힘, 양면성이다.

2장

불안정하고 위험한 응고

: 모빌리티 정지 너머와 푸코

크리스 필로_영국 글래스고대학 지리학과

푸코는 특히 수감자들을 효과적으로 묶어 두는 보호시설과 감옥 같은 공간을 연구하면서 모빌리티의 정지停止를 탐구하는 데에 많은 시간을 할애했다. 《감시와 처벌》에서는 이런 공간이 일상적 '노마디즘'에 종지부를 찍고자 어떻게 고안되는지를 추적한다. 이 글의 목적은 푸코 연구의 이 대목을 점검하면서, 임모빌리티의 한가운데에서 모빌리티 규제와 수련에 대해 푸코가 언급했던 내용을 발굴하는 데에 있다. 또한 푸코의 《정신의학의 권력》에서도 언급된 바 있는 모빌리티-임모빌리티의 관계도 주목된다. 이 강의는 새로운 논점에 '경험적' 무게를 추가했던 '백치' 이론가 에두아르 세갱edouard seguin의 이념과 실천에 자극받은 것이다. 마지막으로는 《광기와 문명》의 영역본을 따라가면서 푸코의 '광기' 현상학은 수용소 안에서의 무분별한 모빌리티, 즉 '불안적하고 위험한 옹고'에 기대고 있음을 밝힌다. 결론적으로 본고는 초기 모빌리티 연구자들에게는 익숙하지 않은 푸코 텍스트에 초점을 맞추어 푸코와 모빌리티에 대한 폭넓은 설명을 제공하고자 한다.

서론: '윌리', 임모빌리티 속에서 모빌리티와 제도

영국 북부 스코틀랜드 하이랜드에 위치한 인버네스 디스트릭트 병원Inverness District Hospital(1864년 개원)으로 알려진, 지금은 폐쇄된 크레이그 두나인 병원Craig Dunain Hospital의 장기입원 환자였던 '윌리Willie' 혹은 '울리Wullie'로부터 시작해 보자.[1] 윌리는 18세기 후반부터 20세기 후반까지 영국 등지에 흩어져 있던 '정신이상자 수용소lunatic asylums'인 외딴 정신병원에 살면서 소통 없이 고립된 채 잊혀진 수많은 수용자 중 한 명이었지만, 병원 안을 돌아다니는 방식이 독특했다.

정신과 간호사였던 짐 네빌Jim Neville은 윌리에 대해 이렇게 기록했다.

> 전 윌리가 매일 똑같은 행동을 하는 걸 봤어요. 보통 아침이면 자기 머리 위에 있는 액자-레일을 손가락으로 훑으며 절 지나쳐 갔지요. 벽을 감싸고 있는 그 테두리에서 자기 손가락이 떨어지거나 빗나가지 않도록 하는 게 아주 중요해 보였어요. 난간이 끝나는 현관에 도착해서야 놓아줬어요. 윌리는 마치 레일 위에 있는 것처럼 보였어요 (Neville, n.d., 5).

---

[1] 네빌의 관찰에 대한 더 상세한 논의는 Philo(2007b) 참고. 우리는 스코틀랜드 하이랜드의 외딴 시골에 사는 정신건강 문제가 있는 사람들의 사회적 지리를 연구하는 과정에서 윌리에 대한 네빌의 글을 접했다. 그 문서를 통해 '건강관리 전문 실습' 석사과정 논문에 필요한 귀한 통찰을 얻을 수 있었음에 감사한다. 안타깝게도 우리는 '윌리'를 직접 만난 적도 없고, 크레이그 병원이 폐쇄된 후 윌리가 어떻게 되었는지도 알 수 없었다.

네빌(2000; also Philo 2007a)은 마치 머리 위로 흐르는 전선에서 끌어온 전류로 작동하는 버스처럼, 그림 액자 레일에 손가락을 대고 걷는 윌리를 '트롤리버스'라고 불렀다. 네빌(n.d., 5)은 윌리의 정형화된 움직임을 전달할 다른 모빌리티 은유도 떠올렸다.

윌리는 보통 제 오른편에서 저를 향해 걸어왔는데 왼쪽 집게손가락은 머리 바로 위 복도를 따라 쭉 이어진 창틀[액자-레일]을 따라 움직였어요. 병동을 오가는 동안 그 레일에 연결되어 있었죠. 그 창틀은 좀 낡았을지는 몰라도 먼지 하나 없었어요. 녹슨 것도 하나 없이 … '오우 울리' … 그는 항상 움직이고 있었고 안절부절못했고 녹스는 법이 없었죠. 어떤 그림을 얻게 될지 궁금해서 윌리에게 태그를 붙이고 일주일 정도 그의 움직임을 추적했어요. 수년간 반복된 양떼의 자취나 늙은 목동의 루틴처럼, 공기 중에서도 볼 수 있는 실제 패턴이 있을 거라고 확신합니다.

윌리의 움직임에는 경계선이 있었다. 액자-레일이 끝나는 곳이라든가 그의 세계 '안'에 속하지 **않는** 구역들이 있었다. 예컨대 그는 네빌이 '스퀘어 원'이라고 부른 병원의 중앙 출입구 홀의 '동쪽'으로는 절대 가지 않았다. 그곳은 윌리에게 **미지의 땅**이었다. 이런 경계선들은 크레이그 병원의 특정한 배치, 궁극적으로는 수용 기관의 기본적 공간 논리로 윌리에게 부과되거나 적어도 '제안'되었다. 수용소는 윌리처럼 문제가 있고 문제를 일으키는 이들을 나머지 '우리us'

로부터 분리하고자 고안된 공간이었다. 그가 그 기관 안에서 자신의 움직임을 전적으로 어떻게 구성했는지, 그 움직임들이 그에게 그리고 혹시라도 알아차린 다른 사람들에게 무엇을 의미했는지는 별개의 문제다. 이는 **임모빌리티** 안에서의 모빌리티라는 이상한 현상이다.

이 일화의 특별한 의미는 잠시 후 계속 살펴도록 하고, 일단 강조하고 싶은 점은 소위 '새로운 모빌리티 패러다임'(Cresswell 2010)의 기여 속에서 임모빌리티에 대한 질문이 조용하지만 꾸준히 제기되었다는 점이다. 크레스웰의 선구적인 책《장소 안/장소 밖In Place/Out of Place》(Cresswell 1996, 특히 4장)은 '집시'나 뉴에이지 여행자처럼 '고정된 거주지'가 없는 것으로 보이는 집단의 모빌리티 '일탈'을 인정하면서, '히피 트레일러'가 마음대로 움직이는 것을 막으려는 영국 경찰(정치적 명령으로 움직이는)의 지속적인 노력에 주목했다. 그의 주저《온더 무브On the move》(Cresswell 2006)에 드러난 것처럼 크레스웰이 모빌리티에 대한 우려를 더 공식화하자, 다양한 속도, 다양한 사람, 다양한 맥락의 차등적인 모빌리티 생산이 어떤 경우에는 임모빌리티로 귀결된다는 인식이 대두했다('**어떤 모빌리티는 다른 이들의 임모빌리티에 의존한다**')(Cresswell 2001,22). 이어서 그는 "'정박moorings"이 종종 "모빌리티"만큼이나 중요하다'면서 "속도, 느림, 임모빌리티 모두 권력과 권력의 배분이 철저하게 주입된 방식과 관련이 있다"고 했다.

모빌리티 연구는 임모빌리티의 현실과 짐을 심각하게 받아들여야 한다는 것이《모빌리티》지의 창간호(Hannam, Sheller, and Urry 2006; also

Adey 2006; Salter 2013) 편집자 서문에서부터 인식됐다. 《M/C》지 특집호에서는 '정지Still' 현상을 구체적으로 다루었다(Bissell and Fuller 2009a). 이 문제의식의 확장을 보여 준 《모바일 세계 속 정지Stillness in a Mobile World》(Bissell and Fuller 2011a)는 "모빌리티와 임모빌리티의 이원론적 관계를 뛰어넘는 세계와의 관계로서 '정지'[정지성, 정적인 것, 정지를 경험하는 것]에 대한 감수성"을 제시하며 정지에 대한 고찰을 심화시킨다(Bissell and Fuller 2011b, 12; also Bissell and Fuller 2009b). 이 주장은 단순히 어떤 사람이나 사물이 움직이지 않게 되고 움직임의 '중지'를 즐기거나 견뎌 낸다는 의미가 아니라, 오히려 정지 상태가 존재 자체의 논리, 역학, 정동적 자질, 그리고 '잠재력'(적어도 항상 정지의 중심에서 발아하는 움직임의 경우)(Murphie 2011) 또는 '생산성'(학문적 훈련처럼 어떤 과정을 심화하는 경우)(Watkins and Noble 2011)을 갖는다는 의미다.

이 글에서는 모빌리티와 임모빌리티 관계(이원론까지는 아니더라도)를 계속 다루겠지만, 이처럼 생동감 있는 정지 감각이야말로—사실상 《정지Stillness》 선집에는 푸코적 시각에 기반한 이해가 거의 없지만—나의 주장에 절대적으로 중요하다는 점은 분명히 지적해 두어야겠다.

윌리의 일화가 특히 강조하는 바는, 다양한 종류의 수용소로 구성된 '폐쇄된 공간'(Wolpert 1976)에서 모빌리티와 임모빌리티가 어떻게 교차하는가이다. 크레스웰(2001, 17)이 언급했듯이 "교육, 민족주의, **병원, 수용소**(강조는 필자), 군대 등에서는 '감금'의 근대적 반작용이 생긴다." 선한 질서를 유지하기 위해서라든가, 도덕의 테두리를 수호하기 위해, 심지어 처벌의 형태를 띨지라도 '치료'의 연속성을 보장하기 위해서라는 다양한 이유로 의도적으로 모빌리티가 축소된다. 그런데 수용소나 감옥 같은 수용시설은 너무도 분명하게 모빌리티의 원리를 기반으로 삼고 있기 때문에 모빌리티 연구에서 큰 주목을 받지 못하는 것으로 보인다. '새로운 모빌리티 패러다임'과 보호시설 혹은 감옥의 지리학에 대한 연구 사이의 소통은 굉장히 제한적이었다. 하지만 특히 감옥과 관련해 모란Moran을 비롯한 연구자들은 정확히 이 문제를 다룬 바 있다(Moran, Piacentini, Pallot 2012, 449).

감옥은 본래 공간적으로 '고정된' 것처럼 보이고 수감자들은 수감된 탓에 움직이지 않는 것처럼 보여, 모빌리티가 규율화된 모빌리티를 간과한 것과 마찬가지로, 수용시설의 지리학은 모빌리티를 소홀히 여길 위험이 있다. … 감옥은 수감자들이 고정된 물리적 공간 안에 구금되어 있는 임모빌리티의 전형으로 보일 수 있다.

모란 등은 '규율화된 모빌리티'라는 용어에 주목해야 한다고 주장한다. 이들의 연구에서 이는 대체로 본국에서부터 러시아 외딴 '유형지'의 감옥까지 가는 엄청난 여정을 보내는 동안 규율 기술—푸코적인 틀에서 느슨하게 이해된 (후술된)—을 개시하는 것을 의미한다(Pallot 2005; '보호시설로의 여정'에 대해서는 Philo 1995). 그럼에도 불구하고 이들은 '형무시설 내 수감자와 직원의 미시적 모빌리티'(Moran, Piacentini, and Pallot 2012, 449; Minke and Lemonne 2013)를 언급하고, 감옥 환경에서의 '인구

축적'에 대한 나의 논문을 증거로 들면서(Philo 2001), 개별 교도소 내에
도 주목할 만한, 그리고 주목해야만 하는 모빌리티가 있다고 주장
한다. 나는 인용된 내 논문에서 교도소 공간 주변의 다양한 움직임
에 대해 일부 논의했지만, 정확하게 모빌리티, 더 정확히 말하자면
모빌리티와 임모빌리티 간의 상호작용에 초점을 맞춘 것은 아니다.
모란을 비롯한 연구자들이 준 자극[2]에 힘입어 이제 이 상호작용을
제대로 다뤄 보려 한다. '모빌리티의 정지'에 대한 푸코의 연구를 깊
이 있게 검토하여 비밀을 밝혀낼 것이다.

'노마딕' 군중과의 전쟁과 푸코

이 글의 주제는 미셸 푸코의 작업 전반, 심지어 움직이지 않는 정
지와 정주성을 우선시하는 글에서도, 모빌리티-임모빌리티 관계
가 어떻게 작동하는지를 살피는 것이다. 이 주제를 탐지하기 위해
때로는 큰 길보다 우회로를 통해, 그리고 논의의 흐름이 차츰 드러
나는 방식으로 푸코의 작업 위를 순회해 보려 한다. 그러면서 푸코
가 명확하게 모빌리티를 다루는 지점, 국가나 도시의 '대사metabolism'

---

[2] 최근의 논의로는 《감옥 공간: 구금 및 이민자 구금에서의 이동 및 구금Carceral Spaces:
Mobility and Detention in Imprisonment and Migrant Detention》(Moran, Gill and Conlan 2013)
을 참조할 수 있다. 이 책은 모빌리티(국경 횡단에서부터 건물 내 움직임에 이르는 다양한
규모의)와 이런 모빌리티에서의 봉쇄나 마찰 간의 관계를 다룬 논문들을 실었다. 즉, 제도적
경계를 **가로지르는** 운동을 살필 수 있다.

에서 중요한 '순환'을 논하는 '생명관리정치' 강의가 아닌(예컨대 Foucault 2004a, 2004b, 2007, 2008; Ek and Hultman 2008; Nally 2011; Baerenholdt 2013), 모빌리티 연구자들이 별로 집중하지 않는 텍스트에 우선 주목하려 한다.

실제로 우리가 《광기와 문명》(Foucault 1961, 1965, 2006a), 《감시와 처벌》 (Foucault 1975, 1976)처럼 사회제도적 역사에 대한 푸코의 주요 작업들을 검토했을 때 드는 첫 번째 생각은, 거시적 차원에서 푸코는 주어진 사회의 원활한 기능을 위해 계산된 특정 문제 인구('광인'과 '악인')의 모빌리티를 줄이고자 고안된 안전 혹은 수용 공간의 출현을 기록한 다는 점이다. 이 공간들은 일상적인 사회적 공간의 '정상적인'('비-광 인'과 '비-악인') 구성원들을 방해하거나 심지어 오염시키는 것을 막 을 공간이다. 이 극명한 이분법, 즉 푸코의 작업에 나타난 이 간단 한 포함-배제 쌍으로 특정한 자격이 부여될 수 있는데, 이때 '정상' 이 '비정상'(가능하다면 '정상화'될 수 있는)에 영향력을 행사할, 캉길렘 Canguilhem에게 영감을 받은(1973: see Philo 2007b) 다양한 공간 배치 전략은 《비정상인들》 강의(Foucault 1999, 2003b) 시작에서부터 미묘하게 다루어 진다.

그렇다 하더라도 임모빌리티에 대한 강조는 부정할 수 없다. 이 는 《감시와 처벌》에서도 미시적 수준으로 드러나고 있으며, '권력 의 미시화' 주장의 핵심으로 자리잡으면서 서구의 사회이론적 인식 에 큰 영향을 미쳤다. 1700년대 후반부터 시작되는 근대적 '규율 권 력'은 공간에 있는 사물과 사람들을 '고정시키고' 움직이지 못하게 하는 것에 관한 것처럼 보인다. 푸코는 "규율의 주요 대상 중 하나는 고정시키는 것으로, 이는 반유목적 기술"이라고 했다(1976, 218). 이는 단호한 반-모빌리티, 혹은 '노마딕nomadic' 군중의 혼잡한 결속을 조장하는 모든 허가되지 않은 모빌리티에 대한 반대다.

집단 단위의 구분을 피하고, 집단적 배치를 분해하며, 혼잡하고 밀집해 있거나 파악하기 어려운 다수를 해부하도록 한다. … 불확실한 분리 때문에 나쁜 결과가 생긴다거나, 개인들이 통제되지 않고 실종되는 일, 산만한 원래와 무익하고 위험한 동맹 가능성 등 모든 문제를 없애야 한다. … 중요한 것은 개개인의 출결 사항을 명백히 하고 개인의 소재를 파악하는 일이며, 유익한 연락 체계를 확립하고 다른 사람들과 차단시키는 것이다(Foucault 1976, 143).

이 용어는 들뢰즈와 가타리(2004a, 2004b)의 논의와 연결된다. 이들은 '유목적'인 미끄러짐의 위협적인 '매끈함'을 '고정'시키려고 하는 공간의 '영토화'(혹은 '홈패임')를 이야기했다. 이 미끄러짐은 사물과 사람들이 자본, 국가, 사회의 명령이 요구하는 '포획 장치'에서 탈출하려고 할 때 발생한다. 들뢰즈와 그 동료들에게 받은 영향으로 푸코의 학문적 논의는 넓어졌고(그 반대도 성립하지만), 이 점은 다음에서 전개될 논의의 수평선(공간적 상상력까지)을 암시적일지라도 유의미하게 예고한다.

푸코는 근대적 '규율 권력'—무엇보다 규율은 공간 안에 개인을 배치하는 것에서 출발한다는 점에 주목해야 한다(Foucault 1976, 150; also

Driver 1994; Hannah 1997)—에 필수적인 '분배의 기술'을 설명하고자 근대적 감옥과 관련 기관들이 내포하고 있는 거시적 수준과 미시적 수준의 임모빌리티를 기술한다. 여기서 첫 번째 원칙은 폐쇄된 공간에 대상 인구를 배치하는 포위 상태다. 나머지 '우리'와의 원활한 소통을 막기 위해, 그리고 규율 통제 프로그램을 엄격하게 적용하기 위해 특정 인구 집단을 임모빌리티 상태로 만드는 것이다. 두 번째 원칙은 격리다. 시설 내 공간을 분할 또는 세분화하고 모든 수감자를 '독방'에 배치하거나 최소한 작은 그룹으로라도 분리함으로써 수감자들 사이의 (물리적·도덕적) '감염'을 줄일 수 있고, 기관의 규칙적 일과 속에서 쉬운 관리가 가능해진다. 이러한 원칙들은《감시와 처벌》(Elden 2003)에 담긴 푸코 논리의 핵심이었던 18세기 후반 이상적인 감옥을 위한 벤담의 악명 높은 '파놉티콘' 디자인에서 잘 드러난다. 그리고 이는 잘 눈에 띄진 않지만 같은 텍스트 후반부에 나오는 19세기 후반 메트레Mettray 소년원에서도 똑같이 핵심적인 요소로 작용한다(Driver 1990).

이는《감시와 처벌》[3]에서 영감을 받은 수많은 경험적 연구들이 이미 기록한 익숙한 내용이지만, 자세히 읽어 보면 푸코의 설명은 (계획되고 허가되는) 모빌리티에 대한 세심한 규제, 심지어 장려에 대

---

[3] 내 전공인 지리학에서는 거리가 좀 멀지만, 수용소와 기타 정신 관련 입원 시설(Philo 1989), 감옥(Ogborn 1995; Ferrant 1997; Philo 2001), 작업장(Driver 1993), 교정소(Driver 1990; Ploszajska 1994), 공장이나 제분소(Stein 1995; Wainwright 2005)에 대한 연구가 포함될 것이다.

한 것임을 알 수 있다. '일상사'(Foucault 1976, 140)를 경험적으로 추적한 푸코는 인간의 자세, 몸짓, 움직임 능력의 내밀한 형태에 관한 '길들이기 일반론'(Foucault 1976, 136)을 정교하게 기술한다. 보통 말을 길들인다고 하면 말과 기수 사이의 고도로 잘 짜여진 움직임을 떠올리는데, 푸코(1976, 155)는 정해진 대로 움직이는 기계적인 신체라기보다는 어쩌면 자연적 힘과 조화를 이루는 유기적 신체인 새로운 몸이 어떻게 형성되는지를 이야기한다. 반복적이지만 인공적이지 않은 운동을 통해 훈련된 몸이 되는 것이다. 따라서 이는 특별하게 교육된 인공적인 모빌리티가 아니라 뼈, 관절, 신경, 근육, 힘줄의 적당한 리듬으로 움직이는 몸의 자연스러운 모빌리티, 철저하게 구체화됐지만 의도되지 않은 지식이다. 푸코(1976, 152)는 다음과 같이 말한다.

규율적 통제는 단순히 일련의 특정한 동작을 가르치거나 강요하는 것이 아니라, 동작과 전체적인 신체 자세, 즉 효율성과 속도라는 조건 사이에 최고의 관계를 부과하는 것이다.

'속도'에 대한 언급은 푸코가 여기에서 모빌리티에 대해 말하고 있음을 강조하지만, 차후에 설명하겠지만 그런 연관성은 몸짓과 전체적인 태도 사이의 관계에 대한 **어떤** 생각을 의미한다.

꼭 푸코(1976, 135)가 《감시와 처벌》의 세 번째 장('규율'이라는 제목의 이 장은 '순종적 신체'라는 절로 시작한다)을 행진하는 신병들의 퍼레이드 장 이야기로 시작해서만이 아니라, 이런 맥락에서 군인의 신체는 매우 중요하다.

18세기 후반이 되자, 군인은 만들어지는 어떤 것이 되었다. 사람들은 틀이 덜 잡힌 체격에서부터 — 조금씩 자세를 교정시켜 나갔다. 계획에 따른 구속이 서서히 신체의 모든 부분에 퍼져 나가 신체를 지배하고 복종시켜, 신체를 언제든지 마음대로 사용할 수 있게 만드는 것이다.

제식—의도적으로 리드미컬하게 전진하는 걸음걸이, 완벽한 조화를 이루는 팔다리와 몸통, 각 신체 부위가 서로 조화롭게 움직이는 방식에 알맞은 자연스러운 모빌리티 훈련—은 푸코에게, 이렇게 표현해도 된다면, 숙련된 모빌리티의 '현상학'으로 나타난다.[4] 그럼에도 불구하고 이러한 모빌리티는 임모빌리티와 병치된다. 부분적으로는 구획된 부대 내에 있는 신병들의 상대적인 임모빌리티이자,[5] 더 즉각적으로는 꼼짝없이 있어야 하는 임모빌리티와 말이다. 1764년 프랑스 조례에 명시된 것과 같이 신병들은 똑바로 서 있는 데에 익숙해져야 했다. 머리, 손, 발을 움직이지 않고 **명령이 떨어질 때까**

---

[4] 세계에 대한 구체적이고 정서적인 (인간적) 반응의 '공학'에 대한 스리프트의 아이디어(2004, 2008; Amin and Thrift 2013)에서 활력을 얻은 최근의 인문지리학 연구에서 비슷한 논의들이 나오고 있다. 실제로 본고의 논의를 넘어, 푸코와 스리프트 사이의 명료한 해석 차이를 재고하고자 이러한 자료들을 활용할 수도 있다(Thrift 2007; Philo 2012 참고).

[5] 푸코(1976, 151-152)는 실제로 주요 분배 기술을 다루는 몇 단락에서 포위 상태의 첫 번째이자 중요한 예로 군대 캠프 사례를 든다.

지 미동 없이 있는 법을 배우게 된다(푸코 1976, 136, 강조는 필자). 이런 조건 속에서 신병은 완전히 움직이지 않으면서도 움직일 수 있는 태세를 갖춰야 하고, 강제적인 게 아니라 자연스럽게 모빌리티를 임모빌리티로 즉각 바꿔야 하고, 모든 '효율성과 속도'를 동원해 움직여야 한다. 이 점의 의의는 나중에 더 분명히 드러나겠지만 결론부터 간단히 말하자면, 푸코가 '반-유목적' 근대 규율 권력의 '고정된' 관행들을 항목화하는 텍스트의 핵심부에 모빌리티의 생산적인 형태가—나아가 모빌리티와 임모빌리티 사이의 변증법[6]으로서 기능하는 것이—도발적이게도 논쟁적으로 남아 있다는 점이다.

《정신의학의 권력》: 잘 알려지지 않은 푸코적 전환

다소 경시되고 있는 푸코의 《정신의학의 권력》은 1973~1974년 콜레주 드 프랑스 강의였는데, 2003년 프랑스어로 출간된 후 2006년 영어로 번역되었다(Foucault 2003a, 2006b; also Elden 2006; Philo 2007c, 2012, 2013). 이 강의는 푸코가 《광기와 문명》에서 다뤘던 기반(중 일부)으로 돌아오는 것처럼 보이지만, 《감시와 처벌》의 개념적이고 실체적인 작업이 보여 줬던 렌즈를 통해 이해해 볼 수 있다.

---

[6] 종종 전통적인 변증법적 사고를 경멸했던 푸코를 논할 때 '변증법'에 대해 이야기하는 것은 항상 조심해야 한다. '변증법'을 너무 단순하고 균질한 것으로 간주하거나, 울퉁불퉁한 모순과 대립을 너무 매끄럽게 만들어 버리면서 말해서는 안 된다.

푸코는 앞선 두 번의 강의 시리즈에서 이미 이 작업의 많은 부분을 실험했고, 1975년 프랑스어로 출간한 《감시와 처벌》의 전부는 아닐지라도 상당 부분은 '정신의학의 권력'이라는 제목의 강의를 진행하기 전에 썼을 가능성이 있다. 이 강의들은 중세부터 19세기 후반까지 유럽의 긴 역사를 통틀어 '광기'에 대한 인식과 대우를 대폭 변화시킨 《광기와 문명》과는 다르다. 상대적으로 이 강의는, 이성이 점차 광기를 몰아내는 수단들을 갖게 되어 공인된 정신과학의 전문용어를 사용하는 '치료소'에서 말하는 것을 제외하고는 침묵이 강요되거나, 수용시설의 보호 안에 수감되거나, 야생으로 쫓겨나는, 시대에 따라 달라지는 광기와 이성의 대서사시를 그려 내지는 않는다. 그 대신에 《정신의학의 권력》은 19세기 정신병원의 폐쇄공포적 공간에서 발휘되는 권력의 미시물리학을 지속적으로 탐구하는데, 내가 다른 글에서 상세한 '원근화법'이라고 불렀던 것이 《정신의학의 권력》[7]의 수많은 세세한 경험담에서 펼쳐진다. 각 장면에서 우리는 다루기 힘든 정신병자들과, 무질서와 다름없는 상황을 통제하려고 노력하는 수용시설의 의료 관리자(와 직원들)에 대해 알게 된다. 이때 사용되는 수단들은 이 집단 수용자들의 구체적인 (임)모빌리티에 개입하는 것이었다.

---

[7] '정신의학psychiatry'이라는 용어는 19세기 후반까지는 통용되지 않았기 때문에 주의가 필요하다. 실제로 이 강의에서 푸코의 주장이 다루는 것은 본질적으로 '초기-정신의학'이다. 달리 말해, 지금 우리가 현대의 의학적 정신의학(물론 이 자체를 하나의 단일한 것으로 볼 수 없지만)이라고 간주하는 것의 전사前事에 해당하는 것이다.

푸코는 "정신의학의 권력은 치료적 개입을 행하는 것이기 이전에 무엇보다 먼저 운영, 관리를 행하는 것"이라고 썼다(2006b, 173). 이 강의의 핵심 주장은 정신병리학(그리고 새롭게 출현한 더 넓은 의미의 '정신'-규율 분야)이 정신의학 권력의 파생물, 부산물, 심지어 사후합리화였다는 점이다. 이는 수용소 직원이 난동을 피우는 수용자의 심신을 규제할 방법을 찾은 **이후에야** 마련되는 질병분류학, 병리학, 진단 및 예후의 집합체이다. 이 권력—혹은 권력의 다양한 배치—은 주로 신체적으로 불편한 사람들을 치료하는 장소에서 의사나 간호사와 유사한 '공간'을 점유하는 개인에 의해서 행사되므로 '의료적'인 것으로 이해되었다. 이는 수세기 전으로 거슬러 올라가는 불안정한 관계지만, 이제는 병원을 모방한 정신요양원의 공간적 형태가 보장하는 견고함이 있다.[8] 그러나 푸코(2006b, 181)가 특히 강조하는 것은 정신요양원의 의료 책임자 혹은 의사의 형상과 그 현전이 어떻게

---

[8] 문제는 이런 진술이 암시하는 것보다 더 복잡하다. 특히 '광기'에 대한 의학적 치료—물리적이고 신체적인—의 형태는 고대 그리스로 거슬러 올라갈 정도로 그 뿌리가 깊다. 그럼에도 불구하고 유럽과 북미에서 18세기 후반과 19세기 초반에는 수용소에 대한 의학적 정당화가 '도덕적' 정당화로 대담하게 전환되는 모습이 나타난다. 후자에 대한 의학적 권위는 순전히 사소한 문제 혹은 논쟁의 여지가 있는 문제로 간주되었다. 그러므로 19세기 '광기'의 역사를 평가하는 한 가지 방법은 이 역사를 점차 의학적으로 재식민화되는 과정으로 보는 것이다. '광기'를 치료하기 위한 '도덕적' 원칙이 추가됐는데, 그중 많은 것이 정확히 정신이상자가 제정신으로 행동하게 만들 실제적인 해결책이 되었다(Tuke와 Pinel처럼 실험적 개혁을 논할 때 《광기의 역사》(Foucault 1965)의 핵심 메시지). 따라서 《정신의학의 권력》은 어떤 면에서 정확히 어떻게 언급된 해결책들이 '의학적' (혹은 '정신의학적')인 것으로 구성되었는지를 상세히 설명해 준다. 신체적 질병을 다루는 병원을 모방한 공간에서 '의료인'에 의해 시행됨으로써 구성되는 방식을 말이다. '광기'와 수용소라는 역사적 지리학에서 '의학적'이고 '도덕적'인 태도에 대한 자세한 연구는 Philo(2004)를 참고할 수 있다.

'요양원 공간'에 영향을 미쳤는가 하는 점이다.

정신요양원 내부에서 의학적으로 표시하는 것은 무엇보다 의사를 신체적으로 현전시키는 것이라고 나는 생각한다. 그것은 의사를 편재시키는 것이며, 대략적으로 말해 정신요양원의 공간을 정신과 의사의 신체에 동화시키는 것이다. 정신요양원은 정신과 의사의 신체가 확장되고 팽창되어 시설의 크기를 갖게 된 것이며, 이렇게 확장된 결과 바야흐로 정신요양원의 각 부분이 정신과 의사의 신체 각 부분에 상응하고 그의 신경에 의해 제어되고 있기라고 한 듯이 정신과 의사의 권력이 행사된다. 더 정확히 말하면, 정신과 의사의 신체와 정신요양원이라는 장소와의 이런 동일시는 다양한 방식으로 표명된다.

《정신의학의 권력》에 때로 벤담의 후예가 출현하기도 하지만, 파놉티콘의 익명성 시각중심주의occularcentricism보다 훨씬 더 많이 등장하는 것이 있다. 처벌을 위한 수용 공간을 끊임없이 오가는 검사자와 개입자―이들은 멀리 떨어져 있고 형체가 보이지 않는 파놉티콘의 감시자와는 매우 다르다―에 의해 수용 공간이 더 구체적이고 유기적인 거주지가 된다는 사실이다. 푸코는 이어 "정신과 의사의 신체는 정신요양원 자체"이며, "정신요양원 조직과 정신과 의사의 신체는 한 몸"이라고 말한다(2006b, 182). 의사는 항상 요양원 구석구석을 돌아다니며 자신의 의지를 '전달'하고 일어나는 모든 것을 쳐다보고, 마주치고, 지시하고, 논평하고, 영향을 미치고 있어야만 한다.

이는 마치 그가 요양원이라는 유기적 조직체의 한 위치에서 다른 위치로 '신경'을 운반하는 '생명의' 힘이라도 되는 것처럼 효과적으로 이 '신경'을 구성하며, 파놉티콘의 고정된 벽돌 구조와 대조적으로 떨림으로 가득 찬 신경막이자 움직임으로 가득찬 수용시설이라는 인상을 만들어 낸다.

따라서 《정신의학의 권력》은 상주하는 의사의 움직임만을 고려하더라도 임모빌리티 안에서의 모빌리티라는 현상에 대한 흥미로운 접근법을 보여 준다. 수감자들의 움직임까지 확인하면 그림은 훨씬 더 흥미로워지며, 그 지점에서 우리는 제도화된 수용 체제에 놓인 윌리와 그 밖의 사람들이 있는 어둡게 움직이는 세계로 (부분적으로나마) 되돌아가게 된다. 여기서 중요한 것은 1974년 1월 16일 강의였던 《정신의학의 권력》 9강이다.

이 강의는 '정신의학의 권력'이 어떻게 움직이기 시작했는지, 어떻게 특정한 수용 공간으로부터 더 넓은 사회적 삶의 영역으로 새어나가게 되었는지를 설명한다. 이런 새어나감의 한 방향은 소위 '백치idiocy', 특히 '바보', '저능아', '정신박약'라는 꼬리표(나중에는 '정신지체', '정신장애'로 용어가 바뀌며, 더 최근에는 '학습장애', '지적장애', '발달장애'라고 부른다)가 붙은 아동을 대상으로 한 시설에서 일어나는 실천과 관련된 초기 치료와 관련된다.[9] 아이러니하게도 '백치'는 '정신

---

[9] '백치'에 대한 역사적 연구도 어느 정도 확인할 수 있는데, 여기에서는 최근 Goodey(2011)와 Simpson(2014)의 비판적 설명을 인용하겠다. 또한 이 '다른' 상태 대한 용어에는 상당한 언

적' 의학의 대상이라기보다는 신체적 치료의 대상인 기질적 상태로 이해되면서도 '정신의학적 권력'에 의한 식민화와 실험의 장이 되었다. 푸코는 '백치'의 역사에서 중요한 인물인 에두아르(후에는 에드워드) 세갱Seguin(1812~1880)의 작업을 참고한다.[10] 세갱의 작업은 "일단 백치아들이 정신요양원 공간 내부에 놓이게 되면, 그 아이들에게 행사되는 것은 바로 순수 상태에 있는 정신의학의 권력"(Foucault 2006b, 214)이라는 점이다. 정확히 그 당시에는 '백치'에 대해 말할 수 있는 유의미한 '정신적' 지식 **없이** 그저 구체화된 실천들의 모음이 있었을 뿐이기 때문에 '순수'한 상태에 있다고 하는 것이다.

세갱의 접근 방식은 바로 이런 실천들에 정확히 기반하고 있다. 실제로 그는 자신의 접근 방식을 '생리학적 방법'(Seguin 1866)이라고 설명했고, 환자의 정신과 이성보다는 '백치의' 몸을 훈련시키려 했다.[11] 비록 처음에는 '백치'라는 문제에 대한 '위생학적'이고 '교육적'인 대

어학적 차이가 있는데 아마 지역 간 개념차가 반영된 것일 수도 있다.

[10] 세갱은 1840년 파리에 '백치아'를 위한 사립학교를 세웠는데, 그전에는 '백치'교육의 역사에서 역시 중요한 인물인 장 가스파르 이타르Jean Gaspar Itard 밑에서 일했던 의사였다. 유토피아적 사회주의자 앙리 드 생시몽Henri de Saint-Simon의 영향을 받은 프랑스혁명 키드였던 세갱의 정치적 감수성은 반혁명 세력이 다시 일어서면서 움츠러들 수밖에 없었고, (전 유럽 '혁명의 해'였던) 1948년에 미국으로 이주할 수밖에 없었다. '에두아르Eduoard'에서 정식으로 '에드워드Edward'가 된 세갱은 미국에서 '백치'를 위한 다양한 공공시설에 참여하게 되었고, 뉴욕에 정신박약아동(그리고 간호사와 교사)을 위한 훈련학교도 열었다. 미국 정신지체아 의료책임자협회Association for Medical Officers of American Institutions for Idiotic and Feeble-Minded Children의 초대 회장이 되었다.

[11] 세갱은 '백치' 치료에서 이타르에게 영향받았던 기존의 정신적 혹은 '심리학적' 접근 방식에서 벗어난 물리적 혹은 '생리학적' 접근 방식을 원했다.

응과 관련된《백치의 도덕요법traitement moral》이라는 책도 썼지만 말이다(Seguin 1846). 푸코는 세갱이 "두 의지의 대결"(in Foucault 2006b, 215), 즉 교사(혹은 의사)의 의지와 백치아의 의지 사이의 대결을 생각했다는 점을 언급한다. 이때 전자의 자원은 후자의 본능적인 '의지를 갖지 않으려는 의지'라는 '완고함'의 반대편에 놓인다. 특히 관심이 가는 대목은—사실 이 논문을 쓰게 된 착안점이기도 한데—세갱의 1846년 글에서 직접 인용한 다음의 세부 사항을 활용하며 푸코가 이 대결에 대해 쓴 부분이다.

세갱은 백치아와 전능한 교사 사이의 이런 대결을 이론화하고 실천한다. 예컨대 세갱은 자신이 어떻게 소란스러운 어린이에게 자신의 말을 경청하게 할 수 있는지 말한다. "A.H.는 혈기왕성하고 말을 듣지 않았다. 고양이처럼 기어오르고 쥐처럼 도망다니는 그를 잠깐이라도 서 있게 하는 것은 불가능했다. 나는 그를 의자에 앉히고 그의 정면에 앉아 아이의 두 발과 양 무릎을 나의 두 발과 양 무릎으로 단단히 눌렀다. 한 손으로는 그의 양손을 무릎 위에 고정시키고, 다른 손으로는 그의 움직이는 얼굴을 끊임없이 내 쪽으로 돌렸다. 식사와 수면 시간을 제외하고는 우리는 5주 내내 그렇게 하고 있었다."

명백히 드러나듯이 이 사례는 모빌리티와 임모빌리티 간 관계에 달렸다. 목표는 A.H의 불안정한 모빌리티, 쉼 없는 몸의 움직임, 다리를 흔들고 팔을 펄럭이고 머리를 빙빙 돌리는 것을 멈추고 완전한 임모빌리티 상태, 즉 (세갱을 바라보는 A.H.의) 변함없는 시선과 결합된 몸의 정적을 만들어 내는 것이다. 이는 5주 동안 두 개의 몸이 함께 묶여 있는 방식으로 구현된 권력의 미시물리학의 작은 예로, 근대적 규율 권력에 대한 푸코 설명의 핵심인 임모빌리티의 두드러진 현상, 즉 공간에 신체를 '고정'시키는 것에 해당한다. 하지만 이 사례에서도 분명히 알 수 있듯이 위험에 처한 것은 부과된 임모빌리티와 그에 반하는 모빌리티 사이의 신체적 접촉면이다. 움직이려는 의지는 (다른 누군가를) 가만히 있게 만들려는 의지에 굴복된다. 이 사례는 내게는 '생명의' 붕괴와 '생명정치적' 통제(간단히 말해 '생명권력') 사이의 전체 역학을 아우르는 것처럼 보인다. 이 안에서 지배적 권력, 담론적 구성, 저항 불가능성**만**을 보는 비평가들을 비웃으며, 푸코의 작업 전체를 아우르고 있는 것이다(Philo 2012).[12] 게다가 모빌리티와 임모빌리티의 관계는, 푸코의 초점이 '움직이게 만들기'보다는 '못 움직이게 만들기'에 더 초점을 맞추고 있는 것처럼 보이는 순간에도 언제나 이 역동성을 파고든다.

---

[12] 여기에서 중요한 단서는, 내가 푸코를 따라 그의 초기 저작에 암시된 권력의 깔끔한 단계—주권적, 규율적, 생명권력적—를 효과적으로 뒤섞고 있다는 점이다. 특히 나는 《사회를 보호해야 한다》(Foucault 1997, 2003c) 강의의 마지막 페이지에서 서로 다르게 중첩되는 권력에 대한 푸코의 묘사를 따른다. 또한 나는 인간 존재의 '생명력'에 대한 분명한 '생명정치적' 표현이 나올 때마다 (언제 어디서든) 작동하는 '생명권력'에 대해 말할 준비가 되어 있다. 그것이 인구계획 수준에서든 ('백치'에 대한 세갱의 접근 방식처럼) 구체적 능력 증진 수준에서든 상관없이 말이다.

모빌리티와 임모빌리티에 대해 세갱이 남긴 교훈

만약 우리가 푸코가 세갱에 대해 쓴 글에서 벗어나 1866년에 세갱이 쓴《생리학적 방법에서 본 백치와 백치 치료》(그림 1)에서 찾을 수 있는 구절들에 푸코식으로 접근해 본다면 이 주장을 더 심화시킬 수 있을 것이다. 따라서 변명 없이, 다음에서는 긴 인용에 의존하며 실증적 자료를 확인해 보겠다. 인용문 자체를 통해 점진적으로 전개되는 논의의 무게를 상당 부분 전달하고자 한다.

세갱(1866, 16)은 '백치'의 의사이자 교육자에게 주어진 과제는, 자연적이면서도 충분히 강력한 훈련 방법으로 생리학적 활동에서 손상된 기능, 손상된 기관을 찾아내는 일이라고 보았다. 푸코의 용어를 빌리자면, 세갱의 1866년 텍스트의 상당 부분은 '백치'의 상세한 '훈육dressage'을 기술하는 데에 할애되었는데, 이는 학교 혹은 수용소, 전문적 '백치 기관'(세갱은 이런 명칭을 몰랐지만)이라는 맥락에서 훌륭하게 수행되었고, 거시적 차원에서 이 기

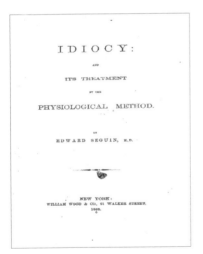

그림 1 세갱의 저작 *Idiocy: and Its Treatment by the Physiological Method*. 출처: William Wood & Co., 61 Walker Street, New York, 1866. (Out of copyright)

관의 재소자는 일상 사회의 나머지 부분과 분리되어야 했다. (즉, 사회적 규모에서의 효과적인 임모빌리티화가 일어났다.) 페이지마다 근육, 신경, 반사, 기능에 대한 훈련이 항목별로 나열되어 있고, 이 모든 것은 (세갱의 표현을 그대로 옮기자면) '움직임', '운동성', '잡기', '조작성', '모방', '의사소통'의 지속적이고 세밀한 관리를 통해 이루어진다. 이 용어 중 일부는 구체화된 모빌리티 훈련으로 곧장 나타나지만, 여기 나열된 모든 신체적 능력을 비롯한 더 많은 것들은 이러한 모빌리티를 '올바른' 상태로 만드는 것과 밀접하게 관련된다. 대부분은 이 어린 '백치'가 어떻게 그들의 기관과 그 기관을 구성하는 여러 공간적 요소 안에서 움직이는지와 관련된 엄격한 규제를 다룬다 (Philo, 2014). 특히 세갱은 '준비운동' 혹은 '체조'에 대해 논의한다. '체조'와 관련해서는 '손의 체조'(Seguin 1866, 125) 같은 항목이 있는데, 여기에는 손의 움직임을 어떻게 훈련해야 하는지에 관한 매우 정밀한 설명이 나온다. 만약 《모빌리티》라는 저널에 실릴 만한 가치가 있는, 신체적 모빌리티와 (곧 확인하게 되겠지만) 임모빌리티에 대한 책이 있다고 한다면 바로 이 책일 것이다.

더 일반적으로 말하자면, 세갱(1866, 195)의 목표는 "백치라고 불리는 거의 움직이지 않고 통제되지 않는 무리"를, 유기적이고 '생명력' 넘치는 새로운 능력을 가진 조직적이고 움직일 수 있는 몸으로 전환시키는 데에 있다. 그런데 중요한 것은, 앞서 언급했던 불안한 A.H.와 달리, '백치'의 신체는 지나치게 움직이는 것의 정반대인 지나치게 안 움직이는immobile 상태로서의, '움직일 수 없는immovable' 것으로 묘사된다는 점이다. 하지만 이 뚜렷한 모순은 모빌리티-임모빌리티 축이 명시적으로 전면화된 인용문을 검토하며 이 두 신체와 의지의 '움직일 수 없음immovability'이 어떻게 분석에 적용되는지에 주목함으로써 해소될 수 있다. 세갱은 다음과 같이 썼다[1866, 71].

우리는 아이가 서 있거나 눕거나 앉거나 하는 고정 상태 혹은 음식을 입에 넣는 것조차 하지 못하고 손으로 아무것도 제대로 잡지 못하는 상태로 표현되는 부분적인 움직임 상실을 자주 본다. 아이는 자기 의지대로 움직일 수 없으며 외부 자극, 즉 다른 사람의 의지에 의해서만 움직일 수 있다.

여기서 '백치' 아동일 수도 있는 완고함은 실제로 너무 단호해서 움직일 수 없는 것으로 받아들여졌다.

백치의 이 상대적인 움직일 수 없음은 … 무기력의 결과물로, 사람이나 동물이 움직이기 위해 자신의 힘을 모으는 임모빌리티와는 관계가 없다. 하나는 긍정적인 태도지만, 다른 하나는 부정적인 태도다. **긍정적인 임모빌리티**positive Immobility에서는 움직이고자 하는 결심이 나오지만, **부정적인 움직일 수 없음**negative immovability에는 … 행동하려는 모든 외적·내적 동기를 무력화시키는 힘이 있다. 따라서 이런 '움직일 수 없음'은 우리가 발견할 수 있는 백치의 근본적인 요소인 부정적 의지의 첫 번째 표현이다. 이제부터 우리는, '나는 하지 않겠다'는 침묵하는 부정적 의지로 만들어진 불굴의 의지인, 다양하고 무수한 무능력을 발견하게 될 것이다. 이제 잊는 것은 불가능하고 발견될 때마다 치료해야 한다. 백치의 영구적인 동작 무능이 나타나는 곳에서 우리가 지금 하게 될 일처럼 말이다(Seguin 1866, 71, 강조는 필자).

사실상 세갱은 앞서 신병 훈련에 대해 푸코가 언급했던 것처럼 효율적이면서 신속한 동작으로 정지 상태에서 튀어나오는 준비 태세를 육성하고자 했다. 그 비결은 절대 움직이지 않겠다는 개인의 결심에 대항해, 움직일 준비가 된 신체 상태, 움직임의 문턱에 서 있는 자세를 훈련하는 것이었다. 따라서 다른 상태로 바뀌기 바로 직전에 놓인 하나의 상태를 말하는 모빌리티와 임모빌리티의 변증법은 세갱에게 중요한 의미가 있었다. 정적을, 움직임을 위한 '잠재력'으로 간주한 것 역시 중요한 의미가 있었다(Murphie 2011 [보다 넓은 맥락에서는 Bissell and Fuller 2009b, 2011b 참조]).

그러나 이 '긍정적 임모빌리티'를 기르기 위해서는 '백치' 환자가 완전히 멈추는 방법을 반드시 알고 있거나 최소한 감지할 수 있어야 했기 때문에, A.H.와 같은 아이들의 모빌리티—자동적이고, 기계적이거나 돌발적인 움직임(Seguin 1866, 71)—를 멈추게 하는 방법의 문제로 돌아갔다.

이런 움직임이 신체의 나머지 부분에 대한 부정적인 임모빌리티 여부와 상관없이 존재하는 한, 우리는 아이의 의지적 행동이나 능동적인 임모빌리티가 개선되리라 기대할 수 없다. 따라서 우리가 할 수 있는 한, 그리고 가능한 한 빨리, 모든 것을 극복하고자 노력하는 것이 우리의 의무다. … 다행스럽게도 무질서한 움직임을 없애고자 수행된 훈련은 의지적인 임모빌리티와 질서 있는 움직임을 유발하기 위해 동시에 작동할 수 있다. 결과적으로 두 가지 목적을 동시에 달성하고 동시에 기록할 수 있다.

사실상 '긍정적인 임모빌리티'와 '질서 있는 움직임'을 동시에 가르쳐야 하며, 세갱은 '백치' 아이가 보이는 다양한 종류의 불안한 움직임을 없애기 위해 고안된 수많은 '운동'을 정식화했다. 그는 (자신과 아이의) 몸과 사지(무릎에 올린 손), 의자, 덤벨을 다양하게 조합하여 한쪽 팔은 임모빌리티의 상태이면서 다른 쪽은 하이퍼모빌리티 상태가 되는 사례를 들면서, 하나의 신체에서 모빌리티와 임모빌리티에 대한 동시적 결핍이 나타나는 어린이를 훈련시키는 방법을 설명하기까지 했다.

여기에 제시된 사례는 부분적 임모빌리티를 주요 목표로 하는 사례다. 반대로 다른 사례에서는, 우리가 몸의 한 부분의 섬세한 운동에 집중하기 위해 몸 전체를 움직이지 않게 유지하는 것처럼, 임모빌리티는 부차적이고 움직임이 주요 대상이 된다. 그러나 우리는 우리의 최종 목표가 완전한 임모빌리티를 가르치는 일임을 잊어서는 안 된다. 여기에 도달하기 위해서라면 어떤 고통도, 그리고 시간도 아끼지 않아야 한다. 왜냐하면 이로써 이후의 모든 움직임이 조화롭고 유용해지는 보상을 받게 될 것이기 때문이다(Seguin 1866, 73-74).

결국 모빌리티를 중지시키는 것이 이 특정한 종류의 '생명정치학적' 개입의 궁극적인 목표였다. 그 결과로 생기는 임모빌리티는, 손과 발의 움직임에서부터 시설 주변(그리고 아마 그 너머까지)을 돌아다니는 움직임에 이르는, '백치' 아이가 만들어 낼 수 있는 이후의 모든 긍정적인 움직임의 조건으로 간주되지만 말이다. 세갱은 "임모빌리티는 본질적으로 움직임의 지렛대이므로 우리의 훈련에서 임모빌리티는 모든 운동에 앞서며 모든 운동을 끝내고, 다양한 신체 훈련 사이의 전환과 휴식 역할을 한다"고 했다(1866, 74).

다시 푸코로 돌아가자면, 벽과 창살 너머까지의 임모빌리티 부과를 강조했던 푸코의 모든 텍스트에서도 이 임모빌리티가 '움직임의 지렛대'로 훈련되는 경우가 많았다. 부정적인 것이 긍정적인 것으로 바뀌거나, '억압적인' 권력이 '생산적인' 권력으로 전환되는 꼭지점에 있을 때, 이는 단순히 뭔가를 멈추게 하는 것이 아니라 뭔가를 일어나게(그리고 물론 움직이게) 만드는 것이다(Watkins and Noble 2011). 그렇다고 해서 이런 권력에 대한 윤리-정치적 비판이 배제되는 건 아니다. 푸코는 확실히 세갱을 찬양하는 것이 아니라 19세기 중반 '정신의학의 권력'(그리고 '정신의학자의 신체-수용 공간')이 규율의 손아귀로부터 '백치'를 데려가기 시작한 방법을 비판적으로 평가하고자 세갱을 인용하고 있다. 그러나 모빌리티-임모빌리티 변증법에 대한 세갱의 놀라운 숙고에 주목함으로써, 푸코식의 사회-제도적 역사가 폭로할 수 있는 바가 단순히 모빌리티 축소라는 야만적인 사실을 크게 뛰어넘는다는 점이 새로이 알려지면 좋겠다.

푸코와 오래된 보호시설의 모빌리티: 온순한 이교도의 추신

나의 작업은 어느 정도 끝났고, 언뜻 보기에 모빌리티와 무관해 보이는 텍스트를 읽을 때나 푸코의 덜 알려진 텍스트 중 하나인《정신의학의 권력》을 논할 때에도, 임모빌리티 안에서의 모빌리티에 대한 푸코의 관심을 탐구할 필요성은 충분히 입증되었다. 하지만 이제 푸코 자신이 일부 부정했던《광기와 문명》으로 돌아가 내 추론의 마지막 반전을 보여 주고 싶다. 잘 알려진 바와 같이 이 책의 프랑스어 원문은(Foucault 1961)─나중에《광기의 역사》(Foucault 2006a)라는 제목으로 다시 완역되어 나온다─특히 원래의 서문에서 인간 존재와 진리의 진정하고 특별한 영역으로서 '광기'의 낭만화를 암시하는 여러 현상학적 내막을 받아들이고 있었다. 이러한 양상은 주로 영어권 독자들이 읽은 1965년 축약된 영역본에 나타나 있다. 이후 프랑스 판본에서는 완전히 새로운 서문을 실었고, 이후의 푸코 저술에서도 완전히 사라졌다. 아마도 데리다(1981 [프랑스어 초판은 1963])의 비평에 화가 났을 수도 있지만 나중에 '구조주의자'가 되었을 때에도 화가 났을 것이다. 초판에서의 낭만적 현상학을 잃어버린 결과, 책의 전반적인 서사 논리와 곡선에 어떤 불안정함이 생겼다. 좀 과장한 것일 수도 있지만 해킹(2006, xii)은 본질적으로 다른 두 책에 대해 다음과 같이 말하고 있다.

첫 번째 책은 야생에서의 광기의 꿈을 잠재우는 비이성déraison이라는 개념에 지배되는데, 이 개념에는 전-담론적이고, 범접할 수 없고, 순수한 무언가가 숨어 있다. 두 번째 책은 첫 번째 책에서 낭만적인 환상을 빼 버린 것이다.

한편으로 '광기'는 광란적이고 알 수 없고 예측 불가한 움직임으로 가득 차 있고, 다른 한편으로는 실제로 '고정된' 것처럼, 모든 점에서 알 수 있고 예측 가능하고 모든 점에서 움직일 수 없는 것으로 묘사된다.

이 주장을 자세히 설명하자면, 프랑스 원문과 영역본 전체에 스며든 이미지는 스페인의 낭만주의 화가 프란시스코 고야(1746~1828)가 여러 차례 그렸던 〈정신병원Casa de locos〉이었다고 할 수 있다. 사라고사Zaragoza에서 어린 고야가 목격한 시설들의 장면이 담긴 〈정신병 환자들이 있는 마당Corral de locos〉은 《광기의 역사》 영역본 표지 이미지를 장식한 그림이기도 하다(Foucault 2006a)(그림 2 참고). 고야와 함께 푸코(2006a, 361)는 "감금이 불러일으키는 거대한 공포가 불러내는 상상의 풍경이 다시 나타난다"고 쓰고 있다.

'광기'는 유럽의 초기 보호시설들—변환된 요새, 독방, 창살과 자물쇠 등 여러 징벌적 감금의 흔적에 지나지 않지만—에 다양한 얼굴

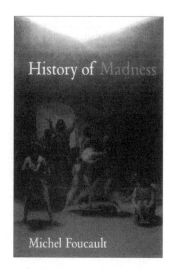

그림 2 푸코의 《광기의 역사》 앞표지에 들어간 1793~1794년경 그려진 고야의 그림 〈정신병 환자들이 있는 마당〉. 출처: Routledge, London, 2006a. (Permission granted by publisher)

로 존재했다. 여기에서 "그림자 뒤에 숨어 있는 것은, 모두가 완전히 사라지기만을 바랐던 상상의 어두운 힘이었다." 이런 암시적 진술과 '광기'나 수용시설의 기나긴 실제 역사 간의 정확한 연관성은, '광인'이 실제로 얼마나 갇혀 있었는가 등을 포함해서, 지금 말하긴 어렵지만,[13] (초판본의 저자였던) 푸코에게 중요했던 것은 '인간'이 되는 것에 대한 동물적 진실이 여기에 있다는 것이다. 여기에는 인간 문명이라는 허울뿐인 겉치레 이전에 있었던 '광기'의 표현이 담겨 있다. 그들은 벽에서 벽으로 울리는 "중얼거리는 큰 공간"을 열었는데, 대부분 알아들을 수 없는 '언어'였지만 여전히 '의미의 시꺼먼 뿌리'

---

[13] 물론 '광기, 미친 사람, 미친 의사, 미친 집'의 역사에 대한 매우 실증적인 문헌도 있다. 일부 저자들은 '미친' 사람들이 일반적이거나 제도적인 환경에 갇혀 있는 정도와 중요성을 경시하지만, 다른 저자들은 그 구속력을 역사적으로 결정적인 것으로 보았다. 후자의 경우 이 주장은 19세기와 20세기에 걸쳐 전 세계적으로 엄청난 수였음에도 불구하고 이제까지 한정된 실제 수의 관점에서만 생각될 수 있다. 정책, 관행, 일상적인 사회적 태도와 기대의 다양한 영역에 대한 다양한 의미를 가진 상상적 분할을 확립한다는 측면에서 더욱 그렇다. 지리적으로 반영된 논의로는 Philo(2004)와 Parr(2008)를 참고할 수 있다.

였다. 다시 말해, 인간 질서의 외형이 이처럼 깨지기 쉽고 되돌릴 수 있는 방식으로 만들어졌다는 것으로부터 오는 인간적 혼돈이었다 (Foucault 2006a, xxxi-xxxiii). 앞서 언급했던 것처럼, 이는, 이성적으로 계산된 인간의 말과 행동으로 구성된 '생명정치적' 체계로부터 위태롭게 제기되는, '생명의' 근본, 언어 이전의 것, 삶의 본능적 기반이다. 동시에 이는 '인류학적 순환'이 한바퀴를 도는 지점, '광기'를 부정하는 인간성이 회귀하는 지점이 될 것이라고 조롱하고 계속 위협하는 근거가 된다.[14]

특이한 서브텍스트인 '무삭제판'《광기와 문명》은, 더 '구조적'이게 되고, 힘이 좀 빠지고, 더 지혜롭게 나이 들어 가던 푸코에게 아마 당혹감을 주었을 것이다. 그래서 푸코는 이 텍스트를 능숙하게 철회했다. 하지만 나에겐 지워진 것이 될 수 없다. 이 부분이 모빌리티-임모빌리티 관계에 대한 푸코의 생각을 재구성할 때 어떤 작용을 하기 때문만은 아니다. 한 가지 측면에서, 이 서브텍스트는 임모빌리티에 대한 것, 감옥과 같은 구조물에 '광기'를 가두는 것, 높은 벽 뒤에 감금되는 것, 그리고 외부 사회와의 일상적인 상호작용에서 단절되는 것처럼 보이는 것을 다룬다. 하지만 다른 측면에서, 이 텍스트는 임모빌리티 속에서의 모빌리티에 대한 모든 것을 담고 있다. 〈그림 2〉가 보여 주듯이 이는 '허공 속 육체의 흘러넘침'(Foucault 2006a,

---

[14] 푸코(2006a) 책의 마지막 장 제목(Part 3, V).

530), 힘차게 박동하고 있는 감옥이라는 소우주, 몸부림치는 몸, 미친 듯이 뒤섞이면서 흔들리는 움직임, 나름대로 자유롭게 움직이는 미친 거주자들과, 묶여 있지 않더라도, 신체 접촉을 거부하거나 시작하기 위해, 말하고 소리치고 비명을 지르고 울부짖고 윙윙대는 '어둠 속 곤충의 웅얼거림'(Foucault 2006a, xxxiii)을 상상하게 한다.

다시 말하지만, 비록 재소자 기록이나 의회 조사 같은 아카이브 자료는 **일부** '정신병원'(영국에서는 구빈원의 정신이상 빈민 병동이나 사립 수용소를 의미한다)(Philo 2004, 4장과 5장)이 고야의 이미지와 동일**했음**을 암시하지만, 근대 초의 수감시설에서 진짜로 어떤 일이 일어났는지는 이 글의 주제 밖이다. 내가 강조하고 싶은 점은,《광기와 문명》이라는 서브텍스트는 앞에서 주로 논의한 것과 매우 다른 무언가를 암시한다는 점이다. 즉, 임모빌리티라는 테두리 안에서 모빌리티(구체화된 움직임)를 의도적으로 훈련시키거나 통제하는 감옥을 다루는 것이 아니라, 인간적 질서에 저항하고 이를 위반하는 수감자들의 훈련되지 **않은** 무질서한, 불안정한, 무기력한, 그리고 어쩌면 목적 없는 모빌리티를 다룬다.

고야의 그림과 푸코의 낭만적 현상학 속 날뛰는 '미친' 사람들에게는 온순하고 사소한 기록이었지만, 크레이그 두나인 병원을 돌아다니는 윌리는 트롤리 버스가 병원 당국이 대체로 무시했던 즉흥적이고 승인되지 않은 움직임이었다는 점에서 푸코가 탐구했던 규율화된 모빌리티 관행(과 프로그램)의 반대편에 놓인다. 그렇다 하더라도 푸코가 모빌리티 질서화에 대해 쓴 모든 것이 의미가 있는 것은,

바로 이 족외族外의 측면, 불일치하는 모빌리티의 영역이 있기 **때문이** 다. 이 부분이 없었다면 규제할 것도 없고, '생명정치학적' 교정을 위한 '생물학적' 잘못도 없고, 반드시 영향력이 제거되어야 하는 위험한 '노마디즘'도 없고, '문명화된' 수정이 요구되는 '미친' 움직임도 없을 것이다. 한 마디로, 푸코가 애초에 모빌리티에 대해 신경 써서 생각할 이유가 없어진다.

모빌리티에 대한 푸코의 생각은 이 글에 희망적으로 담겼다. 심지어 덜 알려진 텍스트에도 언뜻 봐도 임모빌리티와 임모빌리티화에 대한 이야기가 압도적으로 나온다. 이 텍스트들에서 푸코가 왜, 그리고 어떻게 모빌리티에 대해 생각했는지, 이제는 조금 명확해졌을 것이다.

2013년 1월 스위스 루체른에서 열린 푸코와 모빌리티 심포지엄에 초대해 주신 카타리나 만더샤이트, 팀 슈바넨, 데이비드 타이필드, 그리고 나의 연구를 반겨 준 다른 참가자들께도 깊이 감사드린다. 그날의 발표가 이 논문의 기초가 되었으며, 격려와 제안을 주신 위의 세 분과 익명의 심사자 두 분께 감사 드린다.

3장

모빌리티를 통한 안전 순환

: 영국 소방구조서비스 환경과 비상사태

너새니얼 오그래디_영국 사우샘프턴대학 지리환경학부

사회가 순환의 차원에서 어떻게 보호되는지 탐구하는 데에 푸코의 '안전' 작업을 활용하는 연구가 늘고 있다. 푸코가 안전과 순환 논의에 기여한 바가 크지만, 안전에 대한 푸코 작업의 중심 개념에 대해서는 여전히 지속적인 조명이 부족한 상태다. 바로 '환경milieu' 개념이다. 이 글은 특히 《안전, 영토, 인구》(2007)라고 알려진 1977~1978년 콜레주 드 프랑스 강연에 주목하면서 푸코의 환경 개념을 소개하고 비판적으로 평가한다. 나는 환경 개념이 어떻게 인구를 안전을 위한 통치 대상으로 만드는지를 순환의 차원에서 보여 줄 것이다. 푸코의 환경 개념 설명을 활용해, 영국 소방구조청(FRS)이 화재 통제를 위해 사용하는 위험분석 기술을 탐구한다. 물론 내 연구는 순환 중에 안전이 어떻게 적용되는지를 탐구할 때 푸코의 환경 개념이 결정적으로 중요한 역할을 한다는 점을 보여 주지만, 푸코 연구의 단점도 설명할 것이다. FRS의 위험분석 기술 사례는 푸코가 제시하는 순환의 개념화가 지나치게 거칠다는 점을 보여 준다. 순환을 통해 인구의 안전을 확보하기 위해, FRS는 다른 이동 방식을 고려하며 순환을 섬세하게 이해해야 한다. 이동 형태 간 위험분석 기술로 만들어진 분화는 FRS가 화재를 위험으로 이해하고 화재가 발생하기 전에 개입하는 특정 시간적 상상 속에 등록되고 활성화된다.

서론

18세기에 나타난 자유주의 사회의 초기 형태는 푸코에게 권력 실천에 대한 문제를 제기했다. 문제는 규범적 질서를 보장하고 유지하는 방법에 관한 것이었는데, 이는 자유주의 사회가 전제로 하고 조직해 가는 자유를 위태롭게 만들려는 게 아니라 실제로는 촉진할 방법이었다. 푸코는 일련의 테크닉, 테크놀로지 및 실천으로서의 안전이 자유주의의 자유에 따라 구현될 수 있는 통치 방식으로 등장했다고 주장했다.

푸코는 안전 행위자는 자신의 노력이 향하는 대상을 찾아야 하고 구체화해야 한다고 말한다. 안전은 푸코가 '인구'라고 부르는 것에 따라 실행되고 수반된다. 푸코는 인구 개념을 통해 "다수의 사람을 말하되, 그것이 개체로 요약된다는 점에서가 아니라 이 다수가 모든 생명 고유의 과정인 출생과 사망, 출산, 질병 등 인류 전체 과정에 영향을 받는 글로벌한 전체를 형성한다는 점"에 주목한다(Foucault 2003, 242-243). 인구는 인간 존재뿐만 아니라 인간이 공존하는 물질성과 그 공존에서 발생하는 사건을 가리킨다. 인구는 "일련의 변수에 의존한다. 인구는 기후와 함께 변하고, 물질적 환경과 더불어 변한다. 인구는 무역의 활발함 정도, 부의 순환 활동과 더불어 변한다"(Foucault 2007, 70).

안전의 대상으로서의 인구는 자기-조절적 집단, 즉 강력한 국가 규제로부터 자유로운 질서를 만들어 내는 사람들과 사물들의 집합으로 이해된다. 푸코에게 인구의 자유는 인구 요소가 어떻게 순환하는지에 따라 파악된다. 안전 기술은 인구 순환을 통해 그리고 인구 순환에 따라 확립된다. 푸코는 이 주장을 뒷받침하고자 안전 매커니즘으로서의 도시계획 재협상 문제를 언급한다. 자유주의가 도래하기 전 도시계획은 '폐쇄된 빈 공간'(Foucault 2007, 17)을 구조화하며 운영되고 그 안에서의 움직임은 고정되고 미리 결정되었다. 이와 달리 안전 기술로서의 도시계획은 미래의 인구 변동을 수용하는 방식으로 진행된다. 도로와 수로는 "정확히 통제되지 않고 정확히 계측되지도 않고 계측할 수도 없는 미래를 향해 나아가며, 훌륭한 도시 정비란 발생 가능한 바를 고려한다"(Foucault 2007, 20). 안전통치의 시대에 도시 정비는 인구의 열린 이동을 활성화하고자 한다.

안전을 부각시키고 법제화하기 위한 순환 개념을 푸코가 중요하게 다뤘음을 보여 주는 사례가 있다. 푸코의 안전 연구를 바탕으로 한 탁월하고 풍성한 선행 연구들은 오늘날 안전 행위자의 의사결정 과정에서 순환이 어떻게 중요한 역할을 하는지를 보여 주며, 그 반대, 즉 안전 행위자의 의사결정이 순환을 어떻게 조절하는지도 잘 보여 준다(Amoore and de Goede 2008; Aradau 2010; de Goede 2012). 예컨대 아무어 Amoore(2006)는 테러와의 전쟁에서 국경보안요원의 의사결정이 이동 규범을 기반으로 운영되는 과정을 설명한다. 생체인식기술을 통해 특정 개인의 움직임 경향과 패턴을 유형화할 수 있다. 이런 경향성에서 벗어나는 움직임은 안전요원의 의심을 불러일으키게 되고, 나아가 개인의 움직임을 중단시킬 수도 있다. 안전의 법제화는 인구

내 순환에 의존하며 인구에 의해 조직된다.

이 글에서는 안전과 순환에 관한 푸코의 연구를 확장하려 한다. 푸코 안전 작업의 핵심인 환경 개념에 초점을 맞춰 순환의 확보에 관해 논하고자 한다. 다음 절에서 환경을 정의하겠다. 일단은 환경 개념이 피통치 인구의 순환을 개념화할 인식적 장치를 의미한다고 말하는 정도면 충분하다. 따라서 환경 개념은 푸코에서 중요한 안전장치다.

환경 개념에 대한 푸코의 논평을 영국 소방구조서비스(FRS)의 화재 관리 실천에 적용해 보자. 21세기 들어 FRS는 중요한 조직적·운영적 변화를 겪었다. 전 세계적 테러와 자연재해로 발생한 새로운 위험 환경에 적응하고자 영국 정부는 FRS가 화재로부터 사회를 보호하는 방법을 완전히 재정비하는 법안을 도입했다(2003, 2004). 이러한 변화는 '선제적 전환anticipatory turn'으로부터 촉발되고 야기되었다. 화재는 위험으로 이해되고 통치된다.

광범위하게 말해서 선제적 전환은 미래의 화재 위험에 대한 전망을 통해 정당화되고 관리되는 방식으로, 현재 화재 관리가 어떻게 작동하는지를 보여 준다. 이 글에서 설명하겠지만, 화재 관리를 일련의 예측 기술로 변환하는 것은 FRS의 대응 전략에도 스며들어 있다. 통상적으로 대응 전략은 현재의 화재를 실시간으로 돌보고 동원하는 FRS의 능력을 뜻했다. 선제적 전환 이후 대응 전략은 화재 발생 시점보다 한 단계 앞으로 이동했다. 화재 위험 예측을 사용하여 미래의 화재에 대비하는 대응 전략에 더 중점을 둔다.

위험을 통해 화재를 이해하는 능력은 지난 10년 동안 FRS에 축적된 다양한 위험분석 기술에 의존한다. 이 기술 중 하나가 FSEC Fire Service Emergency Cover인데, 이 프로그램은 향후 화재 사고에 대비해 FRS 대응 시간을 예측하기 위해 위험매핑 분석을 수행한다. FSEC는 FRS 자원의 지리적 배치, 모빌리티, 인구의 순환, 화재 위험의 공간 분포 사이의 복잡한 관계를 분석하여 대응 시간을 최적화하는 것을 목표로 한다.

이어지는 절에서는 최근 FRS의 선제적 전환과 관련하여 푸코의 환경 개념 작업을 비판적으로 검토하려 한다. FRS의 사례와 대응 전략의 재-문제화에 초점을 맞춰, 푸코의 환경 개념이 비상사태 대응에 대한 21세기의 변화를 비판적으로 탐구할 수 있는 공간을 제공한다고 주장할 것이다. 푸코는 순환과 얽혀서 영향을 미치는 위험으로서 화재에 대한 FRS의 개념화와 명료화에 접근할 용어를 제공한다. 예컨대 푸코의 연구는 미래에 대한 불확실성이 어떻게 위험통치 실천에 동원되는지를 보여 준다. 벡Beck의 시대착오적 위험사회 논문이 보여 준 것과 달리, 불확실성은 통치 실천에 반대되는 것이 아니다(2000). 또한 환경 개념은 특정 형태의 개입과 의사결정 유형을 통해 순환이 어떻게 확보되는지를 보여 준다.

환경에 대한 푸코의 해석이 FRS의 대응 준비를 탐구하는 데에 중요한 근거를 제공하지만, 본고에서는 FRS 사례를 통해 푸코가 주장한, 안전이 순환을 통해 제정되고 순환에 주의를 기울이는 방식을 비판할 것이다. FRS 사례를 통해 푸코의 관련 글이 환경에 대한 거친 이해에 기반해 있음을 드러낼 것이다. 선행 연구(Adey 2006; Salter 2013)에 이어, 나는 안전에 대한 상상이 필연적으로 또 다른 움직임의 기록인 모빌리티를 순환과 분리시킨다고 주장한다. 이러한 공간 비평과 맞물려서, 순환이 확보되는 시간적 조건에 대한 푸코의 이해도 재평가되어야 한다. 구체적으로 말하자면, FRS의 대응 전략은 현재 전개되는 상황에 대응하는 것이 아니라 비상사태가 발생하기 전에 관리되는 경우가 많다.

환경: 안전의 인식론적 장치

《안전, 영토, 인구》(2007)에서 환경에 대한 푸코의 논의는 17세기 물리학, 18세기 생물학의 등장과 함께 시작된다.[1] 환경 개념은 일종의 인식론적 장치로서 특히 이 시기 생물학자들이 공간에 거주하는 것을 설명하는 데에 사용되었다. 푸코에 따르면 "환경은 하천, 습지, 언덕 등 자연적인 소여givens의 총체이자 개인이나 가옥의 밀집과 같은 인위적인 소여의 총체이다. 환경은 거기에 거주하고 있는 모든 사람에게 영향을 미치는 일군의 효과이다"(Foucault 2007, 21). 환경 개념은 집합적인 인구를 구성하는 생명과 물질적 배경의 혼종적 형태를

---

[1] 푸코는 환경 개념이 뉴턴 물리학에 기초한다고 말했다. 하지만 푸코가 집중하는 환경 개념은 라마르크Jean-Baptiste de Lamarck의 작업에서 나온 것이다. 특히 라마르크의 《동물철학 Philosophie Zoologique》(1809).

말한다. 조르주 캉길렘Georges Canguilhem의 용법을 떠올려 보면, 환경 개념은 공간 내 요소들의 공존과 이 요소들 사이의 관계성을 통해 어떻게 인구가 형성되고 배치되는지를 연구하는 데에 사용되었다 (1988,1994).[2] 환경 개념을 통해 보면, 인구 질서는 공간 내를 점유하고 공존하는 것으로 이해되는 다른 요소들의 상호작용을 통해 함께 구성된 것으로 간주된다.

푸코는 개념으로서의 환경이 18세기 들어 다시 어떻게 전개되는지를 보여 준다. 이때의 환경 개념은 생물학적 문제에만 관심을 갖는 것이 아니라 안전을 통한 초기 자유주의 사회의 통치 문제를 분명히 하는 데에 핵심적인 역할을 했다. 푸코는 '환경'이라는 용어를 구체적으로 사용하진 않았지만 안전의 실천 속에 "미리 (환경) 개념을 표시하는 실용적인 구조가 존재한다"고 말한다(Foucault 2007, 21, 괄호 안은 필자). 그로써 "안전장치는 환경 개념이 형성되어 분리되기 이전에 벌써 환경에 관여하고 있으며, 환경을 만들어 내고 조직하며 정비한다"(Foucault 2007, 21). 환경이라는 용어는 도입되지 않았을 수 있지만 인구 보호를 위해 사용된 지식의 초기 형태에서부터 인구의 개념화가

---

[2] 환경에 대한 캉길렘의 글은 특히 영역본 선집에서 찾아볼 수 있다. Slected Writings from Georges Canguilhem(1994). 구체적으로 캉길렘은 멘델Gregor Mendel의 초기 유전학에 초점을 맞추었다. 캉길렘은 환경이 주어진 공간 속 순환을 드러내는 방법을 강조하면서 환경을 틈새라고 설명한다. 다시 말하자면 환경은 공간에 존재하는 관계성을 관찰하게 해 준다. 인구 요소들 간 관계를 관찰함으로써 인구 내 새로운 사건과 요소의 생성에 대해 이론적 사고를 할 수 있게 된다. 캉길렘은 동물의 세포가 기존의 세포들 사이 상호작용을 통해 생성된다는 유전학가 멘델의 주장을 토대로 이를 설명한다. 환경 내에서 틈새로어 발생하는 사건들은 요소들 간의 상호의존성에 의해 결정된다고 보았던 것이다.

나타난 것이다.

환경 개념에서 특히 중요한 것은, 환경이 인구가 질서화되는 방법에 대한 구체적 개념이라는 점이다. 푸코에 따르면 안전 이전 규율 메커니즘을 통해 통치되는 사회에서는 질서가 '규범화harmation' 과정을 통해 드러난다(Foucault 2007, 53). 정상적인 것은 법에 명시되어 있다. 주체가 법적으로 규정된 법을 준수하지 않으면 비정상으로 규정되고 규율 대상이 될 수 있다. 안전을 통해 통치되는 사회에서 정상성은 인구 자체의 요소에 의해 제정되고 통합되는 '정상화normalization' 과정을 통해 확립된다(Foucault 2007, 63). 푸코는 이 정상화 과정을 다음과 같이 설명한다.

> 정상적인 것이 먼저 있고, 그것으로부터 규범이 연역된다. 혹은 규범
> 은 정상성에 관한 연구를 출발점으로 해야 비로소 정착되고 조작적
> 인 역할을 수행한다. 이제는 규범화가 아니라 엄밀한 의미에서 정상
> 화만이 문제라고 말할 수 있다(Foucault 2007, 63).

환경 개념을 통해 볼 때 정상화 과정은 공존하는 인구 요소가 어떻게 순환하는가의 차원에서 파악된다. 푸코가 썼듯이 "환경은 순환이 이루어지는 곳이 될 것이다"(Foucault 2007, 21). 인구에 주의를 기울일 때 안전 기술은 "환경의 정리자(들)regulator(s) of a milieu"로 이해되어야 한다(2007, 29). 안전은 "경계나 국경을 확정하는 것도, 부지를 확정하는 것도 아니었다. 특히 핵심이 된 문제는 사람, 상품, 공기 등의 순환을

가능케 하고 확보하는 것이었다"(2007, 29). 순환의 목적은 "정상적이고 일반적인 곡선에 비해 가장 바람직하지 못하고 일탈적인 정상성을 저 정상적이고 일반적인 곡선으로 되돌리는 것"이다(2007, 62). 환경 개념을 통해 읽으면 규범적 질서는 순환의 수준에서 다시 만들어진다. 따라서 통치 메커니즘으로서의 안전은 인구 순환에 적용된다.

인구 순환에 대한 규범적 질서의 토대는 규범적 질서를 교란하는 위협과 보호가 필요한 사건에 대한 특정 개념화를 제공한다. 환경 개념은 인구 요소의 공존과 순환에 통치의 시선을 고정시키므로, 파괴적인 사건들은 인과관계의 논리에 포착되지 않는다. 원인을 식별할 수 없고 파괴적 사건이 일으킬 파장을 피할 수 없다. 예컨대 FRS의 순환 능력은 어떤 장소에서의 화재 발생을 분별해 낸다. 이 화재의 영향으로 인구는 위험에 빠질 수도 있다. 하지만 이 영향은 FRS가 또 다른 공통 인과관계에 속해 동시에 일어난 또 다른 화재에 대해서는 대응하지 못하게 하는 원인으로 작동한다. 푸코는 "한편으로 결과인 것이 다른 한편으로 원인이 될 것이기 때문에 결과와 원인의 순환이 일어난다"고 했다(Foucault 2007, 21). 환경 개념을 통하면 파괴적 사건은 공통 인과관계로 이해된다. 인구 요소의 순환에서 나타나는 상호의존성을 고려할 때, 사건은 그 원인과 결과를 구분하기보다는 인구 전체에서 발견되는 관계를 어떻게 재구성하는지에 따라 판단되어야 한다.

또한 질서의 순환적 통합을 방해하는 사건들에 대한 공통 인과적 해석은 푸코에게 구체적 시간성으로 나타난다. 이러한 사건들은 우발적이며 예측할 수 없는 특성을 가진 "우연적 요소"로서 이해된다 (2007, 20). 서론에서 언급한 도시 정비의 예로 돌아가면, 인구 요소가 자유롭게 순환해야 한다면 질서를 불안정하게 만드는 파괴적 사건 이 일어날 수밖에 없다는 것이다.

이처럼 파괴적 사건에 대한 공통 인과적이고 우연적인 해석은 안 전이 스스로 영향을 미치는 개입 방식을 불러일으키고 형성한다. 어 떻게 개입할 것인가는 공존하는 인구 요소의 상호의존 상태에 의해 복잡한 문제가 된다. 이는 단순히 사건 자체에 대한 반응이라기보다 는 그에 영향을 받은 인구 요소들 간의 관계를 관리하고 안정시키는 것을 의미한다. 순환, 그리고 질서 있는 순환을 방해하는 사건들은 따라서 "다가치적이고 가변적인 틀 내에서 조정되어야 한다"(Foucault 2007, 20). 안전은 파괴적인 사건이 가져올 수 있는 영향을 줄이는 방 식으로 순환을 배치함으로써 실행된다. 18세기 도시 정비가 안전 의 기술로 어떻게 재전개되었는가 하는 문제로 돌아가 보면, 푸코 는 도시 정비가 "순환을 조직하는 것과 위험한 것을 제거하는 것, 좋은 순환과 나쁜 순환을 구별하는 것, 그리고 나쁜 순환을 감소시 켜서 좋은 순환을 극대화하는 것"(ibid., 18)으로 요약되는 새로운 논리 와 목표 속에서 실행되었음을 보여 주었다. 따라서 안전 개입은 규범 적 질서를 생성, 통합, 보호하는 순환을 강화하려 한다(see Aradau 2010). 그렇게 하면 순환에 지장을 주는 사건이 줄어들고 완화될 것이다.

이 절에서는 안전의 인식론적 장치로서의 환경 개념에 대한 푸코 의 논평과 안전이 순환에 개입하고 영향을 미친다는 푸코의 광범위한 주장에서 어떻게 환경 개념이 중심이 되는지를 검토하고 논의했다. 푸코는 환경 개념을 통한 인구의 질서를 독해해 내면서 안전은 인구의 순환에 기반해 활성화된다고 주장한다. 순환은 질서를 파괴하는 사건을 만들어 냄과 동시에, 규범적 질서의 발전과 재형성의 토대가 된다. 푸코는 환경 개념에 대한 논평을 통해 파괴적 사건이 대비해야 할 문제로 이해되는 방식을 설명한다. 파괴적 사건은 원인과 결과 모두에서 인구 요소의 상호의존성에 의해 구체화된다. 또한 푸코는 공통 인과관계를 통한 사건의 개념화를 통해 안전 관련 의사결정이 어떻게 특정 조건에 규정되는지 설명한다. 파괴적인 사건에 대비한 질서를 유지하려면 교차 관리와 순환의 배치가 필요하다.

다음 절에서는 화재 위험에 대비하기 위해 영국 FRS에서 사용한 FSEC 기술을 분석하여 푸코의 환경 개념에 비판적으로 접근해 보겠다. 나는 FSEC가 어떻게 화재 위험 통치의 기준점을 순환으로 만드는지를 분석하는 데에 푸코의 환경 개념이 유용하다고 생각한다. 또한 푸코의 환경 개념은 화재 위험으로부터 사회를 보호하는 데에 중요한 역할을 하는 전략적 의사결정 형태를 가리키며, 화재가 순환 위험으로서 FSEC를 통해 어떻게 개념화되는지 조사할 근거를 제공한다.

푸코의 주장은 유용하지만, FSEC의 사례는 푸코의 환경 개념이 가진 한계도 보여 준다. FSEC는 푸코의 분석이 지나치게 일반적이고 거친 순환 개념에 근거하고 있음을 시사하는 사례다. 더욱이 푸코의 논의는 순환에 대한 안전 개입이 이루어지는 시간적 조건은 충분히 고려하지 않는다. 나는 순환과 또 다른 움직임인 모빌리티를 구분하는 방법을 설명함으로써 푸코에서 벗어날 수 있는 결정적 계기를 마련했다. 화재를 위험으로 이해하고 화재에 앞서 개입해야 하는 FRS의 필요성 속에도 이동 양식 사이의 이러한 차이가 내포되어 있다. 또한 움직임을 이처럼 둘로 나누어 접근하는 것은 위험으로서의 화재를 통치하는 효과에 대한 더 자세한 설명을 가능하게 한다. 새로운 준비 절차의 개발이라는 측면과 그러한 절차가 화재 위험의 분포에 미치는 영향을 모두 잘 설명할 수 있게 되기 때문이다.

위험, 상호의존성, 자원, 대응: FSEC의 순환과 모빌리티 구성

다음에 제시되는 경험적 자료는 FRS 사무실에서 일하는 수행 분석가들에 대한 민족지적 관찰의 결과다. 6개월 동안 나는 화재 위험에 대한 정보를 생성하는 여러 분석 소프트웨어와 연결된 수행 분석가의 프로세스와 실천을 기록했다. 이 연구를 통해 분석가가 화재 위험을 이해하기 위해 사용하는 데이터, 계산 및 기술 형태를 확인했다. 또한 화재 위험을 통치하는 방법에 대한 새로운 형태의 전략적 의사결정을 위해 위험분석이 어떻게 조건화되고 구체화되는지 평가했다.

FSEC는 소프트웨어 개발사 이노지스틱Innogistic이 개발한 FRS용 프로그램이다. FSEC는 윙스32Wings 32로 알려진 표준지리정보 시스템으로 구성되어 있다. FSEC 기술은 통합 교통망, 법령 정보, 영국 정부 인구조사와 같은 중요한 지리적 데이터베이스와 연결되어 데이터를 가져올 수도 있다. 또한 영국 전역에 있는 소방서의 물적·인적자원에 대한 정보를 저장하고 있는 MIS Management Information System 같은 FRS 자체 데이터베이스와도 연결된다.

2004년에 도입된 FSEC는 FRS의 조직과 운영에 대한 광범위한 혁신의 일환으로 도입되었다. 이 글의 서두에서 나는 이것을 선제적 전환이라고 말한 바 있다.[3] 다시 말하지만, 이 선제적 전환은 FRS가 화재로부터 사회를 보호하기 위해 개입하는 시간적 조건에 대한 재협상에 기초한다. 위험 예측을 통한 미래 전망이 "지금 여기에서의 행동의 원인과 정당화"가 되는 일종의 예측적 행동으로 규정된다 (Anderson 2010, 778).

핵심은 화재가 발생했을 때 FRS 자원을 동원하는 것에 머무르지 않고 화재가 발생하기 전에 화재 위험을 알릴 수 있는 수준에서 대응을 준비하고 마련해야 한다는 것이다. 대응을 준비 태세로 만드는 FRS는 화재 현장에 도착하는 데에 걸리는 시간을 설명하는 대응 기준을 다음과 같이 확립했다(2011, 8).

현재 우리의 대응 기준은 다음과 같다:

- 가정 화재의 70퍼센트는 8분 이내, 90퍼센트는 11분 이내로 출동한다.

---

[3] FSEC는 소방구조법Fire and Rescue Services Act(2004)과 함께 도입됐다. 이 법은 이 글 서론에서 설명한 FRS 조직 및 운영상의 변화를 명시하고 있다.

- 가정 외 화재(공장, 상점, 사무실, 학교 등)의 70퍼센트는 8분 이내, 90퍼센트는 11분 이내로 출동한다.
- 999 신고 전화에는 6초 내에 응대한다.

FSEC 기술은 FRS가 공식적으로 수립한 대응 기준을 실행하고 미래를 위해 현재에 행동할 수 있게 해 준다. 이를 위해 FSEC는 지난 3년간 발생한 화재 사고의 지리적 분포와 관련된 가동 가능한 FRS 자원들의 공간적 배치를 분석한다. 여기서 화재 사고의 분포와 결과는 FRS 자원이 현재 위치에서부터 사고 현장으로 갈 때 걸리는 시간에 따라 구성된다. FSEC의 계산을 통해 화재 사건에 대한 대응시간을 최적화할 수 있다.

FSEC에 대한 초기 설명에서 분명한 것은, 이 설명이 안전의 인식론적 장치로서의 환경 개념에 대한 푸코의 설명과 연결된다는 점이다. FSEC에 제공되는 데이터베이스는 FRS가 보호하려는 인구 집단을 구성하기 위해 작동한다. 앞서 언급한 바와 같이 인구에 대한 푸코의 이해는 인간의 삶뿐만 아니라 물질적 환경 속에서의 삶과 그 안에서 일어나는 사건들을 포괄한다. FSEC가 사용하는 데이터는 지리적·인구통계적 데이터베이스의 통합 결과다. FSEC에 대한 간략한 설명에서 알 수 있듯이, 화재 현장에 도착하기 위해 공간을 탐색하고 이동하는 FRS의 능력에 따라 대응 능력이 측정되고 평가된다. 환경 개념에 대한 푸코의 작업을 확장하면, FSEC에 의한 순환을 통해 실행되는 개입의 한 형태로서의 대응이 구체화된다. FSEC가 운용하는 분석 논리는 화재의 가능성과 결과가 FRS의 동원 능력과 대응 능력에 달려 있다고 주장한다. 따라서 화재 위험 자체는 더 넓은 순환에 얽힌 사건으로 개념화된다.

FSEC는 영국 한 카운티의 기본 GIS geographic information system 시뮬레이션에서 출발한다. 카운티는 지역인구조사Census Super Output Areas에 따라 공간적으로 나뉜다.[4] 지도는 3차원 방식으로 등고선과 강을 표시하면서 카운티의 자연 지형을 그려 낸다. 이 자연 지형 위에 인구 분포와 학교나 병원 같은 중요한 건물들의 위치가 다양한 상징들로 표시된다. 도로, 고속도로, 교차로에는 해당 지역의 도로망도 기록된다. 또한 이 회로에는 속도 제한, 이동 방향, 특정 시간대 도로 혼잡도 등이 표시된다.

GIS 구성 과정은 다양한 데이터를 활용하지만, FSEC가 제공받는 지도는 여전히 일반적이다. FSEC는 화재 위험분석을 목적으로 FRS 자체 내부의 DB에서 데이터를 업로드함으로써 GIS를 설정한다. FRS의 사고기록 시스템의 데이터는 지난 3년 동안 발생한 모든 화재 사고의 지리적 분포를 도식화하는 데에 사용된다. 이 시점에서 FSEC의 과정을 관찰하면, 지도 내 특정 영역에서 화재 발생 표시가 모이는 것을 볼 수 있다. 앞서 언급한 MIS 데이터베이스에 연결된 FSEC를 통해 지도에는 FRS 소방차appliance가 있는 소방서의 위치

---

[4] 지역인구조사Super Output Areas는 한 집 한 집 미세한 단위로 공간을 나눌 때 사용된다.

도 표시된다.[5]

FSEC는 이 데이터들을 통합해 FRS가 통치하는 공간에 대한 매우 상세한 지도를 제공한다. 이 단계의 지도가 FSEC 분석의 기초가 된다. FSEC는 먼저 기준-사례Base-Case를 설정한다. 이 기준-사례는 화재 위험 발생 시 화재 현장에 동원, 대응, 도착하는 서비스 자체의 역량을 분배하는 규범적 방법을 시각화한다.

기준-사례 혹은 화재 위험에 대한 규범적 분배를 확립하기 위해 FSEC에 내재된 '시간 이동 매트릭스'가 가동된다. 환경 개념을 둘러싼 푸코의 주장에 따르면, 매트릭스가 수행하는 분석은 FRS 대응 전략과 화재 위험 둘 다를 "순환의 문제(들)"로 만든다(Foucault 2007,20, 괄호 는 필자). 다시 말해서, 화재 가능성과 FRS의 대응력은 모두 더 넓은 순환의 흐름에 얽혀 제시되는 문제이다. 이 매트릭스는 화재 현장에 도착하기까지 걸리는 시간을 계산하기 위해 지난 3년간의 모든 사고에 대한 FRS의 대응 시간을 시뮬레이션한다. FSEC에서 계산한 순환 형태를 활용하면 FRS의 대응은 분석에 포함된 움직임의 한 유형일 뿐이다. 화재를 위험으로 인식할 더 많은 순환의 흐름이 고려되면서 매트릭스가 실행된다. 우선, 출발지와 주유소, 화재 장소 사이의 위치가 계산된다. 이 거리 문제는 FRS가 이동해야 하는 도로와 사고 시각 해당 도로의 평균 교통량을 결합해 도출된다. 여기에 언

---

[5] appliance는 소방차의 기술적 용어이다.

덕 같은 고지대로 인한 속도 제한, 다리나 교통 상황 때문에 순환 경로를 탐색해야 하는 문제로 대응은 복잡해진다.

화재 현장 도착 시간을 계산함으로써 화재 위험의 규범적 분포가 지도에 표시된다. 〈그림 3〉이 보여 주는 것처럼, 지도 내의 여러 지역은 화재 위험 등급에 따라 차등적으로 집계된다. 화재가 빈번하게 발생하는 위치는 강조를 위해 다른 색으로 표시되는데 위험도가 높은 순서에 따라 빨간색, 주황색, 노란색, 청록색 순으로 표시된다.

FSEC는 공간 분포를 보여 주는 동시에 화재 위험 결과를 계산해 준다. 기준-사례를 뒷받침하는 이동 자원, 인구 내 광범위한 순환, 화재 위험 사이의 관계는 비용 편익 분석으로 공식화된다. 비용-편익 분석은 두 종류의 결과를 보여 준다. 첫째로 FSEC는 화재 위험의 공간적 분포와 관련해 소방서 운영 비용을 계산한다. 예컨대 특정 지역 내에서 발생한 사건 수에 대응하기 위해 소방 기기 사용 비용을 결정하는 것이다. FSEC가 수행하는 두 번째 비용-편익 분석은 FRS의 대응 능력에서 사망자 비율을 예측하는 문제와 관련된다. 이 비용은 개인이 지역사회에 기여하는 평균 기여도와 생명보험회사가 고인의 가족에게 지급하는 평균 금액을 계산해 설정되는데, 현시점에서 사망에 대한 FSEC의 일반적 비용은 140만 파운드다.[6]

푸코가 정상화라고 말했던 과정과 마찬가지로, 화재 위험에 대한

---

[6] 사망에 대한 비용은 평균치이며 지역별 차이는 없다.

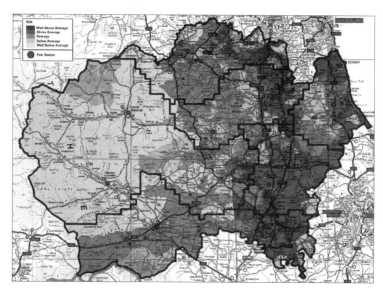

그림 3 FSEC Base-Case: 화재의 연속 분포 문서화.

FSEC의 규범적 분포는 순환 분석을 통해 계산된다. 위험으로서의 화재와 화재 사건은 공간을 가로지르는 순환의 시각화로 조건화되고 얽혀 있다. 그러나 반대로, 푸코에 의하면 순환은 FRS의 기술적 상상 속 여러 흐름에 의해 정리된 것으로 이해된다. FSEC에서 화재 위험 예측을 만들어 내는 것은 순환과 모빌리티를 구분하는 푸코식 환경보다 더 섬세한 해석을 요구한다.

모빌리티와 순환의 구분은 순환과 안전에 대한 다른 연구에서 나타난 바 있다. 예를 들어 솔터Salter(2013)는 순환이 체계적인 움직임을 설명한다고 주장한다. 반면에 모빌리티는 대체로 다른 것들의 모빌리티를 희생시키면서 이동하는 다양한 사물의 능력을 의미한다(Adey 2006).

따라서 모빌리티는 더 넓은 순환 흐름 속에서 작용하고 형성된다.

모빌리티와 순환 사이의 이러한 구분은 FSEC를 기반으로 하는 계산에서 매우 중요하다. 일련의 사건들로 볼 때 화재 위험 분포는 FRS 자원이 주어진 공간 내에서 이동할 수 있는 능력으로 결정된다. 이 모빌리티는 지속적이고 광범위한 순환에 대한 FRS의 몰입도에 따라 형성되고 결정된다. 즉, 화재 위험의 규범적이고 연쇄적인 분포는 FRS 대응 능력이 더 넓은 인구의 일반적 순환과 얽혀 발생하는 산물이다.

다음 절에서는 FRS의 대응 전략이 화재 발생 전에 개입하고 이에 즉각적으로 영향을 미치는 선제적 거버넌스 형태를 갖추기 위해, FSEC의 이동 모드인 모빌리티와 순환 사이의 구분이 요구되는 과정을 살펴보자.

가정적 미래 재정비

지도 구성과 시간 이동 매트릭스 단계에 이어 FSEC 분석에서 이어지는 것은 지도 전체에 걸친 자원의 가정적 재배치다. 현재 화재 위험의 규범적 분포를 보여 주는 기준-사례에 대한 대응으로 분석가는 FRS 자원의 지리적 위치 좌표를 수동으로 수정한다.[7] 이러한

---

[7] FSEC는 자동화된 최적화 절차로 구성된다. 하지만 분석가들은 FSEC가 자체적으로 수행하는 자원 배재치를 신뢰하지 않는다. 분석가의 경험상 화재 빈도가 낮은 영역에 FSEC가 자원

가정적 자원 재배치는 처음에는 FSEC의 화재 위험 분포 계산에 따라 수행된다. 자원을 지도에 재배치하여 화재 위험이 가장 높은 지역의 대응 시간을 단축한다.

그런 다음 분석가는 FSEC의 기준-사례를 설정하는 시간 이동 매트릭스 계산을 반복하여 화재 위험의 규범적 분포에 따른 가정적 자원 재배치 효과를 측정한다. 여기서 수행되는 실행은 이미 실행된 수행과 어느 정도 비슷하다. 계산은 이전과 동일한 변수로 이루어진다. 화재 발생 위치, FRS 자원과 사고 발생지 간의 거리, 일반적 순환 내 FRS 모빌리티의 필수 몰입도를 분석하여 화재 위험의 규범적 분포를 구상한다. 이 실행과 이전 실행 간의 차이점은 자원의 지리적 위치가 바뀐다는 점이다. 이 실행은 자원의 새로운 가정적 지리 좌표와 관련해 화재 위험 분포와 발생을 재평가한다.

가정적 자원 재배치로 촉발되는 화재 위험률 변화는 FSEC 지도에 표시된다. 〈그림 4〉에서 볼 수 있듯이 FSEC 지도 위 색상이 기준-사례와 다르게 바뀐다. 화재 발생 및 화재 위험이 가장 큰 지역으로 자원이 즉시 재배치된다. 기준-사례에서 빨간색으로 표시된 영역은 일반적으로 노란색으로 바뀌어, 대응 시간이 짧을수록 화재 발생과 위험이 감소함을 나타낸다.

하지만 〈그림 4〉에서 볼 수 있듯이 화재 대응 시간이 줄고 안전이

을 배치하기 때문이다.

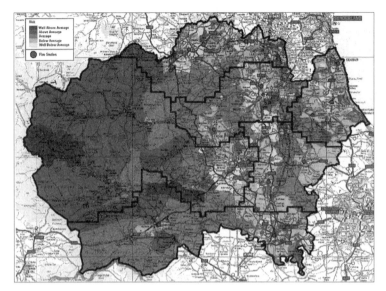

그림 4 가정적 자원 재배치와 그에 따른 화재 위험의 재—직렬화의 예.

강화되면서 지도상의 특정 영역만 색이 변하는 것은 아니다. FSEC
지도의 다른 영역도 색이 바뀐다. 환경 개념에 대한 푸코의 논평을
활용하자면, FSEC의 광범위한 순환과 FRS의 이동 능력의 얽힘을 분
석하는 것은 화재 위험을 공통 원인 현상으로 이해한다는 것을 의
미한다. 화재 위험의 원인이 효과로 이어지지 않고 원인과 결과가
결부되어 역전될 수도 있다. 지도 전체에서 나타나는 이러한 색상
변화는, 가정적 자원 재배치로 특정 지역의 화재 대응 시간이 짧아
질 수 있으면 다른 지역의 대응 시간은 길어질 수밖에 없다는 사실
을 반영한다. 대응 시간 개선으로 일부 지역의 화재 위험이 줄어든
만큼 그 반대도 발생하는 것이다. 따라서 화재 발생, 결과 및 위험

은 가정적 자원 재배치의 결과로 일부 영역에서는 높아지게 된다. FSEC의 대응 준비는 그것이 발생시키는 동시에 방해하는 영향, 즉 화재 위험 증폭의 관점에서 고려된다.

FSEC에 나타난 화재 위험 문제를 이해하는 데에는 순환에 영향을 미치는 사건에 대한 푸코의 공통-인과적co-causal 해석이 유용하다. 이 글은 소프트웨어를 이용한 새로운 화재 위험 재현에만 관심을 기울이지 않는다. 오히려 공통-인과적 현상으로서 화재 위험의 개념화는 앞으로 새로운 형태의 거버넌스로 열릴 미래와 연결시켜 탐구해야 한다. FSEC의 경우, 이는 서비스 기관이 화재 대응 기준을 준비할 수 있도록 공통-인과성이 전략적 의사결정을 촉진하고 조건화하는 방법을 의미한다.

푸코로 돌아가서, 순환을 확보하는 것은 "일련의 분석과 특수한 배치를 통해 현실의 요소들이 서로 맞물려 작동하게 하면서" 일어나는 작업이다(Foucault 2007, 47). FSEC는 가정적 자원 재배치를 허용함으로써 미래 화재에 대한 대응 준비가 배치의 문제로 귀결된다고 이해한다. 분석가는 FRS 자원의 지리적 좌표를 임의로 변경하지 않을 것이다. 대신에 자원은 계속해서 재배치되고 시간 이동 매트릭스 계산은 반복된다. 각각의 재배치와 함께 화재 위험도는 재정렬되고 공간을 통한 잠재적인 규범적 분포는 새롭게 구체화된다.

자원이 재배치되고 시간 이동 매트릭스가 실행될 때마다 화재 위험은 지도 내 다른 영역으로 다시 분산된다. 자원의 위치와 지리적 배치가 공간 전역의 화재 대응 시간을 최적화했다고 받아들여질 때까지 이 실행은 반복 수행된다. 최적의 대응 시간이 의미하는 바는 자원의 균형 잡힌 배치가 달성됐다는 것이다. 즉, 화재 위험을 완전히 제거하지는 못했어도 앞서 언급한 대응 기준이 지도 내 여러 영역에서 충족된 것이다.[8] 대응 기준을 충족하면 서비스 기관은 화재 위험 예측에 자원을 할당하고 재배치하는 방법을 보여 줌으로써 현재의 개입을 정당화하고 설명할 수 있다.

이처럼 FRS 대응 전략을 위해 FSEC에서 교차 관리 또는 배치 문제가 결정되는 시간적 조건은 푸코가 제안한 것과 다르다. 이 글에서 설명한 바와 같이 FRS의 대응은 광범위한 안전 행위자 집합에서 발견되는 전략적 변화와 유사한 재협상을 거친다(예컨대 Adey and Anderson 2011; Aradau and Van Munster 2012). FSEC의 교차 관리 형태는 화재 발생 시 사건에 대한 반응으로 이루어지는 것이 아니라, 화재라는 파괴적 사건에 대한 준비와 예측으로 FRS 대응에 영향을 미치고자 수행된다.

---

[8] 도시 정비 및 환경에 대한 푸코의 글과 비슷하게, FSEC는 사건으로서의 화재가 완전히 근절될 수 있다는 가정에서 작동하지는 않는다는 점에 주의하는 게 중요하다. 도시 정비와 관련해 푸코는 다음과 같이 말했다. "다만 중요한 것은 긍정적인 요소를 극대화해 가능한 한 최적의 상태로 순환될 수 있도록 하고, 반대로 절도와 질병 같이 위험하고 장애가 되는 요소는 최소화하는 것이다. 그런 요소들을 **절대로 완전히 제거할 수 없다는 것을 잘 알고 있으면서도** 말이다."(2007, 19, 강조는 필자) 본고에서는 FSEC의 화재 위험 의사결정 방법이 특정한 지리-인구통계학적 집단을 희생시키며 수행됐다고 말하지 않는다. 대신에 중요한 것은 FRS가 화재 위험 분포에 영향을 미칠 수 있다는 점이며 (따라서 우연적 사건에 대한 이해를 변화시킨다는 점이며) 이 분포를 뒷받침하는 논리적 근거는 공간을 가로지르는 평형에 영향을 미치려 했다는 점이다.

예측적 안전 기술의 통합은 순환이 통치의 대상이라는 푸코식 사실뿐만 아니라, 정확히 무엇이 순환되고 있는지에 대한 더 미묘한 이해가 안전 지식에 얼마나 깊이 새겨져 있는지, 그리고 서로 다른 움직임 양식이 어떻게 관리될 수 있는지 들여다보는 섬세함을 필요로 한다. FRS의 예상으로 대응을 만들고 순환을 확보하는 시간적 조건은, 일반적인 순환과 FRS의 모빌리티를 구분했기 때문에 가능하다. FSEC는 모빌리티와 순환을 구분함으로써 인구 내의 일반적인 순환이 FRS 대응 능력에 어떤 영향을 미치는지, 그리고 모빌리티와 순환의 관계가 화재 위험의 규범적 분포에 어떤 영향을 미치는지를 측정할 수단을 마련한다. FSEC의 모빌리티와 순환 구분은 FRS가 화재를 통치하는 광범위한 시간적 이동에 등록된다.

가정적 자원 재배치를 통해 모빌리티와 순환의 상호의존성이 재정렬되고 지속적으로 조정된다. 더 나아가, FSEC가 수행하는 모빌리티와 순환의 이분법은 사건이 안전장치의 상상력 속에서 (푸코의 용어에 따르면) "우연적"(Foucault 2007, 20)으로 나타나는 방식에 대한 비판적 재평가를 강요한다. 그 불확정적인 특성에도 불구하고, FSEC는 화재 위험 분포를 생성하고 거기에 영향을 미치려 한다. 모빌리티와 순환의 상호의존성을 통해 화재 위험의 규범적 분포를 새롭게 해석하고 시각화한다. 화재 위험을 구상하고 분포를 생성함으로써 FRS은 화재에 대비해 자원을 배치할 수 있다.

모빌리티와 순환의 상호의존성은 브라이언 마수미Brian Massumi가 '배열 관계array relations'라고 부르는 특성에 기인한다(Massumi 2002, 91).

FSEC에서 수행된 가정적 분석을 통해 모빌리티와 순환은 "초-배치 및 대입super-position and substitution"(Massumi 2002, 91) 과정에 기입된 유동적 공간 좌표로 처리된다. 자원이 지리적으로 이동할 때마다 분석가는 FRS 대응 모빌리티와, 이 대응이 필연적으로 얽혀 있는 광범위한 순환 흐름 사이의 관계를 재정렬한다. FSEC가 수행하는 이 역동성은 화재 위험의 규범적 지형을 재정의한다. 모빌리티와 순환을 유연하게 만들고 이 두 가지 움직임 양식 사이에 놓인 상호의존성을 활용해 사건이 벌어지기 전에 활성화되는 통치 기술을 공식화한다.

결론

푸코는 권력의 출현 양식으로서 안전에 대한 연구에서 가장 중요한 것은 안전 거버넌스 대상이 정확히 무엇인지를 묻는 일이라 했다. 그 대상 중 하나는 인구의 순환이다. 순환에 대한 푸코의 설명은 국경에서의 안전(Amoore 2006;Salter 2013)이나 테러와의 전쟁에서의 글로벌 금융 거버넌스(de Goede 2012)에 관한 선행 연구에서 유용함이 입증됐다. 나는 안전과 순환에 대한 푸코의 설명에서 지금까지 간과되어 온 핵심 개념인 환경 개념을 다뤘다. 푸코에 따르면, 환경 개념은 통치 문제로의 전환에서 통치의 시선을 인구 순환에 고정시킨다.

이 글에서는 푸코의 안전 작업과 환경 및 순환 개념을 사용해 영국 FRS의 위험 관리 실천을 비판적으로 검토했다. 전술한 바와 같이 FRS 운영 조직은 21세기 들어 정비되고 재검토됐다. 화재를 관리하는 전략은 앤더슨이 말한 대로 "안전의 목표는 어쩌면 미래를 통제하고 관리하는 것"[Anderson 2009, 228]임을 강조하는 새로운 시간적 조건에서 조정되었다. 위험을 통해 화재를 이해함으로써 FRS의 통치는 앞으로 화재가 가져올 비상사태를 전망하고 이로써 현재 개입을 정당화하는 선제적 전환을 도모했다.

FSEC 기술과 대응 전략의 재협상과 관련해, 푸코의 환경 개념 논평은 FRS의 명백한 선제적 전환에 대한 비판적인 통찰을 제공한다. 환경 개념은 순환에 대한 안전의 고정을 강조한다. 순환 흐름 속에서의 얽힘으로 구체화되고 안전 행위자들이 관리하는 파괴적 사건은 그 공통-인과적 성격으로 개념화된다. 이 경우 화재 위험의 공통-인과성은 다른 순환 요소들의 교차 관리로 실행되는 특정한 개입 형태를 필요로 한다.

그러나 FRS의 위험 통치 기술은 안전의 순환과 확립을 설명하려면 푸코로부터 벗어나는 순간이 필요함을 보여 준다. 이 글은 푸코가 제안한 것보다 더 섬세한 움직임에 대한 해석이 안전 기구에서 작동한다고 주장했다. 간단히 말해, 순환은 안전 행위자의 동원 능력을 기반으로 보장된다. 이 글에서는 모빌리티와 순환으로 움직임을 분리하여 21세기의 비상사태 대응이 수행되는 방법과 관련된 더 넓은 쟁점을 제공하려 했다. 앞서 언급한 가정적 시간 이동 매트릭스 분석을 예로 들 수 있다. 표면적으로 봤을 때 분석이란 거리, 교통량, FRS 자원의 위치, 화재 현장까지 가는 거리와 교통 상황을 조절하는 소방 당국의 능력을 계산하는 것이다. 그러나 이러한 계산을 뒷받침하는 것은 안전 행위자로서 비상 대응 요원들에게 근본적인 문제인 다음과 같은 질문들이다. 비상 대응 요원들이 이동하게 되고 그럼으로써 통치할 수 있는 능력의 한계는 어디까지인가? 그리고 이 같은 안전 행위자들의 임모빌리티는 그들이 안전을 확보하고자 하는 인구와 그 삶에 어떤 영향을 미치는가? 이러한 질문은 FSEC가 수행하는 움직임 분석을 통해 FRS에 기록된다.

이 질문들은 이 글이 제기한 푸코에 대한 두 번째 비판, 즉 순환이 확보되는 시간적 조건과도 연결된다. FRS의 대응은 파괴적인 사건이 발생했을 때 개입 공간을 마련하는 방식이 아니라, 화재 예상에 따른 부분적 대응이다. FRS 대응 전략에서 선제적 전환은, 화재를 단순히 위험으로 시각화하는 것을 넘어 모빌리티와 순환을 구분함으로써 안전을 확보하려는 새로운 움직임에 대한 기록을 형성하는 일이다. 가정적 분석에 등록되는 순환과 모빌리티는 유연성을 띠며 화재 대응 시간을 단축하기 위해 변경할 수 있는 대상이 된다. FRS가 대응을 준비함으로써 화재를 예상하고 개입하는 것은 모빌리티와 순환의 관계를 재배치하는 일이 된다.

안전화를 둘러싼 이 시간적 변화는 통치되는 움직임에 영향을 미칠 뿐만 아니라, 푸코가 우연적이라고 부른 것에 접근하는 방식에도 영향을 미친다. 《안전, 영토, 인구》(2007)에서 푸코는 잠재적인 파괴적 사건을 불확실하고 우연적인 것으로 이야기했다. 공간은 파괴적일지도 모르는 것을 줄이기 위해 만들어지지만, 개입 자체는 사건이 터졌을 때에만 발생한다. 반면에 FRS의 위험 기술은 우연성에 대해 달리 말한다. 파괴적 사건의 발생은 자기조절적 집단인 인구의 우발적 부산물과 통치자들의 의사결정 결과 간의 교섭 아래 놓인다.

FSEC와 같은 위험분석 기술이 도입되면서, 푸코에 대한 이러한 비판의 중요성이 지난 10년간 대두되어 왔다. 이 글의 논의는 권력 중심의 지리시각화 기술과 만날 때 그 의미가 더 확대된다[예컨대 Kwan and Schwanen 2009]. FSEC를 탐구할 때 푸코를 참조하는 것은, GIS(지리정보시스템) 알고리즘에 포함된 다양한 움직임 양식을 설명할 때 섬세함이 요청된다는 점을 시사한다. FSEC 분석을 통해 화재는 개별 사건인 동시에 상호의존적 움직임 형태에 따라 발생하는 현상으로 이해된다. GIS 기술은 이동의 복합성을 인식함으로써 FRS 대응 준비 문제의 변수를 그려 볼 수 있을 뿐만 아니라 예상된 형태의 통치를 실행할 수 있다. 계속 발전하고 있는 GIS 기술이 디지털화된 새로운 이미지 체제에서 통치 대상을 어떻게 상정하고, 이를 통해 일상에서 권력 실천의 가능성을 어떻게 재공식화하는가 하는 문제는 더 많은 작업으로 검토되어야 할 것이다.

논문 초안을 읽어 준 편집자들께 특별히 감사 드리고 싶다. 이 논문이 아이디어에 불과했을 때 2013년 루체른에서 열린 '푸코와 모빌리티' 워크숍 참가자들과 질문을 주고받으며 대화할 수 있었던 것은 행운이다. 마지막으로 박사과정 지도교수인 벤 앤더슨Ben Anderson과 루이 아무어 Louise Amoore에게 감사한다. 푸코와 안전에 대한 많은 생각을 뒷받침해 주신 분들이다.

4장

감옥과 (임)모빌리티

: 푸코는 어떻게 보았는가?

크리스토프 민케_벨기에 브뤼셀 생루이대학 국립범죄학연구소

앤 르몬_벨기에 국립범죄학연구소

푸코는 작업의 상당 부분을 감옥 연구에 할애했기 때문에 감옥 제도에 관한 주요 이론가로 꼽힌다. 푸코는 동시에 중요한 인식론가이기도 하다. 이 점을 상기하며 푸코식 접근법을 발전시켜 푸코의 감옥 모델을 심문해 보려 한다. 모빌리티 전환의 맥락에서 감옥 문제를 다루고자 한다. 더 정확하게는, 시공간에 대한 새로운 관계의 발전과 모빌리티 자체를 숭배하는 '모빌리티 이데올로기' 출현을 탐색할 것이다. 이는 현재 감옥의 통치 방식과 정당화 방식에도 영향을 미친다.

서론

푸코와 모빌리티의 관계는 푸코의 작업에서 모빌리티에 대한 관심의 흔적을 찾아봄으로써 탐사할 수 있다. 혹은 현재 진행 중인 모빌리티 연구 분석에서 출발하여 이것이 푸코의 특정 개념과 어떤 관련이 있는지를 묻는 방법도 있다. 우리는 두 번째 접근법을 택했다. 구체적으로는, 우리 중 한 명이 '모빌리티 이데올로기' 이론을 공식화하고 이를 감옥 담론에 적용하는 작업을 하고 있기 때문에, 감옥 시스템과 관련한 푸코의 대규모 작업을 재검토해 볼 좋은 기회인 것 같다. 우리를 이끄는 질문은 다음과 같다. 모빌리티와 관련된 최근의 변화가 오늘날 감옥의 사회적 의미와 역할 변화에 어떤 영향을 미쳤는가?

따라서 우리는 이러한 담론들을 통해 범죄학 연구에서 가장 고전적인 주제이자 질문 중 하나인 감옥의 정당성 문제를 다룰 것이다. 사실 감옥은 현대 형벌제도에서 주된 처벌인 동시에 민주주의 가치에 대한 끊임없는 도전일 수밖에 없기 때문에 정당화되기 어려운 제도였다.

그래서 감옥을 '결코 정당하지 않은 제도'로 보는 접근법을 채택할 수 있다. 이 관점은 이론적으로든 정치학적으로든 중요하게 여겨져 감옥을 정당화하거나 정당한 것으로 만들려는 담론과 연구, 개편 등을 잇달아 불러온다. 하지만 감옥은 결코 (완전히) 정당하지 않으며, 정당성 결손을 감추며 정당화하는 지속적인 노력이 필요하기 때문에 결국 헛수고다. 그런 점에서 감옥을 새로운 이데올로기 가설의 시험대로 삼는 편이 적절해 보인다. 감옥 담론은 모든 개혁의 장이기 때문이다. 감옥은 정당화하기 어렵기 때문에 많은 것들이 (상대적인) 정당화 달성에 사용될 것이다.

만약 모빌리티 담론에 대한 가설을 검토할 분야를 찾는다면 우리는 두 가지 선택을 할 수 있다. 모빌리티라는 주제가 '자연스럽게' 존재하는 화제를 선택할 수도 있고, 그게 아니라면 모빌리티가 중심적 가치가 되어서는 안 되는 감옥 같은 화제를 선택할 수도 있다. 후자의 경우, 모빌리티가 감옥을 정당화하는 데까지 이용된다는 것을 보여 줄 수 있다면 매우 강력한 정당화 담론이 될 것이다.

우리가 여기서 발전시킬 가설은 감옥에 대한, 그리고 감옥의 정당성에 대한 새로운 접근법들이 등장하고 있다는 것이다. 이 새로운 방법은 시공간과 모빌리티의 관계에 대한 새로운 사회구조에 기초한다.[1] 모빌리티 이데올로기의 기치 아래 '모빌리티 전환' 이후 감옥의 지속성을 이해하는 것을 목표로 구금에 대한 완전히 새로운 시각이 나오고 있다(Sheller and Urry 2006).

감옥에 대한 이러한 이동주의적 정당화mobilitarian legitimation는 푸코식 감옥 이론을 설명하는 새로운 재현에 기초할 것이다. 따라서 우리는 이것이 푸코 이론의 핵심 개념에 도전하는 방식에 의문을 제기할 것이다.

---

[1] 우리는 모빌리티를 그 자체로 사회적 구성물로 간주하여(Frello 2008, 29), 모빌리티가 공간과 시간의 사회적 구성의 변화와 연결되어 있다는 가설을 세운다.

푸코와 푸코

따라서 이 글에서 우리는 감옥 이론가로서의 푸코와, 현재 많은 사회과학 연구자들이 공유하는 지적 도구를 제공한 인식론자로서의 푸코를 구별할 것이다. 이 글의 어떤 부분은 푸코 작업에 대한 질문처럼 들릴지 모르나, 이런 접근까지도 푸코에게 빚지고 있음을 강조하는 것이 중요하겠다. 이것이 사회적 합리성(이 경우, 모빌리티) 분석과 특정 형태의 권력 및 지배 관계에 대한 푸코식 관점 안에 놓인 이 글의 핵심이다. 마찬가지로, 이 글은 푸코의 용어인 계보학과 고고학 개념을 적용하는 한 방법으로 보여야 한다. 실제로 푸코에게 중요한 개념인 현재의 합리성은 현재 고정된 존재에서 비롯되는 것이 아니라 (때로는 파괴적인) 진화를 통해 발생한 것이다. 현재의 합리성은 그 여러 요소에서도 파악되어야 하며, 그 전략적 효과도 분석되어야 한다. 푸코식 분석은 선입견의 중지를 요구한다. 푸코의 통찰을 면밀히 연구할 때 우리가 가장 먼저 보게 되는 것은 어떠한 근본적인 원인이나 의미도 처벌 형태의 발전과 연관될 수 없다는 것이다. 이런 발전은 사건을 구성하는 여러 원인과 과정의 산물이다.

푸코식 접근법은 특정 시점과 특정 장소에 주어진 역사적 집합체를 긍정적으로 볼 수 있도록 우리를 초대한다. 무엇보다도 우리는 특정 시기와 장소에서 특정한 담론과 실천이 다른 사람들을 지배하는 **방식**에 초점을 맞춰야 한다. 이를 선형적 프로세스 또는 시스템으로 환원해서는 안 된다. 푸코식 접근법에서 역사는 연속성 형태로 생각할 수 없기 때문이다. 역사는 불연속성, 단절, 변화, 그리고 의문을 제기하는 것의 산물이다(Smart 1983, 65).

둘째로 푸코는 개혁이 단지 진보적인 요구나 특정인의 권위로만 정당화되는 것이 아니라고 생각한다. 왜냐하면 권력은 소수의 손에 달린 특권이 아니기 때문이다. 푸코는 개혁이란 '가능성에 대한 역사적 조건'을 반영하는 것이라고 보았다. "이는 항상 틈새에서 발생하기 때문에 그 누구도 이 발생에 책임이 없고 아무도 그 영광을 누릴 수 없다"(Dreyfus and Rabinow 1984, 162; Foucault 1971, 156). 푸코에게 권력은 무엇보다도 관계적인 것으로, 훈련manoeuvre, 전략, 기법 및 운영 원리로 이루어진 것이다. 권력은 지속적인 활동에서 나오는 관계의 '다발'이다. 권력은 어디에나 있다. 긍정적일 수도 있고 부정적일 수도 있고, 강제될 수도 있지만 저항할 수도 있다. 따라서 푸코의 과정은 이러한 '가능성을 위한 역사적 조건'의 출현, 특히 양쪽이 서로를 함축하는 권력-지식 관계를 초래하는 특정 사건들을 이해하는 것을 목표로 한다(Dreyfus and Rabinow 1984, 161; Foucault 2001b, 302-304).

셋째, 푸코는 다양한 요소들을 고려하며 처벌을 검토한다. 그는 **장치**dispositif라는 개념을 통해 주어진 '역사적 집합체'를 그것을 구성하는 다양한 요소들로 나누어 보려고 한다. 푸코는 **장치**를 다음과 같이 간주한다. "담론, 제도, 건축적 차원, 규칙, 법률, 행정 조치, 과학 및 철학적/도덕적이고 박애주의적 문제를 구체화하는 혼종적 집합체이다. 간단히 말해서, 말해진 것뿐만 아니라 말해지지 않은 것이기도 하다"(Foucault 2001b, 299). 결국 푸코는 다양한 수준에서 발견되는 다양한 담론과 실천 사이에 나타나는 관계를 통해 분석된 대상을 이해하는 것이 중요하다고 말한다.

이것은 '이동주의적' 이데올로기에 대한 우리의 접근 방식을 인식론적으로 이해하는 푸코식 맥락이다. 이 이데올로기는 사회적 재현의 진화를 보여 주는 산물인 동시에, 감금과 구속적 장치의 형태를 구성하는 다양한 요소들로 이루어진 복잡한 집합의 한 요소이다. 한편으로 이는 가능성에 대한 역사적 조건의 결과이며, 다른 한편으로는 새로운 이데올로기로서 분석될 수 있는, 하나의 전체로서 공존하며 형성되는 다양한 요소들의 혼합이다.

그럼에도 불구하고 이 글의 목표는 상당히 푸코적인 방식으로 감옥 시스템에 대한 '진지하고' 제도적인 담론을 분석하는 것이다 (Dreyfus and Rabinow 1984, 76-77). 우리는 먼저 이 담론이 기존 담론들과 어떤 개념적 단절을 보이는지를 강조할 것이다. 이어 최근의 진화들이 어떻게 이 이론들을 문제 삼(으려 하)는지 이해하고자 감옥에 대한 푸코의 이론으로 돌아갈 것이다. 이를 통해 오늘날의 통치성에서 일어나고 있는 변화와, 우리가 특정한 방식으로 사고하고 행동하는 행위자로서 확립된 방식을 조명할 것이다(Dean 1999).

임모빌리티화immobilisation의 장치로서의 감옥

여기서 제안하는 입장을 이해하기 위해서는 최근까지 널리 퍼진 감옥 모델을 소환해야 하는데, 푸코는 이를 규율(및 죽음-권력)과 생명권력에서 모두 파생된 것이라고 설명했다. 이 견해는 여전히 감옥에 대한 우리의 선입견으로 작용한다. '감옥'과 '모빌리티'를 명백한 반대 개념으로 인식하는 것은 이 같은 틀 안에서다. 감옥은 전형적으로 부동화, 즉 임모빌리티화를 위한 처벌적 장치로 여겨진다.[2]

분할된 감옥

감옥은 세상으로부터 격리된 곳으로 여겨지고 자유를 박탈하는 형벌에 사용되어 오늘날 현대 국가의 형법에서 주된 처벌로 자리잡았다. 드문 예외를 제외하고는 구체제의 처벌은 거부되었다. 자유를 박탈하는 것은 누군가의 이동의 자유를 빼앗는 것을 의미하고, 이러한 목적을 위해 설계된 건물이 바로 감옥이다. 감옥에 들어가는 것은 한 개인의 삶에서 급진적인 단절이다. 죄수가 된 개인은 거의 모든 권리(사적 생활, 경제활동, 의료 선택권, 정치적 권리, 일부 시민권리 등)를 박탈당한다. 그의 행동 가능성은 최소한으로 줄어든다. 따라서 감옥은 주로 신체적 임모빌리티화에 기초하는 것으로 볼 수도 있지만, 행동 능력이 박탈된다는 측면에서 법적 임모빌리티화에 기초하는 것으로도 볼 수 있다.

---

[2] 여기서 말하는 것은 19세기 구빈원이 아니라 감금 시스템이다. 특히 프랑스에서는 형을 선고받는 곳이었지만 교정 목적이 전혀 없는 노예제의 한 형태였다(Demonchy 2004, 278-279). 임모빌리티화의 특징은 판결을 기다리거나 해외 유형지로의 이송을 기다리는 사람들을 가둔 감옥에서 볼 수 있다.

둘째로, 무능화incapacitation는 감금의 주요 기능 중 하나이다. 개인이 사회에서 자유롭게 행동하지 못하게 함으로써 법을 준수하는 시민들을 보호하려는 의도이다. 이런 기능을 위해서는 투옥이 필요하다.

셋째로, '감옥'은 형벌인 동시에 건물이기도 하다. 드문 예외를 제외하고 모든 감옥은 전적으로 감금의 차원에서 구상된다. 완벽한 예는 개별적 방, 몇 개의 서비스 구역, 취미 구역(운동장)으로 구성된 별 모양의 감옥을 들 수 있다. 수감자의 모든 이동은 한 통제구역에서 다른 통제구역으로의 통행이다. 활동으로서의 이동은 교도관들에게만 가능한데, 이는 엄격하게 조직된 순찰 형태로 그들의 권력은 여기에서 나온다(Bauman 2000, 9-10). 내부 이동이 제한적이라면 출입은 훨씬 더 제한적이다.[3]

초기 감옥 모델에서는 감옥 바깥의 외부 세계는 전혀 고려하지 않았다. 수감자는 문으로 들어왔다가 복역 기간을 마치면 문으로 나갔다. 복역 기간 동안 수감자는 교도소 직원들과 성직자만 만날 수 있었다. 가능한 한 동료 수감자들과의 접촉은 금지되거나 최소한으로 제한되었기 때문에 그냥 감방 안에 감금하는 제도였다. 외부의 방문은 드물었고 짧았다. 따라서 감옥의 공간적 폐쇄는 이중적이었다. 내부에서는 수감자들을 서로 격리시키기 위해, 그리고 다른 범

---

[3] 이런 의미에서 푸코는 이를 이탈의 헤테로토피아로 보았다. '이탈의 헤테로토피아'란 일상적인 사회 공간과 분리된 곳으로, 이탈자들이 잠시 혹은 영원히 머무는 '다른 곳'이란 의미다 (Foucault 1984).

주의 수감자들과 분리시키기 위해 공간을 분할하는 것이 목적이었고, 외부적으로는 수감자들을 사회로부터 단절시키는 것이 목적이었다(Demonchy 2004, 282-285). 이 문제에 관해서는 확실히 벤담의 원형감옥 파놉티콘 모델보다 더 흔한 모델이었던 별 모양 감옥에 주목해야 하는데, 이 감옥은 수감자들에 대한 직접적인 감시보다는 감금을 목표로 했다는 점에서 주목을 요한다. 반면에 파놉티콘 모델에서는 순찰 구역이 통제 센터에서 보이기 때문에 이동 중인 교도관들은 파놉티콘에 복종했다(Demonchy 2004, 284-287). 그들은 순종하는 자였다.

네 번째는 분할하고 고립시키려는 흔적은 물리적인 공간에만 있는 게 아니라는 점이다. 이론적으로 수감자들은 자신이 저지른 범죄와 연관된 기준, 혹은 다른 기준에 따라 집단으로 나뉜다.[4] 수감자 분류 문제는, 실제 적용에서 수많은 문제를 야기한다 하더라도, 전통적 감옥 담론에서의 핵심 주제다(Maes 2009, 229-276; Vanneste 2004). 마찬가지로 감금의 맥락에서 다양한 행위자들의 기능은 명확히 구별되어 감독, 교정 직원, 목사, 수감자, 그리고 가족은 각각 매우 구체적이고 독점적인 역할을 수행한다. 감옥 건물 자체의 특성과 마찬가지로, 사회적 시스템으로서의 감옥도 분할된다는 특징을 갖는다. 가장 대표적인 예로는 1972년까지 프랑스 교도소에 부과된 침묵의 법칙이 있는데, 교도관들이 수감자들에게 말하는 것까지도 금지됐

---

[4] 예를 들어 감옥 내 '정신과 병동'에 수감된 재소자의 경우, 감금의 또 다른 기준은 정신상태일 수 있다(벨기에의 경우).

었다(Demonchy 2004, 280, 290).

다섯 번째는 임모빌리티화immobilisation에 작용하는 시간적 측면이다. 감옥에서 보내는 시간은 완벽하게 반복적이며 끝이 분명하다. 장기 복역의 감금 기간도 미리 시작과 끝이 정해진다. 순수한 고전적 모델 아래서는 이후에 이 기간을 조정하는 것이 불가능했다.[5] 죄수는 '시간을 다 채우면' 모든 권리를 갖고 특별한 후속 조치 없이 석방되었다. 감옥에서의 하루는 변함없는 리듬을 따른다. 감방, 구내식당, 작업장 또는 운동장에 나가는 시간은 수감 기간 내내 확실하고 규칙적이며 변하지 않는다. 빈 시간이나 할당되지 않은 틈은 없다.

여섯 번째 측면은 감금이 주로 삶이 멈추는 시기라는 점이다 (Demonchy 2004, 291). 감금이 수감자의 갱생[6]에 어떤 영향을 미치는지는 중요한 문제가 아니다. 갱생은 '추가적인' 것이지 필요조건은 아니다. 고전 모델에서는 수감자가 석방되기 전에 바른 생활을 하라고

---

[5] 선고가 엄격하게 미리 정해지는 것이 고전 법학의 기본 원칙이었다. 19세기에 가석방이 도입되면서 이 원칙이 처음 문제시되었다. 벨기에에서는 1888년 '르죈법Le Jeune law'으로 도입됐다. 선고가 불변하는 게 아니라는 생각에 기초해 20세기 후반 혹은 21세기 초반(벨기에의 경우 2006년)에 양형법원sentencing court이 설립되었는데, 이는 처벌의 종결까지는 아니더라도 형기 내내 형벌의 응용을 수반했다. 시간 경과에 따라 형벌을 조정하는 것은 형 집행의 정상적인 부분이 되었다. 단순히 형벌의 강도를 바꾸는 문제가 아니라 관찰 아래에서의 형벌(혹은 관찰형)이라는 새로운 패러다임으로 진입한 것이다.

[6] 수감자에 대한 이런 효과는 분명 푸코가 묘사한 벤담식 파놉티콘의 목적이지만, 억제의 목적과는 상당히 동떨어져 보이며 주로 19세기 감옥 시스템을 구성했던 격리를 통해 수정된다. 이런 맥락에서 수감자가 감시 아래 놓인다는 것은, 자신에 대한 통제력을 회복하기 위해 감시라는 수단을 활용하는 것이라보다는 "회개할 때까지 신을 마주하며 감옥에서 사는"(Demonchy 2004, 291) 것이다. 이런 고립은 현실이 아니라 강력한 담론일 뿐이다.

요구할 수 없다. 수감자의 형기는 단순히 감옥에 갇혀 있는 것만으로 '완벽하게' 채워졌다.

초기의 정치적 근대성(18세기 후반과 19세기 후반)에서 비롯된 이런 이해에서 우리는 규율에 기초한 죽음-권력의 특성을 볼 수 있다 (Blanchette 2006). 비록 그것이 문자 그대로 '살게 하고 죽게 내버려 둔다'는 문제는 아니지만, 누군가의 삶에서 특정한 기간을 없애 버리는 것은 죽음에 준하는 형태로 여겨질 수 있다. 특히 시민권으로 부여된 권리를 없앰으로써 사회적 '죽음'과 시민적 '죽음'이 결합됐을 때, 그리고 이러한 권리 중 일부는 결코 회복되지 않을 때는 더욱 그렇다. 무엇보다 수감자의 신체를 통제하는 것이 핵심이었다.

현장에 들어온 전문가

19세기 말에 나타난 실증주의 범죄학은 감옥 체계에, 더 넓게는 일반적인 감금 체계에 영향을 미쳤다. 인체측정학과 정신의학이 범죄(및 관련 일탈 행동)를 다루는 공공 영역에 도입되었다. 이러한 발전은 정신질환 범죄자의 감금, 위험하거나 위험에 처한 미성년자에 대한 '보호' 조치,[7] 노숙자 단속,[8] 교도소 내 정신과 병동 만들기 등 수

---

[7] 벨기에에서 '보호법'은 형사상 책임이 없지만 강제적인 교육적 조치를 받을 수 있는 비행청소년을 다루는 법인 일명 '청소년보호법'과 관련된 일련의 법이었다.

[8] 수년간 벨기에는 부랑자의 감금을 오직 부랑자의 부랑에 근거해 보는 법을 실행했다(1891년 11월 2일 '부랑 및 구걸 제한법Curb Vagrancy and Mendicancy', 1993년 폐지). 이 법은 부랑자들을 사회에 평균 이상의 위험으로 작용하는 인구 집단으로 보았다.

많은 조치를 가져왔다. 모두 전문가가 현장에 진입함으로써 이루어졌다. 이후로 정부의 개입은 노숙자를 관리했던 것처럼 사회집단, 특히 '위험한' 것으로 식별된 인구를 관리하는 것을 목표로 했다. 목적은 그 인구가 다른 사람들에게 해를 끼치지 않게 하고, 이상적으로는 그들이 기능적인 사회적 실체로 사회에 재진입할 수 있도록 그들을 갱생시키는 것이었다. 이것은 '재활'이라고 불리게 되었고 주로 치료와 교육으로 시행되었다. 예를 들어 정신질환자의 경우, 미리 정해진 형량도 전문가의 확인이 있으면 감금 상태에서 벗어날 수 있는 치료 개념으로 점차 대체되었다. 이런 맥락에서 해당 수감자는 여전히 소극적인 존재로 남아 있게 된다. 그러나 이러한 수동성은 이제 형량이나 그것을 결정하는 책임자가 아니라, 이를 관리하는 전문가 치료와 관련되었다.

이는 감옥 세계에 새로운 논리, 즉 생명권력이 도입되었음을 나타낸다. 푸코의 설명처럼 생명권력은 죽음-권력을 폐지하고 대체하는 것이 아니라 권력 장치를 발전시키려는 목적에서 죽음-권력과 통합되었다(Genel 2004). 교도소도 예외는 아니었다. 신체에 대한 통제를 위해 인구 관리가 추가되었다. 주권을 행사하는 도구로서 법률에 근거한 권력에(Genel 2004, para. 2), 통계와 같은 특정한 수단 없이는 얻을 수 없는 인구에 대한 이해를 통해 생명권력 행사 도구를 보유한 전문가들의 참여가 더해졌다. 규율 외에 이제 규제라는 개념이 중요해졌다(Blanchette 2006, 5).

이제는 감옥을 개방하는 것과 내부를 분리하는 것에 의문의 여지가 없었다. 다만, 구속 기간은 법적 기준 외에 다양해졌다. 기준은 이제 더 이상 '정해진 시간을 보내는 것'의 문제가 아니고, 전문가들 눈에 '자신을 증명하는 것', 테스트를 통과하는 문제가 되었다.[9]

제한-형태: 감옥의 공간-시간성

따라서 지금까지의 감옥 모델은 이동이 엄격히 제한된 여러 방식으로 닫힌 공간이라고 요약할 수 있다. 시간은 반복적이고 닫혀 있어서 자유로운 사람들의 시간과 감옥에서의 시간을 확실하게 구분하는 진한 평행선을 그리듯 수감자들의 삶을 규제한다. 전문가들(판사, 의사, 심리학자 등)은 형벌이 부과되는 방식, 형량, 수감 장소를 결정하는 사람들이다. 그들은 진단에 근거하여 교도소의 위치와 역할을 배정한다. 이러한 감옥의 공간-시간성은, 곧 자세히 다루겠지만, 제한된 형태라는 특정한 형태학에 해당한다. 이는 공간과 시간의 특정한 조합인데, 이 경우에 공간은 서로 맞물린 구획 경계로 정의되며 시간은 안정과 균열의 교차로 형성된다.

이러한 맥락에서 수감자는 맨 먼저 기대 작용의 대상, 달리 말해 유용한 행동을 발전시켜 나갈 수 있는 능력의 대상이 된다. 수감자에게 뭔가 기대되는 것이 있다면, 그것은 전문가들이 수감자 교정을 위해 확립한 규범적이고 치료적인 명령들을 따르는 것이다. 수감자

---

[9] 전문가 개입은 재활의 중요도에 따라 각기 다른 리듬으로 수행된다.

는 올바르게 행동하는 것이 어렵기 때문에 수감되어 있는 것이며, 결과적으로는 교정이나 처벌에 복종해야 하기 때문에 수감되어 있는 것이다. 분명히 이러한 맥락에서 수감자의 역할은 다른 사람들이 정한 규범을 따르는 것으로만 제한된다.[10]

더 세계적인 관점에서 볼 때, 수감자 집단은 완전히 고립시키거나 집단에 개인을 통합시키는 방식으로 관리된다(Deleuze 1992, 5). 첫 번째 집단은 수감자들 자신이며, 두 번째 집단은 특별한 '주의' 대상인 전직 수감자 집단, 마지막은 수감자의 다양한 유형이다. 이러한 개입의 주요 목표는 개인을 특정 위치로부터 분리시키고, 그들을 사회가 용인할 수 있는 기능적 능력을 사용하는 물리적·사회적 위치로 안정시키는 것이다. 문제를 일으킬 소지가 큰 사람들은 창살 안에서 여생을 보내게 되며, 교도소 수감에 따라 임모빌리티 상태를 유지해야 하고, 영구적인 사회 위험 요소라는 역할을 맡아야 한다. 다른 사람들은 감금 및/또는 재활 과정을 거치면서 교화되고 갱생되어 감옥을 떠나게 된다. 다시 말해, 이들은 다시 한번 공동체 메커니즘에 참여하는 역할을 부여받고 사회 속으로 되돌아간다. 이는 잠재적인 개인의 진화에 따른 권리의 문제가 아니라, 개개인의 상태에 알맞은 지위를 부과함으로써 사회적 질서를 회복하는 문제다.

그러므로 우리는 네 가지 규범 또는 원칙으로 감옥의 이미지를 다

---

[10] 푸코의 파놉티콘은 감시와 규범을 통합함으로써 작동하는 것이지, 개인적인 규범 집합을 만드는 것이 아니라는 점에 주목하라(Francis 2008, 1027).

시 그려 볼 수 있다. (개인 및 교도소 조직의 질서를 만드는) 기능, (사람과 집단에 그들의 목적과 행동을 강제하는 법적이고 기술적인 규범의) 적용, (이런 방식으로 관리되는 인구 전체와 개별 개인 사이의) 통합, 그리고 (개인의 신체적·사회적 지위의) 안정화가 그것이다. 따라서 감옥은 분할된 공간에서 개인들을 움직이지 못하게 하고 외부로부터 단절시키는 것이 주요 목적인 처벌이라는 점에서, 고통스러운 (그래서 갱생되는) 임모빌리티를 위한 장치다. 어떤 조건은 확실히 완화되긴 했지만, 여전히 감옥은 엄격한 통제 하에서 개인이 갱생될 수 있다는 가정 하에 전문가들이 엄격하게 모빌리티를 통제하는 형태이다. 그러므로 임모빌리티화야말로 감옥의 목적에 가장 핵심이 되는 근본적인 것이고, 모빌리티는 그저 잠정적이고 부차적인 것이다.

교도소법 준비 작업을 통해 본 감옥

이상이 지금까지 이어져 온 감옥, 더 정확히 말하자면 최근까지의 주요 수감 **장치**에 대한 이야기다. 1990~2000년대 이후 새로운 담론이 등장했다. 오래된 장치에 반영된 것을 대체하고자 하는 상당히 다른 담론이다. 담론을 바꾸는 것은 분명 합법성에 대한 변화를 의미하지만, 실천에서도 동일하게 적용되는 것은 아니다. 장치가 상호의존적인 요소들의 집합이라는 점에서, 이 담론적 전환은 감옥 시스템의 더 넓은 변화와 연결될 수 있는 하나의 가설을 보여 줄지도 모른다.

2005년 교소도법

이 글에서는 '진지한 담론'을 통해 수감 장치의 담론적인 측면만 논의할 것이다. 바로 2005년 1월 12일, 벨기에 법에 적용하고자 마련된 '감옥의 행정과 수감자의 법적 지위를 지배하는 원칙principles governing the administration of prison establishments and the legal position of detainees'의 수립을 위해 준비된 일련의 기록이다. 이는 지금까지 시스템을 지배한 법령과 기존의 복잡한 순환 체계 대신, 감옥 체계에 대한 명확한 규정을 마련하는 것이 목적이었다. 현재까지도 이 법령은 완전히 시행되지 않았고, 특히 교도소 직원들의 강한 반발을 불러일으켰다. 여기서 흥미로운 것은 법조문 자체가 아니라, 법령을 채택하는 과정에서 만들어진 담론, 즉 준비위원회(위원장 이름을 딴 '듀퐁 위원회Dupont Commission')의 보고서 및 일련의 토론을 포함한 준비 작업이다. 이 장치에 대한 설명에 더해서 이 텍스트에는 감옥에 대한 고려 사항이 길게 포함되어 있다. 이런 점에서 이는 가정된 '입법자의 의지'를 드러내는 문서가 아니라, 관련된 사람들이 어떻게 감옥의 목표를 합법적으로 제시하고 정당화할 수 있다고 보았는지를 보여 주는 공적이고 집합적인 담론이다. 이는 우리가 보았듯이, 민주주의 국가에서 가장 어려운 도전 중 하나이다.

교도소법은 수감의 기본 원칙(감옥의 성격, 목적, 조직)을 규정한다. 이는 감시 시스템을 도입하고 불만과 갈등 해결 절차를 마련하며, 새로운 감옥 정책의 핵심 요소인 개별 감금 보장 계획을 시행한다. 또한 이 법은 단체생활에서 작업 환경에 이르기까지 수감자의 일상생활을 규제하며, 의료 서비스, 외부 세계와의 접촉(우편, 전화, 방문, 언론과의 접촉), 사회 및 법률 지원 방식 등도 함께 제한한다. 규율 시스템과 안전 체제는 함께 구체적으로 배치된다.

감옥 담론 심층부의 변화

두 가설에서 출발해 보자. 첫째 고통스러운 임모빌리티화의 장소인 감옥은 (최소한 담론적으로) 제한적인 모빌리티를 부여하는 기관이 되는 경향이 있다는 것이고, 둘째 이런 변화가 감옥에 대한 푸코식 시각에 문제를 제기한다는 점이다. 감옥 계획이 모빌리티와 관련된 방식으로 변화하는 것은 감옥에 대한 푸코식 분석이 갖는 현재적 유효성을 묻게 하는 변화의 징후다. 그러므로 푸코식 질문 방식이야말로 그의 감옥 이론이 갖는 유효성을 심문하는 방법이 될 것이다.

벨기에의 교도소법 준비 작업을 주의 깊게 들여다보면 앞서 설명한 고통스러운 임모빌리티화와는 다르게 감옥을 바라보는 시각을 갖게 될 것이다.

예를 들어 감옥의 관행을 관리하는 문제에 입법적으로 개입하는 것이 정당한가 하는 문제에서, 기본권과 관련된 자유가 과도하게 박탈된다는 문제를 제기하는 대신에, 수감으로 인한 종속상태에 초점을 맞추는 논의들을 보게 된다. 수감자에게 특별히 관심을 기울여야 하는 이유는 그가 갇힘으로써 자율성을 박탈당했기 때문이지, 그가 기본권을 빼앗겼기 때문이 아니다.

수감자는 자신의 삶과 타인(특히 가족 구성원)과 관련된 책임을 맡을 수 있는 가능성을 박탈당한다. … 수감자는 더 이상 아무것도 돌볼 수 없다는 사실에 좌절감을 느낀다. 교도소의 규제와 감시로 인해 수감자는 타인에 대한 의존도가 높아지는 상황에 처하게 된다. 이는 그가 앞으로 자유 사회에서 법을 존중하며 계속 살아가려면 꼭 필요한 조건인 사회적 차원에서의 모든 도덕적 저항과 정상적 상황에서 기능할 수 있는 융통성을 방해한다(Rapport final 2001, 66-67).[11]

그렇기 때문에 한편으로는 감옥을 가능한 한 정상적인 장소로 만들어야 하고, 다른 한편으로는 수감자를 보호하는 곳으로 만들어야 하는 것이다.

감금의 역효과를 제한하거나 방지하는 것은 … '총체적 기관'으로서의 감옥을 가능한 한 억압하는 것, 감옥의 일상생활을 최대한으로 정상화하는 것, 바깥 세계를 향해 최대한 개방하는 것, 조기 석방의 관점에서 수감 기간을 정의하는 것을 의미한다(Rapport final 2001, 69).

이로써 감옥은 그 핵심적인 특수성을 잃게 된다. 감옥 자체가 창

---

[11] *Rapport final de la commission* 'loi de principes concernant l'administration pénitentiaire et le statut juridique des détenus'. *Rapport fait au nom de la commission de la Justice par Vincent Decroly et Tony Van Parys* 2001, 66–67.

살 안 감금으로 구성된 형벌을 위한 장소라는 사실 말이다. 새로운 전자제어장치의 개발만 봐도, 감옥이 더 이상 자유를 박탈하는 처벌을 위한 유일한 장소가 아님이 분명해진다(Deleuze 1992, 7). 따라서 감옥은 자유 사회를 포함해 다른 사람들 가운데에서 형벌이 집행되는 공간이 된다(Rapport final 2001, 121). 이때에도 감옥은 구별짓기가 거의 없기 때문에 정상적인 것이 된다. 심지어 자유의 두 극단 사이에 있는 중간 단계로 그려진다.

이런 맥락에서 감옥 공간은 개방적인 것처럼 보인다. 폐쇄된 공간이라는 점은 감옥의 본질이라기보다는 문제점으로 비친다. 감금은 오직 안전상의 이유로만 정당화될 수 있으며, 심지어 그 경우에도 최소화되어야 한다.

> 수감자들은 … [특수한 안전] 체제에 배치되어 운동장 산책, 레저, 스포츠 등의 활동에 참여할 기회를 제공받아야 한다. 가능한 범위 내에서 그리고 개인적 평가 결과에 따라 이런 활동은 수감자들과의 공동체에서 수행할 수 있다. 면접권과 통신권도 보호되어야 한다(Rapport final 2001, 185).

게다가 수감자들은, 외부 전문가들의 행동 주체가 되기는커녕 프로젝트에 참여하는 다른 참가자들과 마찬가지로 감옥 운영을 돕는 데 직접 나서야 한다. 따라서 참여형 관리 프로세스가 요구된다.

이 참여 원칙은 … 특히 감옥 내 특정 상품의 가격이 바깥 사회보다 높을 경우 수감자들이 항의하는 데에 유용하게 적용될 수 있다(Rapport final 2001, 128).[12]

참여는 형벌이 조직되는 방식에 해당된다. 수감자 자신이 처벌에 의미를 부여해야 하고, 감옥에 있는 동안 무엇을 할 것인지 명시하는 '계획'을 세울 수 있어야 한다. 또한 피해자에게 발생한 피해나 손상의 복구에 직접 나설 것이 권장된다. 이러한 맥락에서 수감자에 대한 개입은 더 이상 강제적인 감시 같은 것이 아니라 수감자가 수용하거나 거부할 수 있는 서비스에 대한 제안으로 간주된다. 감옥은 어떤 조치를 부과하기보다 기회를 제공하는 셈이다.

이 〔구금〕 계획은 재통합을 가로막는 것이 무엇인지 알아보고 이를 극복할 전략을 구체화한다. 여기에는 수감자와의 합의에 따라 석방될 때 활용할 수 있는 활동 프로그램도 포함된다(Rapport final 2001, 74).

수감 기간 동안 최선의 노력을 다해서 … 수감자에게 가능한 한 다양한 활동 및 서비스를—강제성 없이—제공해야 한다. 특히 장차 바깥

---

[12] 참여하는 이유는 불만을 제기하는 것이 가능하기 때문이다. 몇 년 전만 하더라도 이런 가능성은 참여보다는 규칙이나 상환의 범주로 설명됐을 것이다. 물론 이런 가능성의 진정성은 의심할 수 있지만, 이 예는 감옥의 기능을 설명하고 정당화하는 데에 참여 개념이 어느 정도 필수적임을 잘 보여 준다.

사회와의 재통합 관점에서 수감자에게 필요한 것이 무엇인지 알고 민첩하게 대응하며 서비스를 제공해야 한다(Rapport final 2001, 74).

마지막으로, 감옥은 징벌(처벌)이나 교정과 관련된 목적을 추구하지 않는 것으로 묘사된다. 특별한 목표를 추구하지 않는다.

형기를 채우는 목적은 사실 너무나 명백하기 때문에, 어떤 면에서는 동어반복으로 정의될 수밖에 없다. 형기를 복역하는 것, 즉 판사가 선고한 처벌을 완수하는 것이다(Rapport final 2001, 64).

코벨리어스 씨Mr. Coveliers는 감금을 제지하고 처벌하는 성격으로 보는 이론은 오류가 많고 시대에 뒤떨어진다고 설명했다(Proposition de résolution relative au rapport final de la Commission 'loi de principes concernant l'administration pénitentiaire et le statut juridique des détenus' 2003, 5)(아래의 'Proposition de résolution').

치료 이데올로기는 ⋯ 살아남기 위한 전략과 거짓 순응을 생성하는 구속 상황에서 안정적으로 행동이 수정될 것이라는 가능성에 과도한 희망을 건다. 출소 후 사회로의 재통합을 위한 준비는 복역하는 동안 점점 더 중립적이고 객관적이며 실현 가능한 것이 된다(Proposition de résolution 2003, 73-74).

이 담론에서 감옥은 폐쇄적이고 굴욕적인 공간이 전혀 아니라 바깥 사회와 연결되고 연속되는 느슨하게 구분된 공간으로 보인다. 푸코적인 관점에서 보자면, 이는 사회로부터의 폐쇄성에 이의를 제기함으로써 다른 공간(헤테로토피아heterotopia)이라는 감옥의 역할을 부정하는 식으로 해석될 수 있다[Foucault 1984]. 감옥의 특징이나 구조 혹은 폐쇄 정도에 관해서는 다소 모호하게 제시되면서, 본질적으로 기회의 공간이며 결국에는 각자 주도적으로 행동하라고 독려받는 모든 행위자를 위한 (행동의) 자유를 위한 공간으로 나타난다.

선한 죄수

이런 맥락에서, (선한) 죄수는 (사회에서, 민주주의 안에서, 경제적으로, 정의롭게, 감옥 안전에 관해서 등) 주도적으로 행동할 수 있는 행위자다. 그는 적극적이고 활동적이며 외부 반응을 기다리지 않고 자신의 책임을 다한다. 그는 프로젝트를 설계하고 성공적으로 완수하는데, 여기에서 가장 주된 것은 본인의 형벌과 책임을 맡는 과정이다. 여기서 중요한 것은, 감옥이 장애물이 되지 않는다는 것이다. 그러므로 이제 감옥은 더 이상 마땅히 받아야 할 처분에 따른 장소로 수감자를 데려오는 수단일 수 없다. 수감자가 자신의 프로젝트를 수행하는 데에 잠재적 걸림돌이 되어서는 안 되기 때문이다.

모두를 개별화해야 한다는 목표는, 특히 자기-책임의 관점에서 보자면, 제한된 성공을 거둘 수밖에 없다. 만약 우리가 감옥은 죄수가 머무는 곳이고 자유를 박탈하는 처벌은 반드시 감옥과 관련되어 정의 된다는 원칙을 지킨다면 말이다(Rapport final 2001, 377).

물론 수감자는 다른 수감자들의 동료다. 고립되어 있는 게 아니라 다른 수감자, 피해자, 사회복지사 등과 접촉하며 집단 프로젝트를 구상하고 수행한다. 들뢰즈가 말한 관리자stockholder가 된다(Deleuze 1992, 6). 이러한 맥락에서 수감자는 자기주도성의 타당성을 증명할 수 있는 (재)적응력을 갖고 있음을 보여 준다. 책임감도 별로 안 느끼고 주도적 능력이 상실되기 쉬운 환경에서 수감자는 자신의 유연성을 지키고 발전시켜 나가야 한다.

이런 관점에서 보면, 앞서 설명한 고전적 감옥 모델의 네 가지 규범은 새로운 네 가지 원칙과 일치하는 것으로 보인다. **활동**activity 규범은 모든 행위자에게 영속적인 움직임으로 적용된다. 이런 의미에서 수감 기간은 더 이상 잃어버린 시간이 아니라 풀려나길 기다리며 아무 행동을 취하지 않는 것 중 하나일 뿐이다. 이 시간은 감금계획서에 명시된 활동들(훈련, 배상, 노동 등)을 발전시키기 위해 활용해야 하는 시간이다. 그러나 이 활동은 사전에 다른 누군가가 제안하고 전문가가 승인하여 반복적으로 지시되는 소일거리 같은 게 아니다. **활성**activation 규범은 행위자가 자기 주도성을 갖고 적극적으로 수행해 나가는 것이다. 수감자는 또한 매 상황 가장 적합한 행동을 결정할 수 있는 유일한 사람이다. 이런 식으로 감옥에 대한 지원은 감시의 패러다임에서 서비스를 제공하는 패러다임으로 이동한다. 하지만 여전히 구석에 혼자 앉은 채 활동적인 것만으로는 충분하지 않다. **참여**participation 규범은 이 프로젝트가 집단적이어야 한다는 의미로, 이는 행정부와 교도소 직원, 수감자, 외부 용역의 협조로 이루어진다. 감옥은 더 이상 개인과 집단에 무언가를 강요하는 기관이 아니라 공동의 프로젝트다. 마지막으로 **적용**adaptation 규범은 이 그림에 유연성을 가져다준다. 더는 미리 정해진 규범을 재통합하거나, 변하지 않은 틀에 박힌 태도에 매달릴 필요가 없다. 반대로 당면한 상황에 적응하고 필요하면 포기할 수도 있는 전방위적 유동성을 발전시키는 것이 과제이다. 이는 자신이 처한 상황에 대한 명민한 이해를 의미한다.

이동주의적 이데올로기와 공간-시간 관계

이러한 규범의 출현을 해석하기 위해 우리가 제안하는 이론적 틀은 베르트랑 몽튤레Bertrand Montulet와 함께 주창한 **이동주의적 이데올로기**mobilitarian ideology(Mincke 2013a, 2013b; Mincke and Montulet 2010)다. 우리는 여기서 언급되는 다양한 규범들이 모빌리티의 징후로 읽힐 수 있음을 보았다. 영속적으로 활동하고, 자발적으로 움직이고, 일시적 프로젝트에 참여하고, 상황에 맞춰 끊임없이 적응하는 것, 모두 특정한 형태의 움직임을 추적하는 것이다.

모빌리티를 시간에 따른 공간 내 움직임으로 보는 다소 평범한 생각에서 출발해 보자면, 우리는 그 정의가 공간과 시간의 정의 방식에 달려 있다는 걸 쉽게 알 수 있다. 그러나 사회학자들이 보기에 사회적 구조에 대한 선험적 정의란 있을 수 없다. 어떤 행동들은, 구조의 변화 때문에 사회적으로 움직이는 것으로 구성된다. 우리의 생각도 모든 형태의 모빌리티에서 사회적으로 구성된 성격을 인식해야 한다는 프렐로Birgitta Frello의 생각과 가깝다(Frelo 2008, 31). 그러나 프렐로는 계속해서 모빌리티를 물리적 현실과 관련된 유일한 사회적 구성이라고 보기 때문에 충분히 멀리 가지 못한 것 같다.

실제로 지금의 연구 맥락에서도 그렇고 다른 분야에서도 그렇고, 우리는 물리적 모빌리티와 다른 사회적 실천 간의 연속성을 관찰함으로써 모빌리티를 단순한 물리적 현실로 제한하려는 관습에 의문을 제기한다. 동일한 공간–시간적 형태론을 사용하여 물리적 및 사회적 현실, 그러니까 물리적 공간 및 사회적 공간을 모두 설명하는 것이 얼마나 쉬운지를 고려할 때 더욱 그러하다. 공간과 모빌리티 개념을 제한할 이유가 없다고 본다. 공간을 구성하는 것은, 사회적 행위자들이 인식하든 아니든, 실재하는 것을 구조화하는 사회적 역할 그 자체다. 모빌리티는 어떤 공간에서든 시간의 흐름에 따른 움직임이라는 점을 인식해야 한다. 이는 존 어리John Urry의 모빌리티 개념에 대해 프렐로가 표명한 견해와 달리, 공간 개념을 은유적으로 사용한 것이 아니다(Frello 2008, 29).

공간은 물리적 세계를 **구성하는** 것이 아니라 구성되고 수립된 위치에 기반해 이해된 범주의 **차원**이라는 것이 우리의 입장이다. 앞으로 이런 관점은 일련의 현실 경험에 적용되고, 사회적 구성 과정에서 깨어날 것이다. 따라서 앞서 설명한 공간–시간적 형태학은 모든 사회적 공간을 구성한다.

보다시피 모빌리티는 공간과 시간 두 차원의 관계 변화를 의미하기 때문에 공간과 시간 모두에 관여한다. 이 둘이 독립적으로 고려될 수는 없어 보인다. 하나의 사회적 재현은 다른 것의 재현에 영향을 미치며 그 반대도 마찬가지다. 결과적으로 이는 공간과 시간의 이 조응하는 사회적 재현을 포함하는 형태학의 관점에서, 즉 공간–시간의 관점에서 고려되어야 한다. 공간–시간은 푸코가 상대적으로 거의 관심을 기울이지 않은 것이지만(Koskela 2003, 295-297), 이제부터 중요한 발견을 하게 될 것이다.

우리의 입장을 요약하자면, 특정한 공간적–시간적 형태학에 기초해 모빌리티에 대한 새로운 관계가 형성되고 있는 것 같다. 좀 더 정확히 말하자면, 앞서 언급한 네 가지 규범은, 끊임없는 이동의 형태로 옴니–모빌리티omni-mobility(전全 모빌리티)를 권고하는 감옥 작업의 새로운 비전에 관한 것이다. 따라서 지금 등장하는 새로운 이데올로기의 핵심은, 모빌리티 그 자체를 목적으로 삼는다는 점이다. 단순히 움직이는 것 자체가 좋다는 이유만으로 영속적인 움직임을 강요한다. 이는 정박할 수 있는 고정된 공간을 보장한 뒤 특수한 조건에서만 움직이는 문제가 아니라, 임모빌리티가 부차적이며 굴욕적인 것이어서 움직임을 제1 규범으로 보는 문제이다. 바우만이 말했듯이, 다시 배태될re-embedding 곳이 없다(Bauman 2000, 33).

공간-시간 관계의 변화

따라서 이 이데올로기적 진화는 새로운 사회적 공간-시간 관계의 출현을 나타낸다. 푸코가 논의한 감옥에 해당하는 공간과의 관계는 경계선의 작동으로 구조화된다. 그것이 사회적이든 이데올로기적이든 개념적이든 물리적이든, 심지어 정치적이든 간에, 공간은 연속적 영역을 명확하고 엄격한 경계로 분할함으로써만 의미를 도출하는 형태 없는 넓이로서 사회적으로 재현된다. 다음 아래 단계 구획에 맞춰 교대로 정렬된다. 이러한 다양한 한계선들(문자 그대로 경계선에 둘러싸여 한계 지워진) 사이의 관계는 (수평적) 병렬화와 (수직적) 계층화 관계 옆을 지나간다. 예컨대 다양한 국가들은 모두 내부적으로 낮은 계층적 수준(지방, 부서, 지역 등)의 한계선으로 나뉘고, 이는 더 낮은 층위의 한계선으로 얼마든지 다시 나눌 수 있다.

공간에 대한 이 특별한 재현은 시간에 대한 특정한 이해 방식과 조응한다. 실제로 경계는 영구성을 보장할 만큼 충분히 안정된 구도에서만 구상될 수 있다. 방금 설명한 공간 비전이 특정한 공간적-시간적 형태학, 즉 제한-형태limit-form(Montulet 1998)와 관련해서만 기술될 수 있는 것은 바로 이 때문이다. 이는 시간적 한계로 간주될 수 있는 것으로 둘러싸인 불연속성 사례에 기초한 시간의 재현에 해당한다. 시간은 갑작스러운 변화의 순간과 교차되는 안정의 주기로 구성된다. 미콘은 푸코의 작업에 나타난 시간 개념들을 분석한 연구에서, 이를 "고고학의 구역 속에 있는 시간"이라고 불렀다(Michon 2002). 혁명, 중요한 발명, 전쟁, 지배, 제국과 제체의 몰락, 인간세의 지속, 구속에서의 해방 등은 전환점이라는 생각에 기반한 개념이다. 이런 개념은 예컨대 역사와 대문자-역사 모두에 특별한 비전을 줄 토대를 형성한다. 따라서 공간적 경계는 새로운 영역을 정의하는 새로운 경계선에 자리를 내주기 전까지는 한동안 안정될 수 있으며, 주어진 시간 동안은 그 자체로 안정적이다. 따라서 제한-형태는 명확한 시간적-공간적 제한의 정의를 중심으로 구성된다.

이러한 공간적-시간적 특성은 내부적 분할과 연결된 엄격하고 지속적인 외부적 폐쇄로 설명되는 감옥의 특성이다. 시간은 지나가는 하루하루가 만들어 내는 불변의 리듬으로 결정되고 복무된 시간으로 정의되며, 자유와 구속 기간의 분명한 연속을 만들어 낸다. 그러므로 그런 의미의 세계에서 우리는 공간과의 관계가 무엇보다도 공간적 소속을 필요로 한다는 것을 알 수 있다. 말하자면 누군가는 특정한 사회적 배경에 속하고, 특정한 이념들과 동일시되고, 어떤 사회-전문적 범주의 일원이며, 특정한 국토에 살고 있고, 민족-지리적 공간에 동일화된다. 누군가는 감옥 세계에 속하며, 수감자라는 범주의 일원이고 범죄 등급 안에 결합된다. 그러므로 시간적 정박은 선험적이며 심지어 강제적이다.[13] 이런 관점에서 볼 때 모빌리티가 우선이 아니다. 모빌리티는 한 세계의 일원으로서의 속성을 변경하고 경계를 넘어야 하는 선택 또는 의무에서 비롯된다. 따라서

---

[13] 이것은 물리적 모빌리티 연구에서 "정주주의적 형이상학"이라고 부르는 것이다(Frello 2008, 26).

모빌리티는 한 정박지에서 다른 정박지로 가는 통로로 이해되며, 경계선을 뚫고 지나갈 수 있는 한에서 정당화되어야 한다.[14] 감옥을 떠나는 것은 탈옥이거나 석방이다. 다시 말해, 어떤 엄격한 조건(사실상 법)에 의해 감옥의 경계를 넘어가는 것이다. 따라서 제한-형태에 조응하는 것은 **정박 이데올로기**ideology of anchorage다. 이는 사회적 차원의 명령의 기준이 되는 한계선 안에 들 수 있는 자격을 만든다.

현재 이 형태학은 다른 형태와 치열한 경쟁을 벌이며 최근의 형태인 흐름-형태flow-form에 밀려나고 있다. 이 모델은 상당히 다른 시간 개념에 기초하고 있으며 이는 앞으로 거스를 수 없는 흐름으로 보인다. 느리든 빠르든 상관없이 변화는 지속된다. 그 어느 것도 이에 저항할 수 없으며 변화는 어떤 한계도 뛰어넘는다. 따라서 한계선을 긋는 작업은 완전한 허위로 드러나며, 세계를 구조화하려는 허위의 부조리로 나타난다. 변화하는 현실로 즉각 무화된다면 경계선을 설정하는 것이 무슨 소용인가?

이것은 공간이 구조화되지 않았기 때문에 비구조화된 형태 없는 넓이로 축소된다는 의미일까? 분명 그렇지 않다. 공간은 분명 이어지는 것으로 생각되지만, 공간을 점유한 각 요소들과 관련된 끌림의 장소들로 끊겨 있다. 한 사람은 더 이상 인구의 일부로 보이는 사회적 계층에 속하지 않지만, 느슨하게 둘러싸인 특정 집단과 다소 강

---

[14] 이 주제에 대해, 우리는 바우만의 통찰을 참고할 수 있다. 바우만은 개인을 둘러싼 제도의 '액화'로 해방된 개인을 위한 새로운 체제가 필요하다고 했다(Bauman 2000, 7).

한 친밀감을 유지한다. 한 사람은 더 이상 이념이나 종교를 신봉하는 사람이 아니라, 개인적인 동기주의에서 모호한 일련의 아이디어로 복잡한 관계를 결정한다. 마찬가지로 감옥도 이제 분리된 공간이 아니라, 자유 사회와 공유하는 공간-시간적 연속체를 따라 위치한 '정상적인' 장소이다. 사람은 더 이상 내부(감옥에서 복역)나 외부(무죄 또는 '시간을 다 채웠다')에 놓이는 것이 아니라, 감옥 및 자유 사회와의 복잡한 관계로 특징지어지는 진화하는 상황에 놓여 있다. 자유를 박탈당한 형량은 교도소 담장 양쪽에 처분이 내려질 수 있기 때문이다. 따라서 (지금부터는 완전한 석방 가능성을 놓고 검토해야 하기 때문에) 형량을 조정하는 방법의 체계화는 (여전히 안에 있는) 수감자를 (이미) 자유로운 개인으로 바꾸는 것이 된다. 휴일이나 주말, 가석방 기간 동안 적용되는 '전자발찌'와 기타 다른 조건이라는 그 사람이 처한 상황은, 엄밀하게 그 수감자의 영역 혹은 자유 개인의 영역에 속한다는 식으로 더는 해석될 수 없다.

모빌리티 관계의 변화

흐름-형태의 관계형 구조는 모빌리티와의 관계에서 주목할 만한 변화에 영향을 미친다. 더 이상 정해진 공간에 정박할 필요가 없으며, 단지 한 고정장치에서 다른 고정장치로 이동할 뿐이다. 고정된 경계에 대한 모든 개념에서 자유로운 관계적 위치는 그것의 본질적 변수로 결정된다. 시간에 따른 영구적인 과정을 고려해야 하므로 이는 그 순간의 필요와 가능성에 대한 끊임없는 재평가에 의존한다. 또한, 문제의 공간에 대한 기준점도 시간의 흐름에 따라 달라진다. 다양한 기준점 자체가 이동 중인 것이다. 움직일 수 없는 상태를 유지하고 싶어도 시간에 따라 끌림의 장소가 변하고 모든 요소가 이런 위치화 시스템 속에 있는 관계적 위치에서는 불가능해 보인다. 장소 자체는 정박된 공간이 아니라 이동 가능한 공간으로 보인다(Frello 2008, 26).

결과적으로 흐름 형태의 맥락에서 임모빌리티는 불가능하고, 심지어 생각할 수도 없다. 모빌리티는 자연스러운 것이고 억제할 수 없는 것이다. 임모빌리티는 단지 환상에 불과하므로 거부되고, 경계는 공간과의 관계를 설명할 수 없기 때문에 거부된다. 이러한 사회적 시공간 구조의 틀에서, 모빌리티와 사회적으로 관련되는 것은 더 이상 제한 형태의 틀에서 관련되는 것과 유사하지 않다. 이것이 우리가 '모빌리티 전환'의 개념을 이해해야 하는 맥락이다(Sheller and Urry 2006). 더욱이 움직일 수 없는 것이 불가능하고 모빌리티가 우리 모두의 필연적인 운명인 이런 맥락에서, 모빌리티는 그 자체로 가치로 나타난다. 한계-형태 틀에서 정박지가 그랬던 것처럼, 모빌리티는 공간-시간(물리적이든 아니든)과의 관계에 대한 일차적인 경험이 된다.

'이동주의적' 감옥?

교도소법 마련을 위한 일련의 기록을 검토한 결과, 감옥에 대한 새로운 개념과 새로운 정당화 과정을 볼 수 있었다. 이는 감옥이 모빌리티 및 공간적 일시성과 맺는 새로운 관계와 관련 있다. 따라서 다음의 논리가 도출된다. 모빌리티의 풍부한 힘을 믿는 담론을 유지할 때 징벌적 임모빌리티화에 어떤 효용을 기대할 수 있을까?

떠오르는 이데올로기와 200년 넘게 서구의 억압적 관행에 확고히 고정되어 있는 제도의 만남은 대립을 낳을 것으로 보인다. 고통스러운 임모빌리티화 장소의 활용은 점차 약세를 보이리라 진단할 수도 있다. 판단하기에는 아직 이르지만 서방 국가들은 감옥을 포기하지 않는 것 같다. 오히려 몇몇 사례에서는 정반대로 감옥의 쓰임이 상당히 증가했다(Aebi and Delgrande 2013, 62-63). 벨기에만 해도 재소자 수가 30년 만에 거의 두 배로 늘었다(Jonckheere and Maes 2012; Vanneste 2013).

이러한 상황에서 이를 역설적이라고 결론짓거나, 아니면 두 요소가 감금 장치로서 동시에 작동하는 방법을 설명할 수도 있다. 우리는 후자가 더 유망한 관점이며, 우리가 분석한 담론의 지표를 밀접하게 반영한다고 생각한다. 이 담론에서 감옥은 고통스러운 임모빌리티화(임모빌리티화라는 형벌) 프로젝트를 모빌리티화와 모빌리티에 대한 목표로 대체했다(Minke and Montulet 2010). 이 프로젝트는 빈 감옥, 빈 페이지를 채워 달라고 재소자에게 요구할 것이다. 자신이 받은 처벌의 의미에서부터 수감 기간과 그 효과까지, 모든 것이 재소자의 개인적인 행동 속에서 진행된다. 죄수는 복역에서 융통성을 부여받는 대가로 모빌리티화 원칙을 존중해야 하며, 따라서 자신을 동원해야(모빌리티화해야) 한다. 분명히 이 시스템은 감옥의 벽과 폐쇄성을 필요로 하지만 심지어 사람들이 그 존재를 모를 정도로 모듈화될 수 있고, 심지어 자유와 구금은 극도로 점진적인 연속성의 극점에 불과하다고 이해될 수도 있다. 사실 이 야망은 허상일 가능성이 더 높다. 그럼에도 불구하고 이 상상적 사회 구성은 입법자들의 작업에 기초한 것이며, 감옥을 정당화하는 것으로 보인다.

푸코 이후의 감옥?

감옥의 시공간적 기준이 한계-형태에서 흐름-형태로 바뀌고, 정박 이데올로기 원칙(기능화, 응용, 통합, 안정화)이 점차 이동주의적 이데올로기(활동, 활성화, 참여, 적응)에 자리를 내주고 있다면, 감옥 모델에 대한 새로운 해석이 고려되어야 한다는 점은 명백하다.

그러나 이는 감금 장치 안에서 발견되는 담론들과 복잡하고 모호한 관계를 유지하는 교도소 관행을 분석하는 문제가 아니다. 이동주의적 이데올로기와 흐름-형태가 자유롭게 견제하는지 아니면 경쟁하는지를 확인하는 문제도 아니다. 담장, 전문적 문화, 일반적인 사회 재현, 습관, 법학, 법률은 모두 진화를 통제하고 범위를 제한하는 요소들이다.

전술한 대로 우리의 목표는, 진행 중인 변화를 기반으로 했던 푸코의 후기 작업인 통치성 연구(Foucault 2004)를 활용해 그가 규율 모델로서 감옥(Foucault 1975)을 그려 본다면 어떨지를 푸코에게 묻는 것이다. 분명 푸코의 작업 전체를 검토해야겠지만, 앞서 우리가 발전시킨 요소들을 참고하여 몇 가지 질문을 던지고 그에 따른 가설을 제안하는 수순으로 진행해야겠다.

감옥에 대한 푸코의 비전이 현재의 상황을 탐구하는 데에 어느 정도까지 유용한지는 사실상 문제다. 규율적 경영에 기반을 두고 신체적 통제(죽음-권력)와 파놉티콘에 의해 세워져(심지어 수감자들과의 관계에서 이 모델의 중요성이 느껴졌더라도 상대화될 필요가 있다) 생명-권력의 기여와 과학적 도구(의학, 통계학 등)의 활용으로 강화된 이 모델은, 감금 프로젝트에서 채택한 새로운 형태를 설명하는 데에는 적합하지 않은 것 같다. 감옥은 여전히 직선적이고 좁은 것(규범화)에서 벗어난 사람을 제재하고 제거하는 국가권력, '죽게 하고 살게 내버려 두는 것'으로 여겨져야 할까? 아니면 인구를 규제하는 매커니즘 지식에 기반한 권력, '살게 하고 죽게 내버려 두는 것'으로 고려되어야 할까? 감옥에서는 통계적으로 비정상으로 간주되는 범죄행위를 한 사람을 갱생시킬 목적으로 전문가의 개입이 일어난다(정상화).

활성화 명령은 참여와 마찬가지로 통계경제정책적 개입이라는 생각을 배제하는 듯 보인다. 이는 엄격하게 미리 결정된 국가 개입 대상에 통합되는 것과는 반대다. 마찬가지로 목표는 더 이상 '죽게 하는 것'이 아니다. 활성화, 참여, 적응은 자기-구성 및 자기-관리 능력을 이용하도록 만든다. 이 새로운 상황을 묘사하는 데 '살게 만들고 죽게 내버려 두라'는 것이 더 적절한 원칙이 될 수 있을까? 수감자들은 그들 스스로 자신의 통제를 요구하는 경우에라도, 여전히 최선이라고 생각하는 자유의 상태가 아닌 것은 분명하다. 심지어 감옥이 탈-구획화된다 하더라도 감옥은 구속 시스템이며, 이동주의적 감옥을 설치하려면 규율형 감옥이 필요하다고 생각하는 것도 비논리적인 것은 아니다. 푸코가 회상하듯이(2004, 10), 한 가지가 다른 하나의 이익으로 사라지는 것이 아니라 시간이 지남에 따라 변할 다양한 메커니즘의 상관관계 체계로 이해해야 한다.[15]

동시에 규범과의 관계도 질문할 수 있다. 푸코는 '규범화'와 '정상화'를 구별한다. 규범화는 먼저 규범의 결정에 기초한 뒤 정상과 비정상의 자질에 그것을 귀속시키는 규범적 노력을 일컫는 말이며, 정상화는 사회과학과 연결된 개념으로 미리 정의된 규범의 위반이 아니라 통계적 분포 중 하나인 인구 집단에 대한 경험적 관찰에 기초한 규범을 확립하는 것으로 구성된다(Blanchette 2006, 9). 더 고전적인 형태에서 감옥은 미리 정의된 규범(규범화)의 침해에 대한 처벌을 나타낸다. 이후 진화 과정에서 감옥은 아직 범죄자는 아니지만 위험한 인구(벨기에 노숙자 사례처럼)를 대상으로 사회-의료적 장치(예컨대, 감옥의 '정신과 병동'에 정신이상자를 구금하는 것) 또는 감금 조치를 적용하는 장소가 된다. 문제적인 것으로 식별된 인구를 관리하는 확률적 장치의 하나인 것이다. 여기서 위험은 예컨대 유목민 사회에서 특히 개인이 사회질서를 어지럽힐 가능성이 높다는 것을 정당화하는 정상화 장치와 연결된 개념이다.

---

[15] "일련의 복합적인 체계 중에 특히 변하게 되는 것은 지배적인 요소 혹은 더 정확히 말해서 법률-사법메커니즘, 규율메커니즘 그리고 안전메커니즘이 맺는 상관관계 체계이다." (Foucault 2004, 10)

감옥에 대한 새로운 담론은 푸코가 설명한 두 개념 '규범화'와 '정상화'를 모두 거부한다. 이제는 어떤 유형의 규범에 해당하는지를 묻는 게 가능하다. 한 가지 가설은 결국 각 개인이 통계적 규칙성과는 무관하게 자신의 작업(활성화, 적응)을 요구받으므로 그것은 원래 위반됐던 규범과—석방 과정과 감옥 관리가 죄수의 '정당한 탈옥'에 초점을 맞추지는 않기 때문에—통계적 규범을 **모두** 무시하는 것일 수 있다. 개인들은 사람들, 즉 집단 및 일반화로 통합하여 규제될 수 없는 상호교환되지 않는 실체가 되었다. 우리의 가설은 규범에 대한 질문이 그 관련성의 상당 부분을 잃고 행동의 맥락화에 자리를 내준다는 것이다.

상황이나 개별성은 더 이상 미리 확립된 규범이나 통계적 자격에 대한 적합성으로 평가되지 않고 오히려 맥락적 관련성에 기초해 평가된다.[16] 배상은 피해자의 요구에 부합되어야 하고, 감금 계획은 개인과 사회적 맥락에 맞게 조정되어야 하며, 감금시설의 규정 시행은 상황을 존중해야 되고, 제공되는 서비스는 다양한 잠재적 상황에 대응할 수 있도록 다양하게 준비되어야 한다. 적응 명령은 질적 기준의 수준과 관련성을 높임으로써 이를 선험적으로 가변적인 무형의 규범으로 만든다. 규범화는 규범의 선험성을 강조하고 정상화는 현

---

[16] 이 주제와 관련해서는 도시적 맥락에서의 감시는 언제나 상황에 따라 달라지며 엄격한 규범에 기반하지 않는다고 한 코스켈라Koskela를 참고하라. 상황은 어떤 행동 혹은 존재가 받아들여질 만한지 아닌지를 결정하는 것이다(Koskela 2003, 300).

재 상황에 대한 연구에 기반하지만, 맥락화가 행동의 관련성을 정의하는 문제를 계속 미래로 연기한다고 생각할 수 있다. 이는 책임을 묻고자 과거 행동에 대한 협의로 이어지는 결과를 낳는데, 문제의 행동 당시에는 가늠할 수 없었지만 책임화 원칙에 따라 사람에게 전가하는 것이 가능해진다. 예컨대 회복적 정의restorative justice는 피해가 발생했다는 사실에 의해 실행된다. 기존 규범이나 통계적 규칙성 문제가 아니라 행위의 결과 중 하나의 문제이다. 따라서 부정적 결과가 없으면 행위는 회복의 범위를 벗어난다. 책임화responsibilisation는 형사적 책임이나 통계적 비정상성과 구별되어야 한다. 이는 행위에 대한 사후적 평가과 복원 촉진에 기반을 둔 과정이며 사전가능성과 무관하게 미래의 결과로만 판단된다.

이런 틀에서—그 준비 작업에 드러난 교도소법의 주요 목표로서—감옥의 정상화는 맥락에 대한 행위로 보아야 한다. 문제는 맥락이 수감자가 책임을 지는 데 장애물이 되어서는 안 된다는 점이다. 그의 행동 혹은 비행동은 그 자신에게 전가되어야 하므로 개인적 자율성이 축소되다는 점에는 의문의 여지가 없다. 따라서 정상화는 개별 행위의 가능한 원인인 맥락을 보이지 않게 만드는 과정이다. 이 주제에 관해 우리는 이 글에서 검토한 준비 작업이 감옥의 문제를 죄수들의 자율성을 박탈하는 것으로 식별하고 있음을 기억해야 한다.

새로운 교도소법으로 제기된 문제 중 또 주목할 부분은, 이것이 개인 일상의 통치 개편을 수반한다는 점이다. 실제로 이 프로그램

안에서 '적극적 기업가정신'이라는 개념은 '수동성' 개념을 대체하는 듯 보인다. 수감자들은 자기 삶의 질을 최적화하기 위해 노력해야 한다. 자율적 행위자로서 자신의 운명을 스스로 결정해야 하고, 어느 정도 자유롭게 자신의 일을 하도록 강요받는다. 개인에 대한 이러한 비전은 새로운 교도소법에서 당연히 경제 분야(특히 신자유주의가 보여 주는 결정 기준뿐만 아니라 분석 체계)에서 출현하는 새로운 합리성이 점차 다른 정치적 영역으로 확대되는 방식을 반영한다(Foucault 1979). 실제로 이러한 합리성에 따르면 '신자유주의적 정치 주체'(또는 기업가적 개인)라고 부를 수 있는 대상은 시민권이 활성화된 개인보다 집단적 단체의 일원으로서 해당 자격에서 파생되는 권한과 의무를 가진 사회적 시민이다. 사회적 시민은 점점 더 많은 자유와 자율성을 부여받고 있다. 이런 정신에서 "자율적 행위자는 스스로 결정을 내리고 좋아하는 것을 추구하며 삶의 질을 최대화하려고 노력한다"(Rose and Miller 1992, 200-201).

따라서 새로운 교도소법에서 수감자는 사회생활의 다른 영역에서와 마찬가지로 기업가적 참여를 통해서**만** 유효한 도덕적 지위를 획득(또는 회복)할 수 있다. 그런데 문제는 '시장 게임the game of the market'이 불행히도 모든 죄수가 갖고 있지는 않은 개인의 특정한 능력을 전제한다는 데에 있다. 따라서 이렇게 질문할 수 있다. 감옥은 개인들이 처벌을 받거나 교화되는 것이 아니라(두 가지 모두 신자유주의가 적극 부정하는 '사회'를 가정) 오히려 시장이 전제하는 기업가적으로 움직이는 자아가 되도록 교육받는 임시적 공간인가?

감옥 모델에서 파놉티콘의 핵심 역할에 더 많은 의문을 제기할 수 있다. 이는 수감자나 교정 직원에게 적용되어 푸코식 감옥을 심도 있게 구성한다. 그러나 보려는 이 야망은 시선에 대한 새로운 해석에 비추어 볼 때 후퇴하는 것처럼 보인다(Mincke 2011). 확실히 투명성에 대한 요구는 항상 무엇이 현실인지를 드러내는 문제와 예상되는 상황의 가시화 문제를 반영한다. 그러나 파놉티콘은 사회적 상황을 잠재적 시선에 종속시키려 조직화하는 것을 의미하고 감시 주체에 대한 이해는 불가능하도록 설치된다는 점을 기억해야 한다. 비록 실제 사실이 아니더라도 잠재적으로 모든 것을 볼 수 있었다(Francis 2008, 1027-1029). 파놉티콘은 실제로 계속적 응시가 일어나는 곳이 아니라 잠재적 응시에 대한 감시 대상의 내면화에 기초한 곳이다.

투명성의 추구라는 틀에서 이는 완벽한 추적 가능성에 대한 꿈으로 대체된다. 다시 말해, 감시 대상을 임모빌리티화하지 않고 움직임을 (거의) 방해하지 않고 따라갈 수 있는 응시다. 그중에서도 가장 특징적인 이미지는 단연 전자감시로 조직된 이동하는 감옥이다. GPS 추적을 기반으로 한 최신 세대는 통제하고자 활동을 모니터링하는 GPS로 대체된 감옥 담장의 구체적 표현이다. 이런 맥락에서 가석방 조건의 확대는—이것이 (담론에서) 감금의 논리적이고 필수적인 후속 조치가 된 맥락에서[17]—사회적 모빌리티와 행동을 감시하

---

[17] 심지어 감옥에 수감되자마자 가석방되는 관행이 발달했다는 점에서, 이는 부차적인 것이 될 수도 있다.

는 시스템을 도입하게 된다. 문자 그대로 (前) 재소자를 추적하게 된 것이다. 버려진 사람들(복지 대상자, 빈곤층, 사회적 약자 등)을 지원하려는 비-억압적 장치과 함께 시스템의 일부가 된다고 생각할 수도 있다.[18] 실제로 교육적 개입, 사회 전문화 과정, 동기부여 모니터링, 심리사회적 도움 등 이들을 지원하는 프로그램은 보호관찰 중인 수감자 통제 프로그램과 상당히 유사하다. 따라서 추적 가능성은 모빌리티 사회에 적합한 감시 모드로 나타난다. 모니터링은 물리적 전송이며, 실시간으로 조정된 상황과 관련된 데이터의 지속적 업데이트를 제공한다.

결과적 효과는 파놉티콘의 효과와 상당히 다르다. 후자는 감시 단계로 구성되었는데, 시선의 집중이라는 특성은 일탈을 감지하는 것 이상의 실제 목표였던 감시의 내면화 효과를 낳았다(Koskela 2003, 299). 추적 가능성은 시선을 집중시키지 않는다. 반대로 이는 오히려 분산적이고 공간적·시간적 경계에서 작동한다(Deleuze 1992, 7). 추적 가능성은 상황에 대한 잠재적 지배력을 유지하면서 공간의 연속성을 확인한다. 이는 파놉티콘보다 훨씬 더 광범위한 감시의 가능성을 열어 준다. 전자발찌 착용, 구직 활동, 전문 교육 수강, 치료 받기, 특정 장소와 특정 사람 피하기 같은 조건과 함께 결합된 가석방은, 감시 행위자와 그 영역뿐 아니라 추적 장치를 몇 배로 증식시킨다.

---

[18] 여기에서, 억압적인 분야에서의 개입 윤리와 의료-사회 분야에서의 개입 윤리 간 유사성은 더 자세히 연구할 가치가 있다.

교도관들이 감옥의 벽만 보던 시대는 이제 먼 이야기다. 쪼개진 시선이 공간에 배치된다(Francis 2008, 1029-1031). 또 다른 점은, 감시 아카이브의 기하급수적인 발전이다(Koskela 2003, 304-305). 직접적 감시는 기록물과 아카이브를 거의 생성하지 않지만, 추적성 실천은 개인이 실제 수치적 이중 생성을 상상할 수 있을 정도로 잠재적으로 무한한 데이터를 축적한다(Francis 2008, 1031-1032). 이는 감방과 작업장 내 수감자들의 존재 또는 그들의 활동(비활동)에 주목하는 단순한 신체 규율과는 거리가 멀다. 이제 문제는 존재하는 것과 존재하지 않는 것, 활동성과 비활동성을 구별하는 것이 아니라, 다중적이고 통시적인 자원을 기반으로 섬세한 평가를 생성하는 것이다. 시선은 이제 지능화되어야만 한다. 이는 감시의 의미 자체를 재구성하는 것처럼 보인다(Francis 2008, 1031-1033).

이러한 맥락에서 감시가 이동주의적 명령에 대한 순응의 누적 징후로 구성되고, 다중적으로 누적된 장치를 사용하는 것으로 구성될 때, 시험으로서의 모빌리티는 완전한 의미를 갖는다. 따라서 감옥은 모니터링 연속체에서 상호침투하는 수많은 것들 중 하나이다. 이것이 시험 및 테스트가 개발될 수 있는 기반이 된다.

여기서 짚어 볼 질문, 특히 푸코에게 중요한 질문은 권력과 지식의 특정한 결합 형태에 대한 것이다. 지식은 일반적으로 그에 상응하는 권력을 생성하는데, 이는 권력-형태가 자신을 강화하기 위해 특정 지식에 의존해야 하는 것과 같은 방식이다. 예를 들어 생명권력은 사회과학과 조응한다(Blanchette 2006, 10). 그러나 특히 감옥의 맥락에서 사회과학은 상당한 비판을 받았다는 점에 유의해야 한다. 개인의 위험성, 치료 결과의 임의성, 그리고 일반적으로는 정신사회적 관리자를 평가하는 믿을 만한 방법을 찾는 것이 불가능하기 때문에 정신의학적 전문 지식의 오류가 점점 비난받고 있다. 이런 유형의 지식이 점점 불신을 받게 됨에 따라, 의사결정을 돕는 통계적 모델과 마찬가지로 개인에 대한 상시 모니터링을 구축할 다른 유형들이 개발되고 있다. 따라서 추적 가능성과 궤적 통제를 통한 권력은 새로운 유형의 지식과 조응한다. 다양한 지표를 추적해 재범 가능성을 예측하는 것에서부터 범죄 이력 분석, 폭력 상황 발전 예측 모델 구축에 이르기까지, 이는 더 이상—사회과학의 야망인—이해의 문제가 아니라 예측의 문제다(Francis 2008, 1035–1037).[19]

그러나 우리의 견해로는 개인이 취해야 하는 경로를 정의하기 위해 일련의 인과관계를 미리 설정한다는 점에서, 이는 예측의 문제가 아니라 오히려 상시 **모니터링**을 통해 조금 앞서 예측하고 통제할 수 있게 하는 상호관계의 문제다. 이는 행동을 계획하는 일이라기보다, 상황에 대한 개입과 진화 간 일치화를 유지하는 일에 더 가깝다. 이러한 유형의 지식은 행동관리에 해당한다. 이는 더 이상 (개인, 감옥, 사회의) 개편 문제가 아니라 상대적으로 안정적이고 무해한 기능을 관리하고 육성하는 문제다.

---

[19] 들뢰즈는 우리가 '개인individuals'으로부터, 나눠질 수 있는 '분인dividuals'으로 이동했다고 했다. 수적 더블은 인간의 수적 세분화로 이해할 수 있다(Deleuze 1992, 5).

최근의 담론 발전과 관련하여 푸코의 감옥 이론이 수많은 질문을 낳을 수 있음을 확인했다. 여기에서 다 답할 수는 없지만, 푸코의 감옥 작업이 얼마나 풍성한 것인지를 평가하는 데에 도움이 될 질문을 시작할 때가 되었다.

5장

콘크리트의 혈관,
흐름의 도시

: 푸코의 통치 분석에서 순환이 갖는 중심성

마크 어셔_영국 맨체스터대학교 환경교육개발학과

미셸 푸코는 콜레주 드 프랑스에서 진행한 '통치성governmentality' 강의에서 도시 순환 문제와 그 흐름이 서로 다른 역사정치적 맥락 속에서 어떤 식으로 문제화되었는지를 숙고했다. 이 문제에서 핵심적인 조건들을 확실히 하고자 푸코가 '도시문제'를 어떻게 이해했고, 그 이해가 통치성과 어떤 관계에 있는지를 우선 언급할 것이다. 다음으로는 도시 순환에 관한 여러 자료들을 참고하면서 푸코의 통치 분석을 개괄하고, 싱가포르에서의 물 흐름에 적용해 보면서, 주로 주권과 규율의 장소였던 물이 근래 들어 어떻게 안전의 장소로 변화했는지를 검토한다. 이 글에서는 도시문제와 이에 따른 순환 문제가 더 일반적인 통치성 논의에서 분리되어 주목받지 못해 왔다고 주장한다.

서론

브로델Braudel(1981)에 따르면, "유럽 및 여타 지역의 도시 생활에서 본질적인 문제는 그 시작부터 전반적으로 동일하다. 시골과 도시 중심 간의 노동 분업이다"(484). 도시와 자연, 통치와 무정부주의 간의 이러한 적대 관계의 중심에는 순환의 관리라는 개념이 놓여 있다. 기본적으로 이는 사람, 상품, 화폐, 정보가 도시나 국가의 물리적이거나 형이상학적인 경계를 가로질러 통과하는 방식, '내부'와 '외부'가 타자를 공급·수용·구성하는 방식, 그리고 다양하게 그물 모양으로 뻗어 나가는 이 순환을 관리하는 통치 범위에 관한 것이다. 브로델은 도시가 그 배후지나 다른 도시 중심지들과의 관계를 통해서만, 또 도시가 의존하는 자원을 끌어들이고 분배하고 실제로 지휘하는 능력을 통해서만 유지, 확장될 수 있다고 주장한다.

브로델의 문제의식을 계승한 푸코는 계보학적인 틀 속에서 동일한 도시 순환 문제를 이론적·역사적으로 파고들었다. 이는 도시가 우리가 '자연'이라고 생각하는 것을 완전히 훼손하지 않고, 효과적인 통치 형태의 이익을 위해 최적화된 자연적 과정으로 간주되는 것을 규범적으로 활용하는 방법에 관한 것이다. 따라서 이전에는 제도적 환경 속에서 인간 행위가 자연화되고 통제받는 방식에 초점을 두었던 푸코의 철학적 기획은 1970년대 후반에 이르러 도시로, 궁극적으로는 일반 인구로 확대된다. 사회의 '타자'가 아니라 사회 그 자체를 향하게 된 것이다. 푸코는 "자연의 도시화urbanization of nature"(Swyngedouw and Kaika 2000)가 아니라 도시의 자연화naturalisation of the urban, 즉 순환의 자연화와 통치 기술 자체에 주목했다.

이 글은 도시문제와 그에 따른 순환 문제에 대한 푸코의 사유를 전면에 내세울 것이다. 이 문제는 푸코의 통치성 개념과는 거리가 있는 것으로 취급되어 왔다. 그러나 주목할 만한 접근들도 있었다(Rabinow 1989; Osborne 1996; Osborne and Rose 1999; Joyce 2003; Legg 2007; Bennett and Joyce 2010; Collier 2011; Darling 2011 참조). 계산 가능한 영토에 대한 연구들도 이 주제를 발전시켜 왔으나(Hannah 2009; Elden 2010, 2013), 순환이라는 특수한 문제는 분석적으로나 경험적으로나 해결되지 않은 채로 남아 있다.

여기서 나는 '도시문제'(Foucault 2003, 245)의 중요한 조건들을 따져 본 뒤에, 도시와 해부학에서 순환의 탄생이 주권 권력 강화와 얼마나 밀접하게 관련되어 있었는지, 이후에는 근대국가의 작동과 어떻게 연결되는지를 알아볼 것이다. 다음으로는 주권과 함께 푸코의 세 가지 분석틀을 이루는 규율과 안전 차원에서 순환의 통치를 살핀 다. 도시 순환에 관한 최근의 논의들을 폭넓게 활용하면서, 푸코의 분석을 싱가포르의 물 순환에 적용하여 대체로 이론적으로만 탐색되어 온 이 문제에 실증적인 기초를 제공할 것이다. 실증 자료들은 25명의 정부, 산업계, 비정부 기구 관계자, 독립적인 전문가들이 참여한 반半정형적 인터뷰로 수집되었고, 정부 간행물, 공식 발표, 의회 기록, 신문 기사, 과학·공학 보고서, 산업 및 비영리 부문의 자료를 광범위하게 검토하였다.

이 사례 연구는 실증적으로나 분석적으로나 이 글의 문제의식과 잘 조응한다. 작지만 계속 팽창 중인 710제곱킬로미터의 영토가 있으나 심각한 천연자원 부족을 겪고 있는 싱가포르는 국경 간 순환에 크게 의존하는 섬이자 도시국가이다(Olds and Yeung 2004; Oswin and Yeoh 2010). 가장 가까운 국가인 말레이시아와는 조호르 해협을 사이에 두고 분리되어 있는 싱가포르는 '육체 없는 심장'이라는 리콴유 전 총리의 낭만적인 표현에서 보듯이, 배후지가 없는 도시다(Lee 2000, 3). 싱가포르는 자급자족이 가능하도록 지난 50년 동안 대규모 산업화·도시화 프로그램을 진행했으며, 농촌경제를 수반하는 집산지로서의 역할을 강화하였다. 이 지리적·역사적 상황은 본질적으로 서유럽의 도시 집중과 노동 통제, 위생 개혁과 관련된 푸코의 통치성 논의를 적용해 볼 수 있는 생산적인 사례 연구를 가능하게 한다.

이 사례 연구가 지닌 분석적 연관성은 물에 초점을 맞춘다는 점에서 잘 드러난다. 물은 도시의 흐름을 손쉽게 감지하게 해 주는 대표적인 지표이기도 하지만, 뒤에 이야기하겠으나, 공급, 하수처리, 위생 등에 관한 푸코의 통치성 분석에서도 절대적인 중심이다. 이 현실적이고 필수적인 관리 문제 외에도, 푸코는 물에 관한 흥미로운 언급을 한 바 있다. "서구인들의 꿈속에는 물과 광기의 연결이 깊게 뿌리박혀 있다"(2006, 11). 땅이 고체성, 통제, 이성이라면, 물은 일시성, 위반, 모호성이다. 실제로, 물과 광기는 분리와 투옥의 역사에서 서로 겹쳐지며, 구획화 경험 속에서 나란히 존재해 왔다. 침투하고 쏟아지고 고이는 물은 물리적이거나 개념적인 포획을 계속 피해 가는, 본질적으로 통치에 '비협조적인 상품'이었다(Bakker 2003). 도시의 물에 대한 정치적·생태학적 연구들이 제기한 주장을 발전시키면서(Gandy 2002; Swyngedouw 2004; Kaika 2005; Karvonen 2011), 푸코의 통치성 분석 측면에서 물의 흐름이 도시와 그 정치를 구성하는 방식을 탐사할 것이다.

제도에서의 탈출: 푸코, 순환, 도시 통치

1975년《사회를 보호해야 한다》강의를 시작하면서, 푸코는 자신의 연구가 폐쇄적이고 반복적이며 단편적이라는 불만을 토로했다. 푸코는 1970년대 들어 '규율'과 미시 권력에 천착하면서 가장 선명하고 기본적인 층위에 놓인 권력을 비판했다. 그러나 한편으로는 지루하다고 느꼈고, 다른 한편으로는 전반적인 연속성을 확보해야 했기 때문에 인체에서 사회체로, 즉 정치경제, 군사전략, 국가로 분석을 확대하려고 했다(Foucault 2003).

처음에는 조금씩 주저했던 푸코는 강의 후반부에 이르러 권력의 세 번째 테크놀로지인 안전을 이야기하면서 마침내 본인의 분석 방식이 지닌 한계에서 벗어났다. 이 지점에서 규율은 생명권력이라는 더 넓은 틀 속에서 하향조정되면서 재구성된다. 섹슈얼리티 연구가 미시적 수준의 신체와 거시적 수준의 인구를 모두 조명할 결정적인 축을 마련해 주기는 했지만, 사실 통치성이 논의의 중심으로 자리잡기 시작한 것은 바로 도시와 순환이라는 문제를 경유하면서부터다.

푸코의 강의에서 도시문제가 갑자기 돌출된 것은 아니다. 푸코

는 1970년대 초반부터 들뢰즈, 가타리 등과 함께 엔지니어, 도시 인
프라, 공원의 역할을 고민했다[Elden 2007]. 인터뷰들을 살펴보면, 푸코
는 "교량, 도로, 고가다리, 철도" 등의 건축과 인프라가 사람과 사물
을 전략적으로 배분하고[Foucault 2000, 354] "순환의 운하화"를 낳은 방식
에 관심을 기울였다[361]. 제도가 규율을 해명하는 발견술적 역할을
맡았듯이, 도시는 통치성 연구에서 핵심적인 분석적 기능을 수행한
다. 푸코는 통치 과정에서 순환이 지니는 중심성을 언명했다. 실제
로, 통치성은 순환 및 그 '물질적 도구'와 원래부터 밀접한 관계가 있
었다. 도로를 확장하거나 운하를 건설하는 일은 도시에 공급을 제
공하고 국가권력을 강화하는 사업이었다[Foucault 2007, 325].

18세기로 접어들 무렵에도 여전히 도시는 성벽을 두르고 주변 시
골과는 분리된 채 고립된 존재였다. 따라서 푸코에 따르면, 중요한
문제는 폐쇄된 도시를 무역, 사람, 자원을 위해 영구적으로 개방하
는 것이었다. "도시는 순환의 공간으로 재정립되어야 했다. … 도시
의 문제는 본질적으로 순환의 문제였다"[2007, 13]. 도시문제는 민주주
의적 차원이 아니라 국가의 권력 확대와 관련하여 논의된다. 도시
는 어떻게 정치적 주권의 근대적 형태 아래에서 봉건주의를 떠나 대
안적 권력 경제로 나아가게 되었는가? 도시 순환의 특수한 사례들
인 도시계획, 식량 규제, 전염병 통제는 통치 문제로 진입하는 출발
점이다. 푸코는 주권, 규율, 안전이라는 세 가지 다른 권력 테크놀
로지 아래에서 이 사안들이 어떻게 관리되었는지를 논한다. 푸코의
분석적 지평은 이제 이 세 가지 권력 양식 아래에 있었다. "사물은

어떻게 순환하거나 순환하지 않아야 하는가?"[64]

바로 이 기술-도시의 안전 메커니즘을 푸코가 논하던 시기에, 사망하기 전까지 그의 지적·정치적 에너지의 상당 부분을 차지했던 통치의 정치적·윤리적 문제가 구체화되었다. '인구'라는 기술적 개념은 국가가 살아 있고 반자율적semi-autonomous 현상으로서의 명백한 자연성에 의거하여 행위한다는 점에서 통치와 긴밀한 연관이 있지만(예컨대 생명정치), 이는 도시문제와 분리될 수 없다. 인구 통제와 자아의 테크놀로지를 다룬 여러 푸코 연구들은 통치성 연구와 도시 문제를 연결짓지 못했다.

그래서 싱가포르의 물 순환에 관한 사례 연구에서 얻은 실증적 자료를 활용하여 도시 순환 개념에 통치성 문제의 초점을 옮겨 보려 한다. 앞서 언급했듯이, 여기서 물에 주목한 것은 임의적이거나 우연한 결정이 아니다. 푸코(2007)는 도시환경을 구성하는 순환 중에서 도시계획가의 특별한 주의를 요하는 "자연적으로 주어진"[21] 물을 계속 언급한다. 여기에는 강, 늪, 습지, 홍수, 고여 있는 물, 식수 공급, 하수도 포함된다. 통치는 도시환경에 개입하고, 거주자와 그들의 생물학적·기후적·물리적·'수로학적hydrographic 환경' 사이에서 필수적인 중재자 역할을 맡아야 하며(2003, 245), 그럼으로써 시민과 순환의 복잡한 공존을 중재하고 자연화해야 한다. 여기서 특히 중요한 문제는,

순환의 통제이다. 사람들이 아니라 사물과 요소들, 주로 물과 공기의

순환을 제어해야 한다. … 각각의 분수대와 하수구, 펌프와 하천 세면장의 위치를 조절하여, 마시는 물에 더러운 물이 침투하지 않게 해야 한다. … 폐수가 인구에게 공급되는 깨끗한 물과 섞이지 않아야 한다 (2000, 148).

물에 관한 구체적인 사례를 들기 전에, 우선 순환의 흐름이 권력의 세 가지 테크놀로지 아래에서 개념화되고 통제되는 방식부터 논해 보자.

주권 그리고 순환의 탄생

주권 아래에서는 국가와 영토의 이익이 우선이며, 필요한 경우 폭력적인 수단으로 '국가의 구원'을 꾀한다(Foucault 2007, 262). 중세 군주국의 출현 이후 주권의 영향력을 확대하고 왕실의 부를 증대시켜야 할 필요에 따라 도시들을 연결하고 광대한 영토의 소유권을 주장하려는 도시 관련 조치들이 나타났다. 푸코(2007)는 스웨덴 왕에게 헌정된 알렉상드르 르 메트르Alexandre Le Maître의 유토피아적인 책이 주권 순환의 좋은 예라고 보았다. 여기서 전체 영토는 왕실이 위치한 수도를 중심으로 동심원으로 조직되었으며, 농민은 주변 시골에만, 장인은 작은 마을에 거주한다. 그 목적은 다른 땅을 정복함으로써 주권의 이익을 영토화하고, 수도를 "강력한 순환, 즉 사상, 의지, 질서의 순환과 상업적 순환"[15]의 한가운데에 위치시켜 말 그대로 주권을 사회의 중심에 두는 것이었다.

도시들을 무역에 개방하고 주권 영토 내에, 이후에는 세계에 편의적으로 때로는 폭력적으로 배치하는 것이 시급한 문제로 등장했다(Braudel 1981; Taylor 2004). 성벽, 통행세, 지역적 충성이 존재하던 독립적인 도시들은 유럽 전역에서 "더 큰 네트워크로 연결된 영토 형성"을 거치며 재구성되었으며, 국가 관료 체제는 중앙에서 "도시 간 모빌리티"를 조정했다(Sassen 2006, 73). 푸코의 입장은 분명하다. "주권은 영토를 수도에 통합한다. 여기서 통치의 주요 문제가 제기된다"(2007, 20). 실제로 16세기와 18세기 사이 수도의 성장은 근대국가 형성에 부수적인 것이 아니라 필수불가결한 것이었고, 주권의 행정 권력이 없는 런던, 파리, 마드리드, 빈, 뮌헨, 코펜하겐은 상상조차 할 수 없었다(Braudel 1981). 프리드리히Friedrich(1952)의 말처럼, 수도는 "신흥 근대 국가의 핵심"이었다(4).

도시계획가가 바라보는 도시의 순환과 의사가 생각하는 혈관의 순환은 상당히 유사하다. 이 두 가지가 공생하며 발전한 경로를 되짚어 볼 필요가 있다. 근대적 순환 개념은 인체와 사회를 이해하는 방식이 거대한 과학적 · 패러다임적 변화를 겪고 있는 시기에 발생했기 때문이다. 과학적 발견들이 연이어 나타난 이 격동의 시기는 16세기 중반의 코페르니쿠스적 혁명이 이끌었다. 코페르니쿠스적 혁명은 지구가 중심이 아니라 태양을 돌고 있다는 탈중심적 순환을 내세웠다(Kuhn 1957). 서구 문명은 물리적인, 또 개념적인 세속화 과정을 겪고 있었다. 순환 논의도 우주의 중심으로 보이던 기독교와 교회를 중심으로 삼을 필요가 없다는 세속적인 운동에 점차 가까워졌다.

윌리엄 하비William Harvey는 그때까지 1,400여 년 동안이나 유지되었던 혈액운동이론에 도전하여 이 혁명의 중심 인물이 되었다(Chauvois 1957). 그전까지, 혈액은 에게해의 밀물과 썰물처럼, 혹은 히포크라테스의 표현대로 그 근원으로 돌아오는 강물처럼, 열과 활력을 사지로 운반하는 혈관을 따라 심장에서 신체의 나머지 부분 사이를 오가는 것으로 생각되었다(Keynes 1978). 다른 16세기의 의사들도 이 설명을 이상하다고 보기는 했지만, 하비야말로 혈액의 영구적 일방순환이론을 포괄적으로 통합한 최초의 인물이었다(Franklin 1961). 런던 거리를 가로질러 성 바톨로매 병원으로 향하는 길은 중간에 노점상들에게 방해받고 행인들과 살짝 부딪히기는 했더라도 하비가 혈류에 대해 깊이 생각하게 만들었을 것이다. 하비의 추론은 말 그대로 이동 중에 시작되었다.

도시환경도, 지적인 환경도 16세기와 17세기에 걸쳐 점점 더 바로크 감성의 영향을 받으면서 극적으로 변화했다. 예술가들은 "폐쇄적 형식"을 선호한 예전의 선입견을 버리고 "움직임, 명암의 대조, 깊이를 선호"하게 되었으며, "대상의 한계가 아니라 그 움직임과 기능의 무한한 가능성에 관심을 기울였다"(Franklin 1961, 24). 하비의 새로운 순환이론을 옹호했던 르네 데카르트는 선험적 진리를 선형성과 대칭성에서 발견했다. 폐쇄적인 중세적 사고방식 대신에 절대 공간에서의 운동 분석을 내세운 것이다(Butterfield 1957; Lefebvre 1991).

바로크 시대는 도시계획, 지적 환경, 사회생활에서 모빌리티를 제도화했다. 이 전환은 유럽 전역에서 중세 성벽을 가로수가 늘어선

대로로 바꾸면서 명시적으로 드러났다. 1670년 파리에서 도시 해자를 메운 것이 그 시작이었다(Kostof 1991). 확실한 순환과 전례 없는 속도를 자랑하는 이 웅장하고 탁 트인 거리는 주권의 산물이자 중앙에 집중된 금융 및 군사력의 산물이었고, 광대한 영토 범위를 요구하는 유럽의 새로운 정치 현상을 구성했다(Anderson 1974). 도시는 단순한 미학적 목적이 아니라 말 그대로 모든 길이 이어지는 주권의 편재를 나타내고자 구축된 "돌 속의 리듬"(Friedrich 1952, 69)으로 받아들여졌다. 베르사유, 워싱턴, 델리, 상트 페테르부르크의 방사형 도로들은 도시를 가로질러 중앙의 궁전, 광활한 광장, 국가 기념물에 집중되었고 주변 시골로 뻗어 나가면서 끊임 없는 소통, 비전, 모빌리티를 허용했다(Mumford 1961). 이는 당시의 지배적 독트린인 중상주의의 도시적 표현이었다. 중상주의는 국가의 부를 늘리기 위해 금괴, 화폐, 무역, 원자재, 노동자 등의 순환에 주권적 통제를 가하는 것을 전제로 했다(Foucault 2007).

하비는 강의 중에 해부학적 과정의 예시로 이 순환하는 주권 도시를 언급할 때가 많았다. 한번은, 런던에 "순환 공기"가 부족한 것이 인체 건강에 해로운 영향을 주고 쓰레기와 도시의 무질서가 환기를 방해한다고 불평했다(Franklin 1961, 75에서 인용). 또 한번은 세인트 폴 대성당 근처의 주요 도로를 인체의 소화관과 비교했고(O' Malley, Poynter, and Russel 1961, 14), 템스강을 예로 들어 물의 순환을 혈액에 비유하기도 했다. 세넷Sennett(1994)의 말처럼 하비의 이론은 이후의 도시계획(사람, 상품, 공기의 도시 순환)에 큰 영향을 끼쳤다. 그러나 도시에 관한 하비의 언급들에 비춰 보면, 반대로 하비가 도시의 영향을 받았다고도 볼 수 있다. 즉, 양자의 관계는 순환적이다.

정치적 미로를 헤쳐 나가야 했던 영국 국내 상황도 하비의 이론적 경향에 촉매로 작용했다. 하비는 찰스 1세의 주치의였고 혼란과 폭력으로 얼룩진 영국의 내전 기간 동안 왕당파에 속했다. 그의 명저인《동물의 심장과 혈액의 운동에 관한 해부학적 연구》는 왕에게 헌정되었고, 하비는 여기서 인간의 심장을 왕에 비유했다[Harvey [1628] 1978]. 그러나 1649년 의회가 찰스 1세를 처형하자, 그는 왕의 대의에 헌신했던 지난날의 자기 입장을 수정해야만 했다. 쇼부아Chauvois[1957]의 설명에 따르면, 하비는 사회문제에 대한 관점을 바꿨고 "일하고 생산하는 것은 국가이며, 왕은 번영의 창시자가 아니라 다른 이들이 만들어 낸 것의 조정자이자 분배자"임을 깨달았다[151]. 흥미롭게도 쇼부아는 하비의 과학적 순환이론에 나타난 동시대적 변화를 정치사상의 변화와 관련짓는다. "즉, '심장'은 더 이상 신체적 안녕의 원천이나 기원으로 간주되어서는 안 되며, 오히려 그 기원은 심장에 영양을 공급하고 심장보다 우선하는 기관들에서 찾아야 한다"[151]. 심장에 대한 이 입장 변화는 서유럽에서 생명정치가 일반화된 상황과 주권 지배의 포섭을 잘 요약해 준다.

순환을 억제한 규율의 테크놀로지

주권 권력은 도시의 확대, 인구통계학적 확장, 봉건경제에서 자본주의 경제로의 점진적인 전환이 가져온 17세기와 18세기의 역사적 발전에 제대로 대응하지 못했다(Foucault 2007). 주권이 제공하는 경직된 사법적 틀은 사회에 세부적이면서 집단적으로 침투할 수 있는 더 다양하고 지속적이며 신중한 통치 형태로의 필수적인 전환을 효과적으로 차단했다(Foucault 2003). 그 결과, 생명권력은 학문의 대상이 된 '인체의 해부-정치학'과 함께, 그리고 이후에는 안보 메커니즘에 의존하는 '인구의 생명정치'를 형성하면서 사법적 영역 밖에서 출현했다(Foucault 1978). 생명권력의 확대는 상당히 다른 정치적 분석 도구를 요구한다. 푸코는 국가이론에서 왕의 머리를 잘라야 한다고 제안했다. 물론 이 말은 찰스 1세의 처형과는 거리가 먼 학문적 표현으로, 입법과 사법적 처벌에 관한 연구 이상으로 나아가야 한다는 의미다. 먼저, 우리는 순환을 통제할 규율과 그 효과를 살펴보아야 한다.

규율은 본질적으로 공간의 조직과 분석을 통해 기능한다. 따라서 감옥, 병원, 학교, 공장의 인공적이고 폐쇄적인 환경은 건축적 개입을 통해 거주자의 행동을 관찰하고 정리하고 교정하기에 알맞다. 구획과 분석이 가능한 공간 속에서 개인들을 분할하고 분류하는 것은 "움직임의 효율"을 가능하게 하는 기본적인 기술이다(1977, 137). 그 대상이 환자든, 죄수든, 학생이든, 푸코는 이 제도들이 주로 자본주의 경제의 부르주아적 이익을 극대화할 권력 행사를 위해 구성되었다고 주장했다. 즉, 산업사회에서 살아가는 노동자를 교화하거나 치유하기보다는 진정시키고 조직하기 위한 것이다. 그러나 규율 권력은 "완벽하게 통치되는 도시의 유토피아"(198)와 항상 결부되었기 때문에, 이 제도들은 광범위한 도시 통치 프로그램에서 본질적인 접속 지점으로 기능했다. 따라서 비릴리오Virilio(2006)의 지적은 옳다. "빈민가, 막사, 감옥은 침투의 가속화에 제동을 걸어주기 때문에, 폐쇄나 배제보다는 교통 문제 해결에 어울린다"(33). 무엇보다도 규율은 공중보건 조치로 노동의 사회적 재생산을 보장하는 한편, 산업생산수단(원자재, 도구, 자원)을 도난 및 조작으로부터 감시하고 보호하기 위해 '파놉티시즘panopticism'을 일반화하여 도시 순환을 제한하고 통제하려는 복합적 시도였다(Foucault 1977). 일자리를 찾아 시골에서 도시로 이동하는 사람들이 늘어나면서 공중위생이나 도시화 문제를 들러싼 "정치-위생적 불안"(Foucault 2000, 144)이 증가했고, 이에 대응하는 조치도 취해졌다.

17세기부터 18세기까지는 경찰이 이 임무를 맡았다. 경찰은 서유럽에 나타난 첫 번째 국가 통치성 형태였다. 경찰은 급성장하는 도시 영역에 개입하려는 주권의 주요 도구였고, 사회질서를 유지하고 신흥 근대국가의 내부 역량을 강화하는 역할을 했다. 도시환경은 통치에 새로운 과제를 제시했다. 경찰은 여러 문제를 해결해야 했다. 음식과 물처럼 기본 욕구 문제를 해결하고, 위생 인프라로 인구의 건강을 보장하고, 주택과 거리를 유지보수하고, 노동과 고용을 장려했다. 이 일들은 본질적으로 도시화 과정을 조직하고 최적화했다. 푸코(2007)에 따르면 이 다방면에 걸친 문제들은 모두 도시의 순환이라는 친숙한 문제로 연결된다. 한편으로는 "도로의 조건과 개발, 강과 운하의 이용 가능성" 같은 '물리적 네트워크' 문제가 있었다면, 다른 한편으로는 "순환 그 자체인, 왕국 안과 그 경계 너머로 사람과 사물의 순환을 가능하게 하는 규제, 제약, 제한, 시설, 장려"가 존재했다(325).

"위험한 혼합의 교차로, 금지된 순환들이 만나는 장소"인 프랑스 항구도시 로슈포르는 그러한 기술들을 잘 드러내 주었다. 푸코(1977)는 병원이야말로, 이 경계 지역을 매일같이 드나들며 "떼를 지어 이동하는 군중 전체"(144)를 분류하거나 격리하는 공간적 필터로 기능한다고 보았다. 푸코(2007)는 이후 유럽 전역에서 크리스티아니아(오늘날의 오슬로), 예테보리, 리슐리외 등의 도시들이 같은 방식을 도입하면서 더 많은 기술을 투입하고 주의를 기울였다고 설명한다. 이 도시들은 로마군 캠프가 보여 준 기하학적 형태를 차용했다. 아무것도 없던 곳에 건설된 이 도시들의 직선적 엄격함은 단순히 편리함을 위해서가 아니라, 도시 순환을 통제하기 위한 것이었다. "완벽한 지점에 도달하기 위해 완전히 (재)건설되어야 하는 비어 있고 인공적인 공간에서 규율이 작동"되어야 했기 때문이다(2007, 19). 강압적인 프롤레타리아트 종속과 무자비하고 위험한 도시 산업 환경에 불만을 품은 노동자들이 저항하기 시작하면서, 원래 의미의 경찰이 그 어느 때보다 필요해졌다(Pinder 2005).

독재적으로 계획된 바로크 도시와는 완전히 대조적으로, 산업혁명 이전의 도시화는 자본주의 경제의 변덕과 부르주아지의 사익에 따라 무계획적으로 형성되었다. 산업 생산은 인구와 도시화보다 시급한 문제였다. 철도와 운하는 석탄, 물, 원자재를 도시 내 공장에 공급하고자 "도시의 심장부로 파고들었다"[Mumford 1961, 525]. 그 주변에는 노동력을 수용할 빈민가가 형성되었다. 도시의 쇠퇴를 막는 계획 원칙들이 제시되었다. 혼잡 해소, 공간 구획, 순환 개선을 위해 도시를 빛과 공기에 개방하려는 시도였다. 핀더Pinder[2005]의 말처럼, "일찍이 모더니스트들은 운동과 순환이 도시환경을 건강하게 만들어 준다고 주장했다"[77]. 그들은 도시의 흐름을 정화하고 흐름을 관리해야 한다고 믿었다. 이 모델을 완성시킨 사람이 20세기의 르 코르뷔지에Le Corbusier였다. 그는 일정하고 균질한 순환의 장소로서 도시를 구상했다. 무질서는 유동적이며 기하학을 무시하는 것이었고, "둑을 터뜨리고 그 앞에 있는 모든 것을 쓸어 버리는 흐름"이었다[Pinder 2005, 70]. 서구 산업도시들이 처한 상황을 혐오한 르 코르뷔지에[[1925] 1987]는 자연을 가리켜 합리적인 도시계획의 "방수 처리"[164]로 지배되어야 할 대상이라고 했다. 이처럼, 물은 규율과 질서의 반대편에 있는 무질서한 것을 가리킬 때가 많았다. "현대 도시는 언제나 직선과 함께 존재한다. 건물, 하수도, 터널, 고속도로, 도로의 건설 때문이다. 교통의 순환은 직선을 요구하며, 이는 도시의 심장을 뛰게 한다"[10].

경찰에서 모더니즘 건축가들에 이르기까지, 규율은 도시를 중심으로 일어나는 사람과 자원의 순환에 적용되어, 리듬을 확립하고 이미 고정된 흐름만 유지시키며 내부와 외부 사이의 교류를 차단한다[Foucault 2007]. 여기에서 "부정확한 분포의 영향, 분산된 순환, 사용 불가능하고 위험한 응고물"은 제거되어야 한다[Foucault 1977, 143]. 규율은

"반유목적 기술"[218]이기 때문이다. 규율은 "움직임을 저지하고 규제한다", "가장 견고한 분리"[220]를 달성하기 위해, 계산된 분포를 확립한다[219]. "고립시키고, 집중시키고, 둘러싸게 한다. … 규율은 탈출을 허용하지 않는다"[45]. 이처럼 순환의 자연성은 부정되며, 국가는 "새로운 분할을 개척"하고, 자연현상으로 간주될 수 있는 것에 "절대적인 인공성"[349]을 부여한다. 집중되고 제한된, 규율 아래의 순환은 흐름이 아니라 행렬이다.

안전, 그리고 규제 없는 순환

18세기 후반 이후, 규율의 뒤를 이어 안전이 통치의 지배적인 형태가 되었다. 생물학적이고 생명정치적인 데다가 해부학적인 생명권력이 생물종이자 인구통계학적 특징을 갖는 인간에게 행사되었다. 규율의 경우와 마찬가지로 이 재조정은 도시문제와 자본주의 하의 순환이라는 논쟁적인 문제로 촉발되었지만, 규율이 자연을 집중·제한·통제하는 반면, 안전 메커니즘은 자연적 과정의 현실에 적응하고 그 자율성을 존중하며, 인식 가능한 자연법칙을 억압하기보다는 확인하고 활용한다. 여기에서 '자연'은 정치 영역에, 그리고 자발적 활동들이 중첩되는 영역인 '시민사회'에도 재진입한다 (Foucault 2007, 349).

푸코는 이런 통치 형태의 흔적을 찾아 중농주의 경제학으로 거슬러 올라간다. 대표적인 중농주의자인 케네Quesnay는 과학적인 혈액 순환이론에 영향을 받았다. 중농주의는 인구를 주권의 지배 아래 단순히 종속되는 것으로 여기지 말고, 그 자체의 역학, 욕구, 규칙적 패턴을 갖는 자연현상으로 간주해야 한다고 했다. 통치의 기술이란 이 준자치적 영역에 개입해야 할 때와 개입하지 않아야 할 때를 신중하게 효과적으로 계산하고, 이 자연적 과정을 국가와 사회가 받아들일 만한 목적에 맞춰 자극하고 조정하며 확보하는 것이다. 중상주의와 그 이후의 자유주의에 따르면, 지나친 국가개입은 개인의 권리에 대한 침해를 넘어 통치 대상 자체를 훼손하는 일이 된다(Foucault 2008).

안전은 통계에 근거한다. 자연이 미리 정해진 규범이나 규율 공간에 맞춰지는 것이 아니라 그 자체의 발생 기록에 따라 관리되기 때문이다. 평균이 설정되고 나서야 통치의 개입은 효과를 발휘한다. 이 개입은 유익한 자연현상을 정식화하고 유해한 것은 최소화하려고 한다. 본질적으로, 규율은 절대적 경계를 나누지만 안전은 수용 가능한 범위를 계산한다. "한계와 국경을 설정하거나 위치를 고정하는 것"이 아니라 "순환을 가능하게 하고 보장하는" 것이다 (Foucault 2007, 29). 규율이 구심적이라면 안전은 원심적이고 포섭적이다. 안전은 기존 시스템의 지속적인 확장을 촉진하고 외부 활동이나 사물에 개방적이어서 "새로운 요소들이 지속적으로 통합되고 … 순환의 확대를 허용한다"(Foucault 2007, 45). 규율은 "분리, 고정, 분할"하지만(1977, 205), 안전은 "이동, 교환, 접촉"의 자유를 통해 작동한다(2007, 64). 상호작용의 자유는 모든 다양한 순환들이 흐르는 시간과 공간을 가로질러 사람, 장소, 사물을 연결하는 복잡한 네트워크들의 군집을 창출한다. 따라서 순환의 공간은 더 이상 규율에서처럼, 르 코르뷔지에와 같은 모더니스트들에게서처럼 균질한 것으로 상상되지 않으며, 대신에 "다기능성poly-functionality"(19)과 이질적인 모빌리티들의 혼합이 우세해진다.

처음에 도시의 통치는 '순환의 자유'라는 전제 위에서 작동하는 안전 메커니즘에 따라 혁신적인 변화를 겪었다(Foucault 2007, 49). 푸코(2007)는 프랑스 서부의 낭트를 예로 들어 권력의 테크놀로지를 설명한다. 도시계획가들은 낭트를 무역과 상품에 개방하여 "순환의 완벽한 행위 주체"가 되게 하려 했다(17). 어떤 건축가는 말 그대로 심장 모양의 도시를 건설하자고 제안하기도 했지만, 최종 디자인은 부두, 교량, 도로를 기존 장소에 전략적으로 통합하여 내부와 외부가 원활하게 소통되도록 하는 것이었다. 즉, "통제 하에서 순환이 일어나게 하고, 좋은 것과 나쁜 것을 선별하고, 사물들이 항상 움직이고, 끊임없이 이동하며, 한 지점에서 다른 지점으로 계속 옮겨 다니게" 하는 것이다(65). 순환은 주권이 지닌 특권도, 규율로 고정되는 것도 아니다. 도시 공간은 푸코가 "이동적 요소들의 무한한 연쇄"(20)라고 부른 수많은 가능성 앞에 열려 있었다. 여기에는 18세기 중반까지 대체로 규율적 압력 아래 놓여 있었던 곡물 수입도 포함된다. 농민과 상인들은 식량난을 방지하고자 곡물 재배, 가격 책정, 저장, 수출에서 엄격한 통제를 따라야 했다. 따라서 전체 생산 구조가 완전히 계획되고 제한되었다.

그러나 안전 아래에서 식량난은 도시 생활에서 배제되어야 할 악

덕이 아니라 자연적으로 발생하는 현실로 받아들여진다. 보호주의 조치에서 벗어나면, 식량난은 부족할 때 오르고 풍족할 때는 내리는 가격에 반영되며, 공급자가 제 이익을 위해 행동할 때 필요한 곳으로 순환이 이루어져 곡물 가격이 다시 안정될 것이다(Foucault 2007). 새로운 진리 체제, 즉 자연에 기대는 정치-경제 하에서 나타난 완전히 새로운 통치 방식이다. "이는 필수 불가결한 피하조직이다"(Foucault 2008, 16). 자연의 재삽입은 이론적인 층위에서만이 아니라 물리적으로도 일어난다. 그 시작인 중농주의자들의 반도시주의는 통치성의 초점을 도시에서 농촌으로, 즉 토지, 숲, 농작물의 일상적인 물질성으로 이동시켰다(Foucault 2007). 다른 모든 "물리적으로 주어진 … 물, 섬, 공기 등의 흐름"(19)과 함께, 이는 통치적 개입의 새로운 지평을 형성한다. 개념적으로나 물질적으로나, 자연은 사회적 영역에 귀속되고 정치적 주권 행사의 필수적인 매개체가 된다.

바우만Bauman(2000)은 현대 들어 나타난 원심력의 가속을 가리켜 '고체'에서 '액체' 모더니티로의 전환이라고 했다. 여기서 전통적인 제도들이 제공한 이전의 영속성은 시장 동향의 일시적 변화, 유연한 고용, 개인과 정보의 모빌리티 증가로 대체된다. 순환의 확장과 그 모빌리티 인프라에 대한 매우 부정적인 이 인식은 확실히 예외적인 것이 아니다(Sennett 1994; Virilio 2006). 오제Augé(1995)는 현대 교통 인프라를 영구적인 주변성을 갖는 소외된, 추상적 공간으로 묘사했다. 그는 고속도로, 고속열차, 교외 슈퍼마켓, 주유소, 공항, 육교, 지하도의 확산에 주목하면서 이 장소들이 역사적·상징적으로 중요한 기념

물과 궁전들이 있는 주권의 옛 중심지를 물리적으로 우회하고 정치적으로 훼손한다고 보았다. 이것은 흐름과 연결성이라는 새로운 공간 논리를 구성하는 대안적 통치 형태, 즉 안전의 정점으로 간주될 수 있다.

싱가포르의 물 거버넌스에 대한 푸코의 분석 적용

싱가포르는 연간 평균 강우량이 2,400밀리미터에 달하며 완전히 물에 둘러싸인 도시이지만, 작은 크기, 높은 도시밀도, 지하수와 호수 부족으로 식수 공급용 물 확보가 매우 어려운 곳이기도 하다. 싱가포르는 물 가용성 순위가 193개국 중 170위일 정도로 세계에서 가장 물이 부족한 국가 중 하나이다(UNESCO-WWAP 2006).

2000년 이전까지 싱가포르는 두 가지 물 공급원에 의존했다. 1970년대부터 점차 늘어나 도시 지역으로 확장되어 중앙 저수지를 보조한 지역 저수지들은 현재 싱가포르 육지 표면의 3분의 2를 차지한다. 또, 1960년대 초에 합의된 외교 협정으로 말레이시아에서 수입하는 물은 불안정한 측면이 있기는 해도 싱가포르의 물 공급에 필수적이다. 따라서 2000년 이후 싱가포르는 영토의 물리적 · 지정학적 한계를 완화하고자 더 발전된 물 관련 기술을 활용하여 지역 집수 및 수입 물이 제공하는 60퍼센트외의 40퍼센트를 폐수 재활용 시설과 담수화로 보충하려고 노력하고 있다(CLC-PUB 2012). '국가의 네 수도꼭지'라고 불리는 이 네 개의 물 공급처는 싱가포르를 섬이자 국가로 유지시켜 준다. 이 사실은 정치적 주권과 도시 순환 사이의 긴밀하고 상호구성적인 연결을 명확하게 보여 준다.

정치-물류적 연결망이 잘 확립되어 있더라도, 푸코의 분석을 도시문제에 맞춰 재조정하면 권력 테크놀로지들 사이의 차별화를 통해 이 연결 관계를 더욱 잘 해명할 수 있다. 어떤 이들이 말하는 것처럼 규율로 순환을 정화하여 흐름들을 폭력적으로 분리, 표준화, 가속화하는 방식이 반드시 필요한 것은 아니다(Deleuze and Guattari 1987; Scott 1998). 오히려, 국가 운영은 순환의 공간을 봉쇄하는 것이 아니라 다중적이고 의미 있는 사회적 상호작용에 노출시켜, 그물처럼 얽힌 순환들의 복잡한 공존을 지속적으로 계산하고 통합하며, 안전과 일치하는 더 미묘한 형태의 통치를 가능하게 한다. 싱가포르는 식민지에서 탈식민 국가로, 중앙집중식에서 분권화된 제도로의 변화를 겪었고, 물 관리에 대한 접근 방식도 달라졌다. 자연의 통치와 통치의 본질은 함께 진화하는 과정이며, 도시환경에서 조직화되고 물질화된다. 도시이자 섬인 싱가포르의 통제된 주권은 푸코가 말한 순환, 통치, 국가 간의 상호연결을 분석해 볼 특별한 기회이다. 이제부터 물의 순환이 역사적으로 주권, 규율, 안전의 중심지로서 어떻게 나타났는지를 검토해 볼 것이다.

애초에 싱가포르를 더 넓은 순환 네트워크 내에 위치시킨 것은 바로 주권 권력이었다. 수세기 동안 선원들을 해안으로 몰아넣은 두 계절풍이 만나는 지점에 위치한 싱가포르는 태평양과 인도양 사이에서 경제적으로나 군사적으로 전략적인 위치에 있으며, 세계에서 두 번째로 많은 선박이 입항하는 항구가 있다. 1819년 영국의 스탬포드 래플스 경이 싱가포르가 동인도회사의 통제 하에 있다고 선언했을 때, 말레이시아 반도 끝에 위치한 이 539제곱킬로미터 크기의 작은 섬은 대부분이 열대우림이었고 해안 지역 일부에만 150여 명의 사람들이 거주하고 있었다(Corlett 1992). 최초의 도시는 1822년에 들어섰다. 그 공식 도시계획은 섬을 상업무역에 개방하고, 토착 인구를 종속시키며, "식민 권력에서 식민지로, 일방적인 사상의 전달"을 보장하는 것이었다(Teo 1992, 165). 이 도시의 건축과 거리 형태는 영국의 주권이라는 "우선권과 편견"(164)을 압축적으로 드러낸다. 군사 및 행정 시설은 싱가포르 강 유역을 따라 도시 한가운데에 건설되었고, 유럽인 구역을 중심으로 기하학적 질서와 유럽 계몽주의 원칙을 표방했다. 영국 행정 당국은 거리의 크기나 건설 자재를 엄격하게 규제했다. 현지인들은 영어로 쓰인 방향 표지판을 이해하지 못했고 대개는 무시했다(Frost and Balasingamchow 2009).

최우선 목표는 싱가포르를 네덜란드의 동남아시아 무역 패권에 도전하고 영국의 주권을 지킬 확실한 항구로 만드는 것이었다. 20세기까지 흔들리지 않았던 이 목표는 물의 흐름에도 반영되었다. 19세기 전반, 식민지 원주민들은 끊임없는 홍수, 습지화, 어려운 도시 접근성 때문에 곤란을 겪었다(Little 1848). 인도인 죄수 노동자들이 투입되고 섬에서 가장 오래된 유적인 싱가포르 석비가 파괴되는 과정을 거치면서 강변의 구불구불하고 미약한 제방은 상선들의 접근이 가능하도록 강화되었다. 싱가포르 강물 위에 마을을 이루고 살

왔던 토착민인 오랑 라웃Orang Laut(바다 집시)은 무역 교통에 큰 장애를 초래했으므로 1840년대에 이르면 수로에서 완전히 밀려났다[Gibson-Hill 1952].

1822년, 정박 중인 배들에 물을 공급할 작은 저수지가 식민 기지인 포트 캐닝에 건설되었다. 존 크로퍼드 사령관은 무역에 지장을 초래하지 않으려면 저수지 관리가 잘 이루어져야 한다고 강조했다. 그러나 1900년대 초반 싱가포르 시정위원회 의장the President of the Municipal Commissioners이 인정했듯이, "당국은 사람들에게 물을 공급하는 일에는 배에 공급하는 것만큼의 관심을 두지 않았다"[Halifax [1921] 1991, 326]. 늘어난 5만 명 이상의 인구가 점점 오염이 심해지는 우물에 의존해야 하는 상황이 되자, 1868년 지역 사업가인 탄 킴 셍Tan Kim Seng은 시 정부에 1만 3천 싱가포르달러를 내놓아 첫 번째 저수지 건설을 도왔다[Buckley [1902] 1984]. 이 행동은 근본적인 변화가 일어나기 시작했음을 암시한다. 신흥 부르주아들이 일반 인구보다 무역 이익을 우선시하는 영국 행정부에 비판적인 태도를 취하기 시작한 것이다. 1900년대 들어 영국은 주택과 인프라를 더 많이 건설하기 시작했지만, 도시문제는 더 심각해졌다. 특히 주택이 부족했고 위생도 열악했다[Teo 1992].

1969년 국가 독립이 가시화하고 자치 정부가 출범하자, 국가의 우선순위가 바뀌고 규율 역량은 필수적이고 영구적인 것이 되었다. 빠른 국가 주도 산업화를 전제로 하는 중앙집중식 국가경제 성장 계획은 국내 조건의 포괄적인 개발을 가능하게 했다[Huff 1995]. 이 계획의 일환으로 저수지들은 늘어난 공장과 노동자들에게 충분히 물을 공급할 만큼 확장되어야 했고, 생산적인 대지를 꼭 확보해야 했으므로 계속 반복되는 홍수를 제어해야 했다. 사람이 살지 않는 섬의 중부 11퍼센트만이 집수 지역으로 사용되었다. 집수 지역이 도시화된 지역으로 점점 더 확장되면서 포괄적인 오염 방지 대책은 물의 안전과 직결되어 그 엄격함이 정당화되었다. 리콴유 총리는 1971년 새해 결의안 첫머리에서 수질오염 개선의 중요성을 강조했다. 그는 싱가포르의 일일 평균 강우량이 7억 갤런에 달한다면서 이를 활용하려면 빗물의 25~35퍼센트를 식수 공급을 위해 모아야 한다고 했다. "엄격한 오염 방지 대책"이 필요하고, "유출된 빗물은 펌프로 저수지에 보내질" 것이다(NAS 2012, 407).

기존 저수지들에 대한 경계가 강화되었다. 집행관들은 보트와 트럭을 타고 '상시 경계'를 수행하면서 쓰레기 투기, 불법 낚시, 수영을 하거나 기타 규정을 위반한 사람들을 적발했다(PUB 1970, 1). '수질오염 통제 및 배수에 관한 법률'은 '토지 배수 통제 권한, 수로의 청결 유지 및 복원, 하수의 집수 · 처리 · 폐기에 대한 규제 및 통제, 효과적인 수질오염 방지 대책'을 규정하면서 환경 관련 강제 집행의 근거가 되었다(ENV 1975, 4). 정부는 이 새로운 조항들에 기대어 물 순환의 전체 과정에 전례 없는 특별한 영향력을 행사할 수 있었다. 모든 폐수는 하수구로 버려야 하며 이를 계속해서 준수하지 않을 경우 강제 집행 대상이 될 수 있다는 법 규정이 무엇보다 중요했다. 1971년부터 싱가포르의 유명한 길거리 음식 노점상들은 강력한 법률 규정에 따라 재배치 프로그램의 대상이 되었다. 그들이 버린 음식 쓰레기가 싱가포르의 배수관과 수로 네트워크를 방해하고 오염시켰기 때문이다.

노점상 2만 8,854명에게 허가증을 발급하자 "거리 노점상들을 식별·통제·억제하는 것이 가능해"졌고, "더 효과적인 단속 계획, 효율적인 공무원 배치, 밀착 감시"가 이루어졌다(ENV 1972, 32). 노점상 인구가 파악된 후, 이들은 개별 구획이 있고 하수도, 수도관, 화장실, 쓰레기장이 갖추어진 대형 센터에 재배치되었다. 개별 부스로 구분되어 있기 때문에 상인들의 물 소비 수준과 위생 상태를 관찰하고, 등급 시스템에 따라 순위를 매기고, 물 절약과 위생을 강조하면서 행동을 교정시킬 수 있었다. 다른 사회집단에도 비슷한 테크놀로지를 적용하여 재배치나 철거 대상으로 삼는 일이 가능했다. 수질관리라는 새로운 목표나, 공익을 위한 개인의 희생이라는 국가적 수사가 이를 정당화했다(ENV 1990). 농부, 무단점유자, 선박 수리공, 과일 상인, 채소 상인 등은 산업형 농장, 공공주택 블록, 아파트식 공장이나 도매시장처럼 분명하게 구획된 공간에서 밀려나거나 그곳에 재배치되었다. 1980년대 초에 이르면 집수 지역의 정화 작업은 수생 생물들이 나타날 정도로 성공적으로 진행되었다. 과학적 자료에 따르면, 용존 산소 수준이 두 배로 증가했으며 유기물의 산소 요구량은 절반 이상 감소했고, 일부 지류에서는 부영양화 수준이 열 배나 감소했다.

규율적 조치들은 홍수 억제 측면에서도 필수 불가결했다. 이를 위해 국가 운하 프로그램이 도입되었다. 르 코르뷔지에가 싱가포르에 와 보았다면, 그 명확한 직선화, 표준화된 콘크리트 구성 요소, 실용적인 형태와 기능을 무척 마음에 들어했을 것이다(그림 5ⓐ와 ⓑ 참조). 국토의 65퍼센트가 해발 15미터 미만인 저지대 국가에 속하는 싱가포르는 역사적으로 홍수를 끊임없이 겪어 왔다. 범람은 언제나 일상생활의 일부였다. 20세기 들어 말라리아를 비롯한 전염병에 대한 이해가 높아지기는 했지만, 20세기 중반에도 여전히 싱가포르는 "엄청난 배수 문제"에 봉착해 있었다[The Straits Times, 1951.5.18]. 어느 장관의 표현을 빌리자면, 해결책은 "거대한 자연의 힘을 과학적으로 통제"하는 것이었다[싱가포르 의회 토론, vol. 1, col. 793, 1955.10.12]. 그의

그림 5 '규율적 순환': ⓐ 순게이 베독Sungei Bedok, ⓑ 순게이 셈바왕Sungei Sembawang. (출처: 필자 촬영, 2012)

말처럼, 이후 30년 동안 배수 문제는 철저하게 과학적 해결책에 따라 추진되었다. "포획하고 운반하는" 식의 홍수 통제 방식에는 기능적 구분이라는 모더니즘적 인식이 내재되어 있었다. 물을 가둔 후, 바다로 곧장 연결되는 일종의 하수 고속도로로 재빨리 보내서 배수구의 배출량을 증가시키는 방식이었다. 도시에 존재하는 물을 관리한다는 것은 그저 그 부재가 확실해지도록 애쓴다는 의미였다. 이는 "이중적 양상, 즉 이진법적 분할과 명명(광기/정상, 위험/무해, 정상/비정상), 그리고 강제적인 할당과 차등적인 분배"를 구성했다(Foucault 1977, 199). 법무 및 국토개발부의 바커 장관이 한 말에는 이러한 규율적 이해 방식이 잘 담겨 있다. "홍수를 완전히 근절하는 것이야말로 이 문제에 대한 진정한 해답이다"(싱가포르 의회 토론, vol.26, col.157, 1967.9.7).

더 빨리, 더 깊게 수로를 건설하는 정부 정책은 수자원적 감금hydrological incarceration의 일종이었다. 1972년 신설된 환경부는 수로 건설 계획에 박차를 가했다. 한 해 동안 2,540개의 배수 건설 프로젝트가 진행되었고, 이는 전년도에 비해 50퍼센트 증가한 것이었다(ENV 1972). 싱가포르 최초로 도입된 부분 폐쇄 배수 시스템은 홍수 완화 프로젝트 사상 최대 규모의 지하터널들을 도입했고, 물이 지하로 내려가자 국민 의식 속에서도 물이 차지하는 비중이 낮아졌다. 1980년대 들어서는 싱가포르의 유명 쇼핑센터인 오차드 로드Orchard Road에 버스가 지나갈 수 있을 만큼 큰 지하 수로가 건설되었으며(ENV 1988), 마리나 센터에는 8킬로미터에 달하는 촘촘한 파이프 관들과 배수로가 계획되었다(ENV 1980). 1990년대로 접어들면서 싱가포르 주택 단지와 쓰레기 취약 지역의 배수구에 덮개를 씌우자는 캠페인도 전개되었다. 확실히, 이 규율적 방식들은 홍수 완화에 효과적이었다. 현재, 홍수는 300밀리미터 이하, 1시간 이내의 일시적이고 지역적인 범람 정도로 억제되고 있다(PUB 2012). 그러나 그 부작용도 존재한다. 시민과 물 사이는 물리적·정서적으로 분리되었고, 이에 따라 순환을 통제하려는 싱가포르의 노력도 약화되었다. 결과적으로 안전 메커니즘은 "출입구의 갯수, 그리고 꽉 찬 공간과 빈 공간의 계산"(Foucault 1977, 172)을 재구성하기 시작할 것이다. 여기서 물은 더 이상 단순히 두려워하거나 차단해야 할 대상이 아니다.

이러한 방향 전환은 통치의 손아귀에서 부분적으로 벗어났다. 변하기 쉬운 물질성과 모빌리티를 지닌 물은 현대 도시에서 무엇보다도 변덕스러운 존재이며, 계속해서 인프라에 의한 봉쇄를 피해 나가기 때문이다. 국가 수로 계획이 진행되었고 정부는 완전한 근절이라는 낙관적인 목표를 내세웠지만, 홍수는 1970년대와 1980년대 내내 계속되었다. 급격한 도시화는 섬 전체가 10여 년간 계속 홍수를 겪게 만들었다. 홍수의 증가는 언론의 비판과 대중의 비난을 낳았고, 정부는 개선점이 보이지 않는 통계수치의 공개를 꺼렸다. 배수 부서의 책임자였던 링 텍 룩Ling Teck Luke은 환경 리얼리즘environmental realism이라는 낯선 슬로건을 제시하면서 일부 지역에 사는 시민들은 "홍수와 함께 사는 법을 배워야 한다"고 말하기까지 했다(The Straits Times, 1980.9.9). 이 전술 변화는 1975년에 제시된 배수 기본 계획에서도 엿보인다. 홍수가 오랫동안 싱가포르인들의 삶의 일부가 되리라는 불쾌한 사실이 이 계획에서 처음으로 인정된 것이다. 홍수의 완전한 근절이 가능하다고 장담했던 바커 장관은 그 말을 한 지 10년도 되기 전에, 홍수를 영구적으로 방지할 만큼의 배수관 확장은 경제적이지 않다고 발언했다.

> 홍수 완화를 위해 모든 노력을 다했지만 우리가 홍수를 완전히 근절할 수는 없습니다. 다음 달 정도에는 더 많은 비가 내릴 것으로 예상됩니다. 비가 많이 오고 만조와 맞물리면 홍수가 발생할 것입니다. 그러나 홍수는 오래 지속되지 않을 것이고 재난에까지는 이르지 않을 것입니다(싱가포르 의회 토론, vol. 35, col. 1092, 1976.11.21).

규율적 홍수 대책은 분명한 한계를 드러냈다. 물을 완전히 통제하려고 한 소모적이고 비용이 많이 드는 계획은, 장악이 불가능한 물의 물질성에 반복적으로 반응하고 적응하는 안전 메커니즘으로 대체되었다. 부재와 존재, 도시와 물이라는 이분법적 분할은 그 물 신화에서 벗어났고, 폭풍·강우·홍수는 자연적으로 발생하는 현상으로서 관리되었다. 안전으로의 전환은 바커 장관이 통계를 언급하는 대목에서도 드러난다. 그는 기존 인프라가 "평균적인 강우량에 대처할 수 있다"면서도, "**예외적으로 가끔 일어나는** 폭풍우 상황에서는" 홍수를 억제하기에 부족할 가능성이 있다고 발언했다(싱가포르 의회 토론, vol. 35, col. 1092, 1976.11.24., 강조는 필자). 이분법 대신에 사회적·경제적인 허용의 폭을 설정하자, 예외적인 폭풍 시기의 홍수는 결과적으로 정상 범주에 포함되었다. 7명이 사망한 싱가포르 역사상 최악의 폭풍 이후에도, 바커 장관은 의회에 나와 "하수도와 운하는 그런 폭우를 소화하도록 설계되지 않았다"고 단호하게 말했다. "비용과 토지 이용 측면에서 볼 때, 예외적이고 드문 폭우를 대비해 초대형 운하를 건설하는 것은 실용적이지도 경제적이지도 않습니다"(싱가포르 의회 토론, vol. 38, col. 68, 1979.1.10). 더욱이, 이제 싱가포르의 물 순환은 일시적인 문제들을 어느 정도 해결하고 있지만, 이 근대적이고 규율적인 접근 방식의 역효과도 존재한다. 첫째, 배수로에 덮개를 씌우는 정책은 싱가포르의 모기 개체수 증가 및 뎅기열 발생과 관련된다. 둘째, 시민들은 사회적으로 또 정서적으로 물에서 멀어졌다. 콘크리트 모더니즘의 불행한 결과이다. 이는 싱가포르의 배수구, 수로, 강으로 유입되는 쓰레기 양을 줄이려는 노력을 약화시켰다.

홍수 조절 계획이 진행된 지 30여 년이 지났다. 그 성공 여부와 관계 없이, 포착되기 어려운 물이라는 존재가 받아들여졌으며, 안전하에서 '자연의 통치government of nature' 방식은 변형되었다. 그러나 신자유주의로의 국제적 변화와 도시 개편의 여파로(Harvey 1989), '통치의 성격nature of government' 변화는 물의 독립적인 자연성을 받아들이는 것에서만이 아니라, 시민사회의 준자율적인 존재와 성질까지도 인식하는 더 광범위하고 중요한 국가 전략 변화의 일부로서도 나타났다. 1990년대부터 싱가포르의 통치는 일종의 자유화 조정 프로그램에 따르게 되었다. 책임과 의사결정 권한을 민간기업, 공공기관, 시민단체, 개인에게 선택적으로 분산시키려는 것이었다(Haque 2004). 그러나 국가는 통치 의무를 포기하는 것이 아니라 재구성하였고, 기업가정신, 자기 책임, 국내 기업의 국제 진출을 장려함으로써 더 주도적으로 정책 목표를 달성하려고 했다(Yeung 2000). 이는 물 관리 분야에서도 마찬가지였다. 예컨대 싱가포르를 "글로벌 하이드로허브 hydrohub"(PUB 2008)로 삼기 위해 물에 관련된 국내 및 국제 회사들에게는 재정적·기술적·제도적 지원이 이루어졌고, 비영리 부문의 초기 활동도 유사한 인센티브를 받았다. 환경부 장관 아마드 마타르 Ahmad Mattar는 규율에서 안전으로의 초점 변화를 제도화했다. 그는 바우만의 용어를 빌려, 환경 관리의 '하드웨어', 즉 콘크리트, 규제, 벌금이 아닌 좀 더 미묘한 '소프트웨어' 유형으로 이동하는 것이 목표라고 강조했다. '소프트웨어'란 라이프스타일과 교육을 통해 대중이 참여하여 "환경을 느끼도록" 만드는 것을 의미한다(ENV 1993, 2).

이후 이러한 다양한 상황 변화에 따라 일상생활 속에 물이 재등장하게 되었다. 이 재등장은 많은 호응을 얻었다. 사람들에게 수로와 저수지를 개방하여 물리적으로 또 개념적으로 자연이 일상생활에 돌아오도록 한 것이다(그림 6 ⓐ와 ⓑ). 공공·민간 전문가들이 계획 과정에 참여하면서 2006년에 시작된 'ABC 물 관리 계획ABC Waters Program'은 물과의 상호 작용이 가능하도록 수변 지역을 가꾸고, 개울과 강을 육지와 연결하였으며, 수역을 스포츠와 레저 활동에 개방하였다(PUB 2009). 통치성의 지형도는 콘크리트로 만든 경계와 중앙집중식 규제에서 벗어나, "순환이라는 선택"(Foucault 2007, 49)과 사람들의 물에 대한 참여를 통해 기능하는 대안적이고 더 미묘한 형태의 라이프

그림 6 '제한 없는 순환': ⓐ와 ⓑ는 비샴의 칼랑강에 있는 자연적인 우수 배출 통로이다. 앙 모 키오 파크, ABC 물 관리 프로젝트. (출처: 필자 촬영, 2012)

스타일, 즉 시장 기반 거버넌스 하에서 적절한 유형의 행동을 고무하거나 유도하는 것으로 바뀌었다.

결론

푸코가 전개한 논의 전체의 중심은 아니었어도, 도시는 간혹 불안정하기는 했지만 지속적인 배경으로 작용했다. 도시의 경계를 가로지르는 "정신이상자들의 끊임없는 순환"(2006, 10), 전염병의 감시와 나환자의 시골 추방, 도시 모빌리티를 제어하는 인프라의 역할 등이 그 예다. 푸코는 순환이 어떻게 상정되고, 계산되고, 분배되는지를 오랫동안 고민했다. 이 질문은 푸코가 통치의 기술을 진지하게 논의했던 1970년대 후반기에 특히 적절했다. 푸코는 미시권력 분석을 도외시한 것이 아니라, 도시 순환의 문제를 다루면서 분석의 층위를 인구로 확대했다. 고고학적 시기에 푸코는 언어에 매몰되어 있었고, 계보학적 전환이 이루어진 콜레주 드 프랑스 시기에는 제도에 제한되어 있었다. 초기의 몇 가지 실험을 거친 뒤, 그는 혼란스러운 도시의 북적이는 도시 거리를 통과하면서 더 풍성한 분석 영역으로 나아갈 수 있었다.

푸코의 통치성 분석에서 순환이 지니는 중심성에 비해, 도시 모빌리티와 순환의 물질적 인프라 문제를 직접 다루는 통치성 연구는 많지 않은 편이다. 통치성 분석의 기원은 분명히 강조되고 기억될 만한 가치가 있다. 무엇보다 도시의 흐름을 연구할 때 미묘하면서도 적용 가능성이 높은 시각을 제공해 주기 때문이다. 도시의 성격이나 자연적 도시성에 대한 푸코의 성찰과 함께, 도시의 흐름에 기울인 관심은 환경 통치에 대한 정치적이고 생태학적인 연구를 풍부하게 만들어 준다. 또한, 통치성은 권력 테크놀로지와 순환에 미친 그 영향을 차별화하여 모빌리티와 임모빌리티라는 비생산적인 이분법을 극복하게 할 수 있다. 이는 흐름의 통제에서 국가가 맡는 역할에 대한 더 세심한 분석의 근거를 제공할 것이다. 나는 이 문제가 순환의 현대적 인식과 밀접하게 관련되어 있다고 주장한다.

나는 싱가포르의 물 통치에 이 틀을 적용하여 순환이라는 문제를 푸코의 통치성 분석에서 그 중심에 위치시키려고 했다. 이 시도의 목적은 통치의 본질을 밝히기 위한 실증적 조사의 효과와, 자연의 통치에 대한 푸코적 분석의 미덕을 모두 드러내는 것이었다. 정치학이나 철학에서의 이론적인 시도와 달리, 국가개입의 기반을 이루는 원칙 상의 변화는 도시 형태에서 쉽게 포착될 수 있다. 여기서 다룬 사례의 경우, 통치적 실천의 변화는 수변에 반영되었다. 푸코는 사회적 경험들이 역사적인 구성물이라는 것을 분석을 통해 밝혀냈다. 하지만 물처럼 기본적인 것도 역사를 가질 수 있다. 더 일반적으로 말하자면 순환도 그러하다.

우리는 푸코를 따라, 순환의 개념화는 도시에서든 해부학에서든 시간, 장소, 정치의 산물이라고 말할 수 있다. 따라서 흥미로운 질문들이 제기된다. 순환, 통치, 자연에 대한 우리의 이해는 미래에 어떻게 변화해 나갈 것인가? 그리고 이는 도시 형태와 지속 가능성에 어떤 영향을 미칠 것인가? 이 질문은 여러 가지 순환의 측면에서 현재 나타나는 통치의 위기와 직접적으로 연관된다. 금융상품, 테러리스트, 탄소, 마약, 식수, 조류 인플루엔자, 사이버 도피, 통신의 감시와 파괴, 소셜 미디어 네트워크, 이민자. 이 모두는 우리 시대의 정치-물류적 난제들politico-logistical questions의 일부에 불과하다.

논문의 초안을 두고 논평해 준 마리아 카이카, 에릭 스윈게두, 조나단 달링에게 감사를 표한다. 특히 폭넓고 비판적인 피드백을 제공해 준 객원 편집자 분들에게 감사 드린다. 사례 연구 참여에 친절히 동의해 준 인터뷰 대상자들에게도 큰 감사를 표하고 싶다.

후원 이 연구는 경제사회연구위원회the Economic and Social Research Council의 지원을 받았다[grant number ES/1903437/1].

6장

모빌리티의 통치,
탄소의 동원

매튜 패터슨_캐나다 오타와대학 정치학부

이 논문은 모빌리티 렌즈를 통해 기후변화 통치를 연구한다. 이 두 현상의 관계에서 중심적 역학은 기후변화를 통치하는 논리가 모든 물리적 모빌리티에 대한 관리, 조직, 궁극적으로는 축소를 수반하는 반면에, 기후변화 정치학은 새롭게 등장한 움직이는 대상들을 둘러싸고 조직됐다는 점이다. 특히 탄소시장으로 동원되는 탄소배출권 같은 것 말이다. 이는 모빌리티 연구에서 문화정치경제의 중요성을 강화한다. 즉, 움직이는 주체와 대상은, 자본축적을 목적으로 하는 특정 종류의 사회적 질서의 재생산을 촉구하는 데에 동원되는 권력의 효과로 이해되어야 한다.

서론

이 글은 모빌리티 연구와 관련해 기후변화 정치학을 탐구한다. 둘 사이의 연결고리는 이미 만들어져 있었다(특히 Urry 2007, 2011, 또한 Spaargaren and Mol 2013, 흐름 틀을 활용한 연구로는 Mol 2012). 하지만 본 글이 주목하는 것은 이런 연구가 모빌리티 연구의 일반적 경향에 대한 비판적 반성을 불러온다는 점이다. 모빌리티를 광범위한 사회적 · 정치적 규범과 구조의 맥락에서 보기보다는, 미시적 현상을 이해하기 위해 미묘한 차이가 있는 개념들을 발전시키고 모빌리티의 구체적 실천에서 현상학적 특성을 강조하는 경향 말이다.

《모빌리티》지에 실린 논문들이 정치경제적 분석을 거의 사용하지 않는 것만 봐도 알 수 있다(예외도 있다. 예컨대 Minn 2013). 모빌리티의 통치성governmentality, 혹은 베렌홀트Bærenholdt가 말한 통치모빌리티governmobility(예컨대 Salter 2013)에 초점을 맞춘 푸코적 작업이 가장 많이 보이는데, 만더샤이트 등이 자세히 보여 준 바와 같이(이 책의 서문 참고) 이 작업은 모빌리티 연구에서 점점 성장하고 있다. 그럼에도 불구하고 이런 연구들은 정치경제적 쟁점(이민과 노동시장 문제에 접한 쟁점들)과 단절되어 있다.

모빌리티 연구의 주요 초점이 민족지적이고 현상학적인 데에 맞춰져 있다는 것은 사회가 기후변화에 대처하는 방식의 특정 요소 같은 세밀한 부분을 탐구하는 데에는 유용하지만, 예컨대 자전거타기 문화가 다양한 맥락에서 탈탄소화 공간을 생성하거나 폐쇄하는 방식은 모빌리티를 사회적이고 정치경제적인 **규범**으로 이해할 때 비로소 제대로 이해된다.

내가 모빌리티의 문화정치경제라고 부르는 것에 초점을 맞추면 기후변화 정치에 내재된 이중적이고 모순된 관계를 이해할 수 있다. 한편으로 기후변화에 대한 대응은 물리적 모빌리티 일반 형식에 대한 도전을 불러와 자동차와 비행기에서 가장 즉각적이고 명확하며 중요한 변화를 이끌어 내지만, 이 대응은 음식이나 상품, 전자 부문(전기 시스템이 소규모 재생에너지의 분산 생산 모델로 전환됨에 따라) 양식에서도 나타난다. 구체적으로 말해, 기후변화를 이야기하는 것은 구체적 모빌리티 형식에 급진적 축소를 불러와 모빌리티 거버넌스 형식에 의미 있는 변화를 가져온다. 하지만 다른 한편으로 이는 새로운 방식으로 탄소를 활용하고자 만들어진 일련의 새로운 실천을 중심으로 정확하게 조직되었다.

기후변화 이야기로 넘어가기에 앞서, 기후변화 정치학의 중요한 역학을 이해하는 데에 도움을 주는 모빌리티의 문화정치경제의 핵심 요소들부터 살펴보자.

모빌리티의 문화정치경제

내가 모빌리티의 문화정치경제라고 부르는 것의 중심은 현대사회 재생산의 두 가지 핵심적인 측면과 관련하여 모빌리티의 실천,

제도, 테크놀로지 중심성을 강조하는 것이다.[1] 이는 적어도 19세기 초반 유럽에서 시작되어 20세기 중반에 걸쳐 서서히 세계화되었다. 한편으로 모빌리티는 자본축적의 중심이었고, 축적을 위해 구조적·규범적으로 조직된 사회의 물질적 조직이었다. 이는 자동차 모빌리티의 정치경제적 설명에서 찾아볼 수 있다(Rae 1971; Aglietta 1979; Maxton and Wormald 1995; OECD 2003; Paterson 2007 4장). 여기에서는 자동차 생산과 소비 사슬에 존재하는 광범위한 전후 연결을 강조하고, 자동차가 제공하는 유연한 모빌리티로 생성되는 새로운 경제활동 가능성을 강조하며(기차나 트램과 비교하며), 도시 공간 재편 가능성과 재편을 둘러싼 축적 전략(특히 주택공급과 도로 건설), 그리고 자동차 업계에서 먼저 체계화되어 20세기 경제 전반에 퍼진 생산방식 혁신을 내세운다.

그러나 이런 주장에 대한 푸코식 방향 전환 역시 중요하다. 이는 18세기 말부터 모빌리티 그 자체를 향한 통치적 경향에 담론적·실천적 전환이 나타남을 보여 준다. 푸코는 이 시기에 사람들의 움직임 경향에 광범위한 변화가 있다고 기록한다. 위험하고 방해받는 것으로 여겨지는 곳에서—주로 경제적·군사적—특정 목적 아래 조직되고 연결되고 강화되는 곳으로 말이다(Foucault 1977; Mattelart 1996).

---

[1] 문화정치경제의 개념화는 내 책 *Automobile Politics*(Paterson 2007)에서 전개된 바를 기반으로 한다. 다른 방식의 개념화에 대해서는 Best and Paterson(2009), Sum and Jessop(2013), Jessop(2010)를 참고할 수 있다.

비릴리오Virilio(1986)는 19세기를 지나면서 이러한 강박이 움직임뿐 아니라 가속에도 작용함을 보여 줌으로써 이 주장을 유용하게 확장한다. 모빌리티에 대한 이러한 설명은 통치자가 사람들을 동원하고자 추구한(여전히 추구하고 있는) 방법이라는 더 일반적인 문제 틀에서 자동차모빌리티의 특성을 이해하는 데에 도움을 준다. 즉, 더 전통적인 정치경제학 (마르크주의적 혹은 자유주의적) 용어로 이 문제를 부르게 될 자본주의적 논리 혹은 시장 논리 쪽으로의 일반적인 전환으로 보게 된다.

동시에 이는 모빌리티의 문화정치경제의 두 번째 측면인 주체성 문제를 설명하는 데에 도움이 된다. 모빌리티는 축적의 핵심이 되었기 때문에 근대적 주체성의 생산, 나아가 축적의 핵심이 되는 실천들의 의미에서도 중심이 된다. 여기서 자동차모빌리티는 이데올로기적일뿐만 아니라 자동차를 가능하게 하는 모빌리티 유형과 자동차에 대한 깊은 애착이 담긴 패러다임이다. 근대적 주체성의 핵심 요소는 이러한 형태의 모빌리티, 특히 특정한 자유 개념과 프라이버시, 편안함, 개별성, 계층 구분, 젠더 등등의 개념에 대한 특권을 중심으로 형성되었다(이 책의 Manderscheid 글을 참고). 이런 상징들은 소설, 음악, 영화에 이르는 대중문화 전반에서 재생산되고 있다. 하지만 푸코와 비릴리오가 보여 주었듯, 이는 그 발전을 만드는 실천에 참여하는 주체를 구성함으로써 광범위한 사회발전 패턴을 형성하는 통치 권력의 효과로 이해될 수 있다. 달리 말해, 성공적인 축적 체제가 구축되어야 한다.

문화정치경제 분석의 핵심은 이런 집합의 세부에 주의를 기울이는 것이다. 자동차모빌리티의 특징적 성격을 이해하는 데에 중요한 점은, 프랑스혁명과 푸코가 주목했던 변화 이래로 움직임이 해방의 잠재력을 가진 것으로 이해되었고('움직임의 자유'는 혁명의 슬로건이었다), '운동의 독재dictatorship of movement'(비릴리오의 용어)로 나아가게 되었다는 점이다. 자동차모빌리티는, 지배적이었던 모빌리티 수단(주로 기차)이 자유가 아니라 독재로 인식되기 시작한 일종의 위기의 순간에 정확하게 나타났다. 고정된 시간표, 통근에 의존하는 인구의 증가, 독점의 출현은 경제적 분야에서 봤을 때 기차의 해방적 측면보다는 독점적 지배를 나타내는 것으로 인식됐다. 군사적 분야에서 특히 제1차 세계대전 동안 군수품 운송의 기차 의존도는 전쟁의 발생 및 이후 교착상태의 중대한 원인으로 이해되었다(Taylor 1969). 자동차모빌리티는 이러한 문제를 극복하고 모빌리티를 자유로 재구성할 것을 시사했다.

탄소와 이동하는 모더니티

모빌리티 정치학에 대한 이러한 설명이 생태학적 목적에 어떻게 중요할까? 특히 중요한 문제는, 사회생태학적 퇴보가 어떻게 사회적이고 정치적으로 조직되는가 하는 점이다. 앞서 간단히 밝힌 문화정치경제 접근 방법은 이 문제가 두 갈래로 조직화되어 있다고 답한다. 한편으로는 이 문제가 (독특한 사회-생태학적 특질이 있는, 포드주의, 포스트포드주의 등 일반적인 형태든 특수한 형태든 모두에서) 축적 과정을 통해, 그리고 다른 한편으로는 환경파괴를 불러오는 일상적 실천과 이와 관련된 실천들의 의미를 통해 조직된다는 것이다. 이는 환경정치학의 여러 측면을 탐구하는 데에 유용할 수 있지만, 기후변화 문제야말로 축적 과정의 핵심에 놓인 실천에 깊이 뿌리내리고 있기 때문에 기후변화를 다루는 데에 특히 중요하다. 기후변화가 모든 종류의 의미가 투사된 텅 빈 기표인(Glynos and Howarth 2007; Methmann 2010) '탄소' 문제로, 그리고 탄소 동원을 통해 정확히 새로운 축적을 생성하도록 전개된 물신화 문제로 초점이 맞춰졌다는 점은 주목을 요한다. 최근 기후변화에 대응하는 핵심적 조직 장치로서 '탄소'의 담론적 틀에 대해서는 이후에 다시 설명하겠다. 지금 당장은 이 물신적 호칭을 그대로 따른다.

생태학적 렌즈를 통해 모빌리티가 사회적/정치적으로 규범화되는 문화정치경제적 과정을 살펴보면, 즉각적으로 명백하게 드러나는 것은 축적을 지속해 온 중심 실천들과 그 문화적 주제들의 핵심에 화석(석탄기)에너지가 있다는 점이다. 모더니티는 말 그대로 탄소로 가동되었다. 가장 단순한 탄화수소인 메탄(CH_4)에서부터 석탄과 석유에 포함된 복잡한 분자에 이르기까지 다양한 화학결합은 산업, 운송 등을 가동시킨 에너지 생성의 중심이었다. 앞서 언급한 실천들은 모두 석탄(기계화된 생산, 제철, 기차, 나중에는 전기), 석유(자동차와 비행기), 나중에는 가스(직접난방과 전기)의 배치와 관련이 있다. 이 모든 것은 기후변화를 일으킬 뿐만 아니라 다른 사회-생태학적 파괴의 주범이 된다.

특히 마르크스주의 틀 안에 있는 생태학적 정치경제학자들은 이를 "신진대사적 균열metabolic rift"이라고 부른다(Foster 1999; Moore 2000, 2011;Clark and York 2005). 산업혁명의 일환으로 한 공정의 결과물이 다른 공정의 투입물이 되는 순환적 방식으로 자원을 배치하던 것에서, 이 제는 사용되지 않는 폐기물이 발생하는 선형적 방식으로 전환된 것을 가리키는 말이다. 마르크스에 직접 기대고 있는 고전적 예시는 토양과 관련이 있다. 지역화되었던 생산과 소비가 점차 지방에서 도시로 토양을 장거리 운송하는 쪽으로 변한 것이다. 하지만 이런 분석은 에너지원의 변화도 함께 고려하는 것으로 확장되었다. 광범위하게 재생 가능한 풍력, 수력, (인간을 포함한) 생물자원 에너지에서 재생 불가능한 에너지, 즉 주로 석탄이나 석유에서 얻는 화석연료나 최근에 사용되는 천연가스 같은 에너지로 변화한 것이다(Clark and York 2005). 정확히 이 신진대사적 균열은 기후변화 때문에 현재 강도 높은 감시를 받고 있는 사람과 사물의 모빌리티를 가능하도록 만들었다.

기후변화, 탄소화, 그리고 모빌리티 정치학

이러한 요소는 기후변화의 몇 가지 중요한 역학을 정치적 문제로 이해하는 데에 도움을 주는 듯 보인다. 우선 모빌리티는 여전히 강력한 사회적 · 정치경제적 규범이며 현대 통치성의 핵심으로 남았다. 동시에 기후변화와 관련된 CO_2 배출량 감소를 위해서는 최소한 현재 지배적인 모빌리티 방식에 대한 도전이 뒤따를 수밖에 없다. 우리는 여기에서 다양한 유형의 변화를 확인할 수 있다.

첫째, 이는 기존 모빌리티 수단의 에너지원에 급격한 변화를 가져온다. 내연기관 엔진으로부터 연료전지 자동차나 전기자동차로의 변화가 그것이다(본서의 Tyfield 글). 둘째, 이는 모빌리티 유형 자체의 변화, 즉 자동차로부터 자전거, 버스, 트램, 보행으로의 변화를 수반한다. 셋째, 이는 단순히 개인의 이동 거리를 줄이는 문제가 아니라 먹는 음식, 구입하는 물건의 모빌리티 감소 문제를 포함한다. 정치적 논쟁과 정책들은 이 변화들 중 더 바람직하고 '현실적'이며 실현 가능성이 높은 것에 초점을 맞추는데, 실제로는 이 세 가지 모두 경제의 탈탄소화를 추구한 결과일 가능성이 높다. 결과적으로 18세기 후반 이래 통치성의 여러 측면에 대한 순환 및 모빌리티의 촉진이 확산됨을 고려할 때, 사회의 탈탄소화에 따라 이 같은 통치로 형성되는 주체뿐 아니라 통치 이성과 통치 대상에서도 마찬가지의 중대한 변화가 나타날 것으로 (정확한 형태는 내다볼 수 없다 하더라도) 예상할 수 있다.

중요하게도, 이 중 첫 번째는 종종 '기술적 변화'와 '행동 변화'라는 대립적 관점으로 구성되지만(Barrett 2009), 이는 오해의 소지가 있다. '행동[2]'의 변화를 촉진하려는 시도가 규범적으로 용납될 수 없다거

---

2 나는 의도적으로 따옴표를 사용했다. 이는 개별 실천이 이해되는 방법에 대한 지배적인 프레임이다. 엘리자베스 쇼브Elizabeth Shove는 지지받을 수 없는 방법론적 개인주의에 의존

나 이에 수반될 저항을 고려할 때 경험적으로 불가능하다고 가정하기 때문에 이런 식으로 구성되는 것이다. 그러나 연료 자원이나 자동차 기술 등의 '단순한' 변화로 완전히 '기술적인' 해결책이 나오더라도, 동일한 거리만큼 운전한다면 (또는 더 정확히 말해서 자동차모빌리티 체제의 성장률이 이와 같다면) 이는 자동차모빌리티 주체의 운전 행동에 커다란 변화를 가져올 것이다. 특히 연료 효율성을 최대화하고자 (이미 여러 방법으로 진행 중인) 자율주행이 도입되면서 예컨대 '자동차모빌리티' 주체의 핵심에 있는 자율성 개념 자체에 질문을 던지게 될 것이다. 다시 말해, 탈탄소화 모색은 필연적으로 푸코의 의제에서 핵심이 되었던 '행위의 통솔conduct of conduct' 질문을 수반한다.

따라서 탈탄소화가 지난 두 세기 동안 자본주의적 삶을 구성해 온 모빌리티 형태의 쇠퇴를 불러온다면, 기후정치가 매우 새로운 형태의 동원을 중심으로 구성된다는 사실도 그리 놀랄 만한 일은 아니다. 여기에는 여러 가지 요소가 있다. 예를 들어, 탄소 포집 및 저장은 다양한 종류의 에너지 사용으로 생성된 탄소를 (물리적으로) 재-동원하여 다시 땅으로 보냄으로써 모으는 잠재적 방식이다. 하지만 이런 동원 활동에서 가장 중요한 장소는 탄소시장인 것 같다.

하는 심리학과 경제학 모두에 공통적인 이 틀의 한계를 가장 명료하게 설명한다(2010). 여기서는 이러한 정책과 학문적 논쟁 틀을 드러내고자 사용한다.

탄소시장의 글로벌 확장

탄소시장은 기후변화에 대응하는 전 세계의 다양한 정책 체제의 핵심에 있다. 이는 1997년 쿄토의정서에서 중요한 부분이었는데, 이 의정서는 그 핵심에 세 가지 '유연성 메커니즘'을 두고 탄소 배출을 거래할 다양한 유형의 시장을 만들었다. 현재 세계 인구의 약 9 퍼센트가 국가 혹은 지방 당국의 탄소배출권거래제(ETS)의 적용을 받고 있으며 이는 점차 확대되고 있다.

이 시스템은 EU, 미국의 11개 주, 캐나다 1개 주, 뉴질랜드, 도쿄, 중국의 몇몇 행정구에서 시행되고 있다. 민간 부문 조직(BP와 쉘Shell 사의 내부 시스템뿐만 아니라 시카고 기후거래소)에 자리잡고 있으며, 한국, 카자흐스탄, 브라질, 중국 등에서도 다양한 개발 단계에 있다. 세계은행은 전 세계적으로 이 시장을 홍보해 왔고 어느 정도 성공을 거두었다. 그리고 미국(더 나아가 캐나다)이 연방정부에서 기후변화 법안을 개발한다면, 2005년과 2011년 사이에 개발된 다른 입법 제안들과 마찬가지로, 아마 상한제와 트레이드(ETS의 다른 용어) 시스템이 그 설계의 중심에 위치할 것이다.[3] 다른 지역들은 탄소 상쇄 프로젝트(자세한 내용은 아래를 참고할 것)를 통해 탄소시장으로 통합되었다. 그중 가장 중요한 것은 교토의정서의 청정개발제체(CDM)로, 이

---

[3] 이러한 ETS에 대한 전체 분석은 Betsill and Hoffmann(2011)을 참조하고 최신 지도는 ET 시스템의 인터랙티브 세계지도인 International Carbon Action Partnership를 참조할 수 있다.

는 탄소 배출 감축 의무가 있는 선진국이 개발도상국의 프로젝트에 투자하여 여기서 발생한 감축분을 자신의 배출량에 계산하게 하는 것이다. CDM과 함께 자발적 탄소시장이 등장하여 기업이나 개인이 비규제적 이유(예컨대 기업의 평가나 개인적 죄책감 등)로 배출량을 상쇄할 수도 있다.

이런 시장들은 푸코가 이해한 통치 기술인 동시에 더 전통적인 정치경제학 용어로 이해되는 축적을 추구하는 수단들이다. 여기에서 주목할 점은 그 합법성 또는 실행 가능성에 대한 다양한 도전 속에서도 이 시장이 지속적으로 확장되었다는 점이다. 탄소시장이 처음 제안된 1990년 초부터 비평가들은 이를 강하게 비판해 왔는데, 당시 선진국이 자체 배출량 감소 책임을 회피할 방법으로 국제 탄소시장을 이용한다고 보았기 때문이다. '오염할 권리'를 발생시킨다며 반대하는 목소리도 높았다. 초기 비평가들을 중심으로 한 운동은 상당한 성공을 거두었고, 특히 임업 사업의 경우 CDM 내에서 개발하는 것이 어느 정도 불가능하다는 것도 확인되었다(Bäckstrand and Lövbrand 2006; Paterson 2009). 즉, 탄소를 동원할 수 있는 중요한 장소가 차단된 것이다.

그후로 '기후 사기', '탄소 식민주의', '서브프라임 탄소'와 같은 프레임으로 강력한 비판의 목소리가 조직되었다(Bachram 2004; Lohmann 2005, 2006; Böhm and Dabhi 2009; Gilbertson and Reyes 2010; 합법화 역학에 대한 분석은 Paterson 2010). 이러한 비판은 탄소시장이 탄소 상쇄 프로젝트로 주변부 사람들을 밀어 내고 세계의 탄소 흡수원 잠재력을 불공정하게 구분함으로써 모든 종류의 불의를 발생시킨다는 점에서 규범적으로 받아들일 수 없다고 효과적으로 주장한다. 그러나 시장은 경험적으로 탄소 배출량 감소에 효과적이지 않다. 탄소 없는 기술에 대한 투자를 촉발시키기 어렵고, 재정적 거품이 발생하며, 허용량을 초과하는 특수 이익에 사로잡히고, 기타 유사한 문제가 발생하기 때문이다. 이런 담론에 대한 모빌리티 은유의 중요성은 기후변화 문제를 풀고자 특정한 종류의 모빌리티를 중지할 필요성에 초점을 맞춘 '땅속에 석유를 그대로 두어라, 지하에 석탄을 그대로 두어라keep the oil in the soil, keep the coal in the hole' 같은 슬로건이 널리 퍼진 것에서도 알 수 있다.

이러한 탄소시장 합법화 문제 외에도 두 가지 구체적인 과제가 최근 몇 년 동안 심화되었다. 첫째는 2008년에 시작된 경기침체와 함께 발생했다. 경기침체는 산업 활동과 관련된 탄소 배출량이 감소함을 의미한다. 결과적으로 EU의 ETS에 따라 규제되는 많은 기업이 잉여 배출권(EUAs)을 확보하게 되었다. 예를 들어 철강, 시멘트와 같이 경기침체가 오면 곧장 불황을 겪는 산업 부문이 특히 그랬다(Sandbag 2010). EUA 액수는 2008년 6월 최고 42달러에서 2011년 말 톤당 최저 10달러로 급격히 하락하는 모습을 보였다(Kossoy and Guignon 2012, 18). 그리고 EUA 하락을 감안할 때 CDM 프로젝트(탄소배출권 Certified Emissions Reductions 혹은 CERs라고 함)의 배출권 수요도 급감하여 EUA 가격 추이와 행보를 같이했다(Kossoy and Guignon 2012). 이는 세계에서 가장 큰 두 탄소시장 문제였기 때문에 이 시장을 확장하려는 사람들에게 중요한 문제로 해석되었다. 전반적으로 탄소 거래량은 이전의 엄청난 성장률과 달리 2009~2010년 재정적 측면에서 정체였다. 탄소 거래량은 2008년에서 2009년 사이도 여전히 거의 두 배로 뛰었지만, 2003년에 거의 0에서 출발했던 거래량이 2008년에 총 1,350억 달러에 이르렀다가 2009년에는 성장이 둔화되어 총 거래량이 1,430억 달러에 머물렀다(Kossoy and Ambrosi 2010, 1). 2009년 이후 거래량은 약 20퍼센트 증가했지만 가격은 상당히 하락했다(Bloomberg New Energy Finance 2014).

두 번째 문제는 2012년 이후 발효될 조약의 형식을 놓고 국제 협상이 교착상태에 빠졌다는 점이다. 교토의정서의 '제1차 의무이행기간'은 2008년부터 2012년으로, 이 기간 동안 선진국의 배출량을 1990년 수준 이상으로 줄이는 것이었다. 하지만 2012년 이후의 목표에 대한 합의는 없었다. 따라서 이는 교토의정서(특히 CDM)로 수립된 시장 매커니즘이 2012년 이후에도 여전히 기술적으로는 존재했으나, 2012년 이후에는 선진국이 이러한 투자를 추동할 배출량을 줄일 의무가 없어 투자 수요가 없었다는 의미다. 이를 방해하는 고도의 기술적인 문제도 있었다. 미국은 교토의정서의 당사자가 아니었다. 이 기간 동안의 협상은 교토의정서(여기엔 유연성 매커니즘이 있었지만 미국은 그렇지 않은)와 더 일반적인 UNFCCC(미국에는 해당되지만 교토에만 해당하는 매커니즘은 아닌)에 따라 진행되었다. 따라서 미국이 포함된 합의를 모색하기 위해서는 CDM이 포함된 합의가 불가능하다는 딜레마가 있었다. 이 문제는 여전히 남아 있다. 이후의 협상은 '새로운 시장 매커니즘'의 형성을 논의 중이다.

EU는 CDM을 지원하기 위해 EU ETS 3단계 동안(2013~2020) CDM 크레딧을 받아들이겠다고 했다. 그럼에도 불구하고 2020년을 위한 내부 목표 협상을 둘러싼 EU 내부의 문제와 경기침체로 CDM은 종말 위기에 처한 것처럼 보인다.

탄소시장 비평가들은 대부분 탄소시장이 막을 내릴 것이라 해석했고, 누군가는 '좀비 탄소'라고 명명했다(Reyes 2011). 물론 탄소시장의 규범적이고 환경적인 효과 문제는 여전히 심각한 게 사실이지만, 그렇다고 종지부를 찍기에는 아직 이르다. 시장의 다양한 문제에도 불구하고 탄소시장은 세계적으로 계속 확장되고 있다. 한국, 중국, 캘리포니아, 퀘백 및 기타 개발 초기 단계에 구축된 시스템은 모두 정확히 이 명백한 최종 위기 기간에 도입된 것이다. 이는 범죄 방지 여부보다는 통치 방식과 더 관련이 있어 결국 범죄 감소 효과에 대한 비평이 핵심을 비켜 가는, 감옥 시스템의 실효성에 대한 푸코의 논평을 연상시킨다(Foucault 1977). 국제 협상가들은 앞서 언급한 제도적 문제들을 해결하고자 부단히 노력하여 2015년까지 도달할 계획의 일부로 '새로운 시장 매커니즘' 계획을 발전시켜 나갔다. 결국 시장화marketisation는 기후변화 정책 토론의 핵심으로 남는다. 넓게 보면 1차 상품(탄소 상쇄 등)과 이를 기반으로 하는 파생금융상품, 이것들이 생성하는 새로운 상품의 동원으로 생성되는 축적 잠재력 때문이다.

탄소 상품

탄소시장에는 탄소 배출을 생성하거나 대기에서 이산화탄소를 흡수하는 활동을 중심으로 한 추상적 상품 세트를 만들어 내는 일이 포함된다. 이런 상품은 금융상품으로 거래되고, 직접적인 상품 거래 외에도 파생상품 세트(2008년 붕괴를 초래한 CDO 제품에 비해 비교적 단순한)도 있다. 2005년과 2009년 사이에 이 상품들은 세계에서 가장 빠르게 성장하는 금융시장을 만들어 냈다.

이러한 시장의 생성에는 특정 상품이 만들어지는 정교한 프로세스가 포함된다. 일반적으로 두 가지 탄소시장에 해당하는 두 가지 유형의 프로세스가 있다. 하나는 ETS, 즉 배출총량거래제이고, 다른 하나는 탄소상쇄시스템이다. ETS에서 상품은 일정 수만 허용하고 할당 방법을 결정하는 당국(또는 교토의정서 같은 국제 ETS의 경우 국가 간 협상)의 인가를 받아 만들어진다. 탄소상쇄시장에서 당국은 여러 가지 허용을 만드는 것이 아니라 신용이 창출될 수 있는 규제 프로세스를 만들어 나간다. 예를 들어 CDM의 경우, 프로젝트 개발자는 프로젝트 제안서를 작성해 감사를 받은 다음 CDM 이사회의 승인을 받아야 한다. 그런 다음 정말 배출량이 줄어들었는지 (그리고 기타 다양한 기준들을 충족하는지) 여부를 다른 감사 회사에 확인받은 뒤, CDM EB 가 회사에 해당 상품을 판매할 수 있는 CER(CDM에 대해서는 Paulsson 2009 or Yamin and Depledge 2004를 참조)을 부여한다. 이런 구분은 명목화폐fiat money와 부채형 화폐debt money의 구분과 대체로 비슷하다. 전자는 돈을 발행하는 정부의 권위와 신뢰도로 만들어지는 것이고, 후자는 미래에 돈을 갚겠다는 약속의 신뢰성에 기초해 만들어진다(Mellor 2010).

이런 과정을 통해 시장에서 거래되는 기본 상품들이 만들어진다. ETS의 각 시스템에는 EU ETS의 EUA, 뉴질랜드의 NZU 등 자체적인 기본 상품이 있다. 각 상품에 대한 약어가 늘어나는 것은 어쩌면 시장 거래 과정을 단순화한다는 측면에서 중요할 것이다. 탄소상쇄시장에는 크게 두 가지 용어가 쓰인다. CER은 CDM에서 창출되는 신용을, 자발적 상쇄 시장은 일반적으로 VER(인증된 배출 감소)로 알려져 있다. 각각은 날짜마다 달라 다른 상품 간의 추가적 거래 가능성을 만들어 낸다. 각 허용량은 해마다(예컨대 EUA 2010) 특정되며, 일반적으로 상쇄 프로젝트는 어떤 프로젝트가 배출물 감소를 발생시킬 것이라 예상되는 기한에 해당하는 특정 연도에 대한 크레딧을 생성한다(프로젝트에 따라 연차수가 달라지는데, 풍력발전 같은 경우는 산림 프로젝트와는 달리 수년 동안 효과를 나타낸다).

그래서 기본 상품이 그 다양성만으로도 상대적으로 제한된 수의 탄소시장 기관을 기반으로 상당히 다양한 거래 전략을 세울 수 있다. 그러나 시장 행위자들은 제한된 파생상품 세트—일부 더 복잡한 상품이 만들어지긴 했지만 주로 선물 및 옵션—를 만들어 이를 발판으로 삼았다. 여기에서 이런 전략을 생성하는 주요한 세 가지 논리가 있다. 첫째, ETS의 규제를 받는 기업은 가격 변동성을 걱정하며 이를 헤지하려 한다. 따라서 이들은 고정 가격으로 선물 계약을 따내려고 할 수 있다. 둘째, ETS에서 기업은 대부분 직접 수당을 할당받는다(이를 '그랜파더링grandfathering'이라고 하는데, 수당을 지급하는 회사가 이를 선불로 구매하는 '경매' 경향이 있다). 즉, 규제 주기가 시작될 때 그들은 자산과도 같은, 거래 가능한 허용량을 갖게 된다(예컨대 2008년부터 2012년까지의 EU ETS 2단계에서는 배출량을 충당하는 데에 필요한 허용량을 포기해야 한다). 따라서 일부는 나중에 더 싸게 살 수 있다고 내다보며 이러한 허용량을 조기에 판매할 것이다. 셋째, 상쇄시장에서는 상쇄 프로젝트 투자자가 실제로 지급될 크레딧을 알기 전에 미리 돈을 지출해야 한다는 점에서 어느 정도의 규제 위험이 있다(프로젝트가 거부되거나 배출량 감소를 달성하지 못할 수도 있기 때문에 CDM에서 실패율을 약 30퍼센트 정도이다)(Cormier and Bellassen 2013 참고). 그래서 이러한 규제 위험을 여러 CDM 프로젝트에 걸쳐 묶은 다음 서로 다른 투자자들 사이에서 분할하는 방식으로 '구조금융' 상품에 몇 가지 혁신이 있었다.

이러한 재정화 전략의 근간에는 이런 종류의 탄소배출권 동원을 가능케 하는 인프라가 있다. 이 중 일부는 규제 인프라의 전체 집합체다. 어느 시점에 누가 크레딧으로 어떤 허용권을 소유하고 있는지 기록하는 레지스트리, 거래를 기록하는 거래 로그, 상쇄 프로젝트의 배출 감소 주장이 믿을 만한지 확인하는 인증 시스템, 금융 거래를 가능하게 하는 거래 플랫폼 등의 집합체이다. 이들 각각은 탄소와 탄소 동원 주체(거래자, 프로젝트 개발자, 검증자 등)를 관리하는 기술 모두를 수반하며, 특정한 방식에 따라 탄소를 통치 대상으로 구성하는 특정한 형태의 지식 생산을 동원한다. 이 집합체들은 탄소의 통치성, 즉 탄소의 흐름과 집적으로 세상을 알 수 있게 만드는 지식과 권력의 구성으로 분석할 수 있다(Andrew and Cortese 2011; Lövbrand and Stripple 2011;Lovell and MacKenzie 2011;Paterson and Stripple 2012; Methmann et al. 2013). 설사 이런 분석이 이 집합체들의 정치를 과소평가하는 경향이 있다고 하더라도, 갈등과 경쟁이 이러한 생산을 둘러싸고 있다고 말할 수 있다. 이 집합체들은 개별 탄소 상품의 특정 기능을 수정하여 시장에서 이동 가능하게 만든다.

탄소를 통치하는 이러한 합리성과 기술은 이와 관련된 주체성 형식의 구성과도 관련된다. 탄소 거래는, 더 넓은 사회적 · 환경적 이득을 위해 금융 전문 지식과 이익을 사용하는 '도덕적'(Paterson and Stripple 2012) 행위자와 금융시장 행위자가 결합된 형태인 탄소 거래자와 함께, 새로운 형태의 주체 위치 생성과도 동시에 관련된다. 탄소 시장의 사회적 재생산은 해당 시장에 대한 상당한 감정적 욕망의 동원, 관련된 상품, 그리고 그들이 추구(한다고 주장)하는 사회적 목적에 달려 있다(Descheneau and Paterson 2011). 세계은행과 국제배출권거래 협회International Emissions Trading Association(탄소시장을 위한 비즈니스 로비 그룹)가 주최하는 연례 무역박람회인 탄소엑스포 같은 행사는 대부분 이런 욕망과 결과적으로 탄소를 동원하는 주체를 구성하고자 운영된다.[4] 탄소를 동원할 수 있는 이런 주체를 통치하고 형성하는 것은

---

[4] 여기를 참조. http://www.carbonexpo.com/en/carbonexpo/home/index.php. Accessed June 27, 2014.

특히 세계은행의 파트너쉽과 국제탄소행동파트너쉽International Carbon Action Partnership, 그리고 에딘버러대학교 및 이스트 앵글리아 대학교와 같은 MBA 탄소금융 프로그램에서 중요한 활동이 되었다.[5]

그러나 아마 더 근본적인 것은 기후변화 정치를 '탄소' 문제로 재구성하는 것과 관련된 물신화 문제일 것이다(Lohmann 2010; Moolna 2012). CO_2의 화학 성분 그 자체로는 기후변화와 관련이 없다. 복사되는 것은 CO_2의 탄소나 메탄이 아니다. 일부 GHG(예컨대 아산화질소)에는 탄소가 전혀 포함되어 있지 않지만 '탄소 배출'로 재개념화되었다. 이 '탄화' 과정을 구성하는 세 가지 물신화 과정이 있다(Stephan 2012; Mert 2013; 여기 나오는 보다 긴 역사에 대해서는 Paterson and Stripple 2012 참조).

첫째, 1980년대 후반 기후변화를 연구한 과학자들은 지구의 온실가스 전체 배출량을 측정하는 방법을 개발하고자 했다. 그들은 서로 다른 GHG(CO_2, CH_4, N_2O, CFC 등)를 측정하는 표준화된 방법이 된 지구온난화 지수Global Warming Potential(GWP)로 알려진 측정값을 내놓았다. 그러나 시간 프레임 같은 여러 방법론적 선택이 (서로 다른 가스가 서로 다른 시간 동안 대기에 머물기 때문에) GWP 계산에 포함되면서 그 반복적 재생산으로 측정값의 의미가 희미해졌다. 둘째, 1991년 초부터 기후변화에 대한 국제적 협상을 시작한 정부는 각자 책임을 할당하고 국가 협상 전략을 개발할 수 있도록 국가 총 배출량을

---

[5] 세계은행 프로그램에 대해서는 다음을 참조. https://www.thepmr.org/. Accessed June 27, 2014. On ICAP, see http://icapcarbonaction.com. Accessed June 27, 2014.

측정하려 했다. 일부 정부(예컨대 노르웨이, 미국, 캐나다)는 협상 방식에 유연성을 확보하고자 했고, 그러면서 다른 GHG 간의 교환 가능성 문제가 중요해졌다. 셋째, 탄소배출시장의 제도적 기반을 마련하려는 정책 입안자들과 이후의 재정가들은 이러한 총 배출량 측정치를 여러 부분으로 쪼개서 거래하고자 했다. 1997년에서 2001년 사이 교토의정서의 운영 규칙을 확정짓는 혼란스러웠던 협상의 역사에서 이 부분은 tCO_2e 또는 이산화탄소환산톤tonne of carbon dioxide equivalent이 되었다.

이 단위는 기존의 모든 탄소시장(미터톤 대신 미국 숏톤을 사용하는 RGGI는 제외)을 뒷받침하고 특정 단위(EUA, CER 등) 간에 통용 가능성을 만들어 낸다. 따라서 고도로 분화된 실천의 산물을 단일 시장 공간으로 통합하는 다양한 재무 전략이 가능해졌다. 이는 산림프로젝트, 석탄-화력발전소, HFC 배출 산업시설 등 다양한 활동 사이에서 모빌리티를 생성하는 것이다(MacKenzie 2009). 각각은 배출, 흡수, 또는 제거된 탄소의 관점에서 재개념화되어 여러 활동 간의 거래를 가능하게 만든다.

이와 동시에 이런 균형은 기후변화를 다룰 권리와 책임을 할당할 모빌리티를 생성해 낸다. 특히 상쇄는 이런 상품화가 (대부분) 부유한 서구 소비자와 기업의 배출량을 그들 관행의 영향으로부터 멀어지게 하는 상황을 만든다. 국제 협상에서는 일찍이 '공동의, 그러나 차별화된 책임common but differentiated responsibilities'이라는 개념으로 책임분담을 공식화했다(UNFCCC 1992, Article 3.1). 이것은 협상 내에서 '선진국'과 '개발도상국'의 구분을 둘러싼 형식적인 경직성, 임모빌리티를 만들어 냈다. 선진국은 역사적으로 기후변화를 초래한 책임이 있다고 여겨지므로 이 문제 해결에 '앞장서야' 한다(UNFCCC 1992, Article 3.1). 개발도상국은 배출을 제한받을 의무가 없으며, 예를 들어 배출 및 흡수원 저장고를 생성해야 하는 일반적인 의무만 있다. 이런 구분은 1992년 FCCC, 1997년 교토의정서를 도출한 협상을 만들어 낸 1995년 '베를린 위임사항Berlin Mandate'에서 협상 역학의 중심을 형성했고, 후속 조약을 만들기 위해 2007년 발리에서 열린 당사국총회에서부터 2012년 도하로 이어지는 후속 협상이 진행 중이다. 실제로 많은 개발도상국, 특히 중국과 같이 빠르게 성장하는 거대 국가가 배출량 제한의 필요성을 받아들이고 있지만, 광범위한 선진국/개발도상국(UNFCCC의 부속서1국가/비부속서1국가, 교토의정서의 부속서B국가/비부속서B국가) 구분은 여전히 지속되고 있다.

하지만 시장화는 (좋든 나쁘든) 이 경직된 상황에 모빌리티를 도입했다. 선진국/개발도상국 구분 사이의 협상이 교착상태에 머무는 동안, 시장 상품 생산은 기후변화 해결 문제의 공식적인 책임 할당과 실제로 배출이 감소되는 장소 간의 관계가 명확하지 않은 역동성을 만들어 냈다. CDM의 발명은 이를 가능케 하는 초기 움직임이었고, 2004년 EU의 '연계 지침Linking Directive'으로 CDM에 따라 규제되는 기업들이 CER 크레딧을 구매하고 EUA와 교환할 수 있게 되면서 그 연결이 완전히 깨졌다. 이는 CER 수요에 엄청난 자극을 주었고 CDM에 대한 투자는 빠르게 늘었다. 일부 추정치에 따르면 설계자들이 처음 예상한 것보다 3배 이상 많은 탄소가 거래되었으며, 이는 배출량을 줄여야 하는 의무가 있는 교토의정서 당사국이 공식적으로 달성한 배출량 감소의 약 23퍼센트를 차지했다. tCO_2e는 탄소 배출을 줄일 수 있는 여러 장소와 다양한 유형의 탄소 상품 사이의 모빌리티를 다 가능하게 했다.

시장을 넘어 이동하는 탄소

탄소시장 건설의 일환으로 발명된 단일 단위 사용으로 시작된 탄소의 물신화는 다른 영역 전체로 옮아 가면서 기후변화에 대한 사실상의 암호가 되었다. 이는 진정한 의미의 공허한 기표가 되었고 (Glynos and Howarth 2007), 그 자체는 아무런 의미가 없지만 기후변화에 대한 선의의 행동과 관련된 모든 범위의 의미에 투자되고, 다양한 사회 영역에 걸쳐 동원되고, 기후변화 정치의 공간에 기호학적으로 통합된다. 네를리히Nerlich · 에반스Evans · 코테이코Koteyko(2011), 그리고 코테이코 · 텔월Thelwall · 네를리히(2010)의 연구는 1990년대 후반부터 탄소를 포함하는 '복합어'의 확산에 주목했다. 탄소는 탄소시장, 탈탄소화, 탄소상쇄, 탄소금융과 같은 협소한 경제적 또는 기술적 복합어에서부터, 탄소 다이어트, 탄소 해독, 탄소 중독, 탄소 죄인 같은 신체 및 정체성 지향 복합어의 범위로 이동했다(Koteyko, Thelwall, and Nerlich 2010, 33).

이러한 용어는 부분적으로는 새로운 행위자가 탄소 프레임을 전략적으로 사용해 기존 관행을 기후 분야와 연결함으로써 생겨났다. 예컨대 탄소 다이어트가 어휘 목록에 들어오자 요리책을 홍보하는 유명 쉐프, 활동적인 라이프스타일을 이야기하는 공중보건 전문가, '비만을 유발하는 환경'에 반대하는 도시계획가, 영적인 이유로 단순함을 추구하는 종교적 그룹('탄소 단식') 등 다양한 (나름의) 전문가들이 탄소 다이어트 프레임의 독특한 변형을 만들어 냈다(Stripple and Paterson 2012). 이들 중 일부가 탈탄소화를 추구하는 축적 전략과 일치하는 종류의 문화적 주체를 만들어 낸다고 보는 것은 어렵지 않다. 예를 들어 자전거 타기, 걷기 등 '능동적 이동' 실천이 증가하도록 설계된 일련의 개입은 주택공급, 비즈니스, 교통 기반 시설 투자를 통한 도시 중심 투자 체제와 관련된 일종의 주체성 문제로 이해할 수 있다. 저탄소 주체성은 이 같은 투자의 성공에 필수적이다.

결론: 동원된 탄소와 저탄소 축적 체제의 모색

'탈탄소화'라는 용어의 담론적 힘에 대한 일반적인 해석은 기후변화에 대한 대응을, 역사적으로 축적이 의존했던 일련의 모빌리티 전체를 해체할 필요가 있을 때 어떻게 축적을 생성할 것인가의 문제로 보는 것이다. 만약 우리가 자동차 사용이나 음식, 전기, 상품의 이동거리를 줄이려면 자본은 모빌리티와 관련된 축적을 실현시킬 다른 방법을 반드시 찾아야 한다. 탄소시장은 하나의 개별적인 시장이기도 하지만, 새로운 모빌리티가 생성되고 있음을 의미하는 유의미한

시장이다. 이 글에서는 전반적인 담론 틀에서 벗어나고 있는 일종의 통치적 집합 요소들을 상세히 설명했다. 초기의 방법(GWP와 배출량을 계산해서 적용한 tCO₂e)의 이면에서 다양한 맥락으로 탄소를 측정하고 관리하도록 설계된 기술적 방법들의 총체가 고안되었다. 이것은 탄소 배출원 및 이와 관련된 사회적 관행에 관한 다양한 지식 형태와 관련이 있다. 그리고 이는 '저탄소' 실천을 향한 주체성을 직접 형성하려는 프로젝트에 각인되었다.

하지만 처음에 언급했듯이, 나는 푸코의 작업과 이후 푸코적인 연구로 얻게 된 이 관심의 초점을 정치경제 문제와 연결짓고 싶다. 정치경제적 관점에서(특히 아글리에타의 글(Aglietta 1979)과 이 책의 만더샤이트의 글에서처럼 규제이론에 의존할 때), 이러한 축적 전략이 지속적이고 안정적인 성장을 만들어 내는 데에 도움이 되는지 여부가 쟁점이다. 이 질문은 자본주의 사회에서 대개 필수적인 것이지만 경제위기에 닥쳤을 때 특히 날카로워진다. 역사적으로 자동차모빌리티 복합체를 불러온 모빌리티는 제2차 세계대전 이후 비교적 안정적인 성장 패턴과 밀접하게 연결되어 있다. 생산과 소비, 정부 개입과 경제적 재분배, 노사관계와 생산성 정치 간 관계의 양상은 1940년대 후반부터 70년대 초까지 산업화된 국가들의 안정적인 성장을 이끌어 온 포드주의 시기의 중심에 있었다. 이와 동시에 자동차모빌리티의 문화정치는 착취적인 노사관계가 여전히 핵심 문제였음에도 불구하고 이 체제를 정당화시키는 데에 일조했다.

탄소시장으로 가능해진 모빌리티가 축적과 합법성 간의 유사한 순환을 일으키는 데에 도움을 줄지는 아직 미지수다. 본능적으로 아닐 거라 말하지만, 이렇게 말하는 건 1910년쯤에 앉아서 교통정책과 세계경제의 미래를 그려 보는 척하는 것과 같다. 탄소시장 자체가 상당한 정당성 문제를 안고 있고 계속 겪을 것은 사실이지만, 잘 생각해 보면 1910년 당시 자동차는 보편적 인기를 누리지 못했다(예컨대 McShane 1994; Paterson 2007, 2장). 공통점도 있다. 탄소시장은 유용한 경제성장 전략일 뿐만 아니라, 어떤 의미에서는 선한 것으로 제시된다는 점이다. 자동차모빌리티 이데올로기와 연관된 '자유-증진'이라는 정당성으로가 아니라 탈탄소화와 연관된 '선'을 추구하는 일종의 미덕으로서 말이다('도덕적 탄소virtuous carbon' 논리에 대해서는 Paterson and Stripple 2012).

다시 말해서 탄소시장은 지금까지 대부분 기후변화에 대한 대응을 동원할 새로운 '지식, 매커니즘, 기술의 조합'(본서의 Manderscheid 등)이 생산되는 중요한 현장이었다. 푸코적인 의미에서 이러한 조합이 '규범의 다양한 종류와 강도'(본서의 Manderscheid 등)를 만들어 내는 것을 목표로 한다는 점을 고려한다면, 탄소 다이어트, 탄소 발자국, 탄소 상쇄 등 여러 주체 중심 거버넌스 프로젝트가 동시에 생겨나는 것도 놀랄 일은 아닐 것이다. 이는 서두에서 설명한 광범위한 사회적·정치적 필수 요소로서 모빌리티를 반영하는 동시에 역사적 근대성과 관련한 모빌리티 형태에 도전해야 할 필요성 간의 기본적인 역동성과 긴장을 반영한다. 문화정치적 경제 관점, 특히 푸코와 관련된 관점들은 우리로 하여금 이 규범을 이해하게 하고, 그것이 전개됨에 따라 펼쳐지는 주요 윤곽선을 그려 보게 한다.

7장

'사회-기술적 체제'에
힘 싣기

: 정치적 과정으로서의 중국 e-모빌리티 전환

데이비드 타이필드_영국 랭커스터대학교 모빌리티연구소

저탄소 모빌리티 전환은 사회적으로나 모빌리티 연구에서나 모두 중요한 문제다. 다층적 관점(MLP)은 모빌리티 패러다임 안에서 두드러지는 사회-기술적 시스템 분석과 중요한 관련이 있는 선도적인 접근법이다. 이 글에서는 특히 푸코에서 영감을 받은 문화정치경제가 MLP의 핵심 문제를 뛰어넘어서 보여 주는 중요한 공헌들을 탐구한다. 이를테면 질적으로 새롭고 역동적인 전환 과정을 분석하게 해 주는 생산적인 권력 개념, 그리고 외부적인 '경관'을 분석 속에 통합해 낸 것에 주목하고자 한다. 이런 움직임은 '구조적' 전환과 모빌리티 연구에서 권력 역학에 대한 관심이 높아진 것과 공명한다. 본고는 모빌리티 전환을 위해 중국이 최근 기울인 노력을 보여 주는 사례 연구를 전개한다. 이는 MLP 격차의 중요성을 더 분명히 보여 줄 뿐만 아니라, 비록 정보에 입각한 추측의 형태이긴 하지만, 저탄소 도시 모빌리티 전환으로 가는 경로를 제공함과 동시에 이것이 글로벌을 포함한 다양한 차원에서 질적인 권력 전환과 불가분의 관계임을 설명하는 실증적 사례를 제시한다.

서론

아마도 현재 모빌리티 연구에서의 가장 큰 도전은 "지속 가능한 운송"(Banister 2008; Geels et al. 2013a)으로의 사회-기술적 전환이 가능한가 하는 문제와 그 실현 방법에 대한 문제일 것이다. 전 세계 온실가스 배출(GHGs)의 약 25퍼센트를 차지하는 운송은 '기후변화'를 완화하려는 노력의 핵심 문제가 되었으며, 그 중심에는 '자동차모빌리티'(Urry 2004)라는 사회-기술적 시스템이 있다. 이와 관련해 가장 중요하고 유일한 발전은 아마도 현재 중국 내에서 일어나는 모빌리티 변화일 것이다. 이제는 세계경제의 중심이 된 근 20년 동안, 중국 사회는 걷기, 수레, 자전거 등의 느린 이동 수단에서 특히 자동차나 트럭과 같은 빠른 수단으로 옮아갔다. 물론 1인당 GHG 배출량은 적지만(예컨대 2005년 중국의 1인당 배출량은 5.5MtC인데 비해, 미국의 1인당 배출량은 0.75MtC(Winebrake et al. 2008,218)), 중국은 이미 세계에서 가장 많은 배출국이 되었고 배출량은 점점 증가하고 있다.

중국의 자동차는 2004년 920만 대에서 2010년 4,030만 대로, 총 차량 수는 2,740만 대에서 9,090만 대로 증가했다(NBS 2005, 2011). 성장률은 중기적으로 봤을 때 연 7.8퍼센트로 지속될 것으로 예상된다(Sperling and Gordon 2009, 209). 총 차량 수는 2020년까지 6천만 대, 2050년에는 3억 대라는 예측에서부터(Feng et al. 2004), 빠르면 2015년에 1억 대에 도달할 것이라는 예측까지 다양하게 나오고 있다(Chen, Liu, and Feng 2004, Winebrake et al. 2008, 217). 중국 가구소득과 인구 규모의 증가로 중국은 이미 세계 최대의 자동차시장이 되었다. 그러나 중국의 자동차 밀집도는 특히 미국에 비하면 상대적으로 낮다. 이는 더 극적인 성장을 시사하는 동시에 엄청난 문제를 암시한다. 미국의 자동차 밀집도는, 2003년 전 세계 자동차 수보다 50퍼센트 더 많은 9억 7천만 대의 자동차를 포함하고(Girardet 2004) 현재 세계 석유 생산량의 102퍼센트를 소비하는(통계 출처는 IEA 2011 and Winebrake et al. 2008,216) 중국에서는 불가능한 것처럼 보인다.

따라서 중국 도시 모빌리티의 '친환경화'는 국제적으로 중요하고 시급한 문제이다. 하지만 이는 매우 어렵고 복잡하며 다층적인 도전이다. 사실 일반적으로 말해서 자동차모빌리티는 저탄소 전환의 '가장 어려운 사례'(Tyfield 2013; Geels et al. 2013b, xiii)임이 틀림없다. 따라서 특히 전기차에 대한 정부와 기업의 상당한 지원에도 불구하고 중국에서 두드러지는 변화가 나타나지 않는 것도 놀랄 일이 아니다. 저탄소 전환을 향한 시대적 노력의 일환(물론 이게 핵심이지만)으로서 이 문제의 본질과 그 비타협성의 근원은 '사회-기술적 시스템'에 주목하는 분석 틀을 사용하면 의미 있게 조명할 수 있으며, 그중 (당연하게도) 가장 두드러지는 방법이 다층적 관점MLP(multi-level perspective)이다(Geels 2002; Elzen, Geels, and Green 2004; Geels and Schot 2007; Van Bree, Verbong, and Kramer 2010).

MLP는 광범위한 혁신 연구 전통의 하나로, 최근의 모빌리티(Geels et al. 2013a)를 포함하여 사회-기술적 전환(Smith, Voß, and Grin 2010)에 대한 설명과 관리에 활용되어 왔다. 본격적인 이론이 아니라 사회-기술적 전환을 통해 사고하는 '발견적 방법'인 MLP(다층적 관점)는 '다양한-층위' 분석이 특징이다. 이 방법은 지배적인 시스템으로 정렬된 다양한 사회적·규제적·경제적·기술적 요인으로 역동적으로 구성된 '사회-기술적 체제'에 중점을 둔다. 아래로부터 보자면 이 체제는, 대체로는 틈인 채로 남아 있거나 혹은 실패하는, 새로운 '틈새niches'에 도전받고 있는데 그중 일부는 체제에 급진적인 불연속, 즉 '체제 전환'을 불러올 정도로 성장할 수 있다. 한편 위로부터의 이 모든 사회-기술적 조치는 MLP 분석의 목적을 위해 외부적인 것으로 취급될 수 있는 다양한 정치, 경제, 사회, 환경 설정의 광범위한 '경관landscape' 안에서 설정된다(Geels and Kemp 2013,57-58).

이런 관점을 사용한 분석은 다양한 요소를 예리하게 엮어 내는 과거 시스템 전환(Geels 2005)에 대한 여러 역사적 설명들을 구성해 왔다. 이는 새로운 기술에 계속 초점을 맞추는 주류(정책) 설명으로 확장되는데, 이는 돌이킬 수 없는 사회적 요인을 배제하는 동시에 사회-기술적 안정화 및 그 전환의 체계적인 특성을 배제한다. 그러나 MLP가 시급한 장래의 오늘날 요구되는 저탄소 시스템 전환에 아직 긴급한 예비를 지원하기 시작한 것은 아니지만, 그 절박한 요청의 주요 원천인 약속을 이행하기 위해 정책 입안자와 관련 학자들이 고군분투하고 있음은 점점 더 분명해지고 있다. 이러한 문제—특히나 두 가지—는 중국의 사례를 검토해 볼 때 더욱 두드러진다.

첫째, 자동차모빌리티의 체계적이고 이질적인 사회-기술적 특성(Urry 2004)과 더불어, 자동차모빌리티와 글로벌 정치경제의 광범위한 특성, 그리고 (지리)정치적 헤게모니 시스템 사이의 강력한 상호연결은, 중국에 주목했을 때 뚜렷하게 드러난다. 20세기 초중반 자동차모빌리티 시스템의 출현은 미국의 헤게모니와 불가분의 관계이고 그 반대도 그렇다(Paterson 2007). 이 둘이 19세기 영국 헤게모니 붕괴라는 혼란과 함께 등장한 것과 마찬가지로 말이다. 오늘날 우리는 이와 비슷한 엄청난 혼란의 시기에 있다. 이는 오늘날 모빌리티 전환에 대해 핵심적인 질문을 던진다. "차기 디트로이트는 어디인가?" '구조적' 혹은 '권력' 전환에 대한 모빌리티 연구의 광범위한 요구와 맞닿아 있는 질문이다(Bærenholdt 2013; Salter 2013; Sheller 2013). MLP 분석에서 이러한 고려들은 '경관'으로 정의된다. 따라서 일반적으로 안정적인 것으로(혹은 불안정한 것으로도) 취급되는 외부적 변수는 사회-기술적 체제 변화를 위한 '기회의 창'으로 분석에 도입되어야 한다.

그러나 MLP(다층적 관점)가 수용하지 못하는—분명히는 수용할 수 없는—것은 중국 내 자동차모빌리티(정책)의 실제 정치적 현실이다. 즉, 현재야말로 중국이 '차기 디트로이트'가 될 수 있는 기회라고 생각하고 있는 현실이다. 이는 '중국Middle Kingdom'을 지정학적 질서의 중심이라는 그 정당한 위치로 되돌리겠다는 광범위한 프로젝트의 중요한 부분으로 간주되며, 정부와 기업 그리고 다수의 민족주의적

---

[1] 이 간단하고 명료한 공식에 대해 매트 패터슨Mat Paterson에게 감사를 표한다.

시민이 추동하는 바이다. 따라서 중국의 모빌리티 전환이라는 관점에서 볼 때 모든 것, 즉 '세계'가 실제로 작동하고 있다는 것은 명백할 뿐만 아니라 근본적인 것이다. 결국 MLP의 모빌리티 전환 분석은 이러한 고려 사항을 제외시키게 됨으로써 이것의 중요한 역학과 핵심 전망을 놓치게 된다.

둘째, 이와 관련하여 현재 중국은 국내적으로나 국제적으로나 매우 급변하는 사회의 사례를 보여 주기 때문에, 시도한다 해도, 외부적인 것으로 여겨지는 '안정적인' 경관을 공식화하기 어렵다. 현대사회의 구성과 형성에서 모빌리티 시스템이 담당하는 중요한 역할을 고려할 때 더욱 그렇다(Bærenholdt 2013). 따라서 우리는 질적으로 새로운 자동차모빌리티 시스템(들)이 더 넓은 사회적 제도와 상식과 병렬적으로 구성된다는 점을 통찰력 있게 탐구할 수 있는 관점이 필요하다는 사실에 직면한다. 다시 말하지만 이는 주어진 분석의 '차원'과 여기에 주어진 질적 특성에 대한 MLP의 엄격한 구분을 거의 불가능하게 만드는 것이다.

이 글은 더 예리하고 생산적인 분석을 제공하는 사회–기술적 시스템 연구를 제공함으로써 이러한 약점을 극복하는 데 기여하고자 한다. 이는 푸코의 후기 작업, 즉 최근에야 영어로 번역된 콜레주 드 프랑스 강의와 관련이 있다(Foucault 2004, 2009, 2010). 더 구체적으로 말하자면, 푸코의 작업에서 영향을 받은 문화정치적 경제(CPE) 관점이다. 따라서 이 글에서는 두 가지 주요 방법을 탐구할 텐데, 푸코의 권력과 통치성/자유주의에 대한 분석을 도입하는 것은 새로운 시스템 연구와 '경관' 문제 분석 각각과 관련하여 사회-기술적 시스템 전환에 대한 MLP 분석에 기여하고 그 격차를 채워 줄 것이다. 이것은 추상적인 이론 검토와 더불어 '친환경' 자동차모빌리티를 위한 중국의 지속적 노력에 대한 경험적 설명으로 진행될 것이다.

자동차모빌리티와 푸코

대안적 관점을 제시하기 위한 첫 단계는 푸코로 눈을 돌리는 것이다. 특히 그의 후기 저작은 상세한 주석이 필요한 텍스트라기보다는 핵심 개념의 자원이라는 점에서 주목해야 한다. 여기에서 푸코는 중요한 이론적 문제에 대한 '답'이나 더 향상된 이론적 틀의 독보적 구성 같은 것을 하는 것이 아니다. 오히려 그의 작업은 신그람시학파neo-Gramscian (국제)정치경제학과 '규제 접근' 경제사회학의 영향을 받은 CPECultural Political Economy(Jessop and Sum 2006; Paterson 2007; Tyfield 2012)의 넓은 틀 안에서 통합되며, 주어진 시공간에서 자본축적의 경쟁 과정을 정례화하는 다양하고 구체적인 사회-공간적 해법들을 연구한다(본서의 Paterson and Manderscheid 논문 참고).

푸코의 작업에 나타난 두 가지 요소는 앞서 설명한 개념적 격차를 해결하는 사회-기술적 시스템 관점을 발전시키는 데 사용될 텐데, 하나는 그의 권력 개념이고 다른 하나는 정치체제의 특정 형식으로서 자유주의와 통치성에 대한 구체적인 분석이다. 전자와 관련해 푸코는 권력에 대한 친숙하고 부정적인 법-담론적 개념에 반하여, 권력을 '소유'할 수 있는 것으로 보고 '긍정적인' 개념으로 전개한다. 따라서 권력은 권력자의 손에 달린 것이고, 그리하여 이는 다른 사람들의 의지에 반해 무언가를 하도록 강요하는 능력인 폭력에 대응된다. 권력은 대중의 동의를 통해 정당화되는 경우를 제외하고는 규범적으로 나쁜 것이라고 관습적으로 이해되어 왔다.

반대로 푸코에게 권력은 사물이 아니라 관계이다. 소유되거나 집중되는 게 아니라 구성적이며 (비대칭적으로) 분산되며, 나쁜 것으로 추정되진 않지만 규범적으로 모호하고, 억압적이고 파괴적일 뿐만 아니라, 모든 인간적 창조를 위해 생산적이고 존재론적으로 필요한 것, 합리적으로 동의할 때까지는 불법적인 것이 아니며 전략적이고 편재하는 것이다. 따라서 이 개념은 어떻게 권력관계가 구성되는지 그리고 이어 세계를 구성하는지에 대한 분석을 제공한다. 동시에 특정한 권력-지식 테크놀로지(그리고 우발적으로 나타나는 특정 시스템 기능 또는 장치를 통해 구성되는 집합)를 포함하는데, 이는 실천을 매개하며 따라서 집단적 통치, (국가)제도, '상식', 주체성 형식을 가능케 한다.

이러한 권력 개념은 푸코로부터 도출된 두 번째 핵심 개념 자원에도 중요하다. 푸코는 정치적 '상식'의 '근대적' 형식의 계보학을 탐사하면서 주로 '합리적' 계산과 측정과 관련된, 지난 2세기 동안 출현한 특정 규칙의 기술에 주목했다. 이는 중앙집권화된 권위로 특정한 '불법적' 형태의 행동을 제거하려는 시도라기보다는 '합리성'과 다양한 자기통제 기술을 통해 '인구'의 수준에서 '위험'을 관리할 수 있는 정치체제의 한 형태로, 규율 체제가 아닌 '행위의 통솔conduct of conduct'로 특징지어지는 '생명관리정치'다[Dean 2010]. 이런 형태의 지배는 본질적으로 자유주의적이다.

'자유주의'로 우리는 정치철학이 아닌 권력 테크놀로지의 정치체제나 시스템을 의미화할 수 있다. 그러나 결정적으로 (특히 중국에 주목했을 때) 자유주의와 민주주의를 동일시해서는 안 된다. 오히려 자유주의는 개인의 자유에 의존하거나 '소모시키는'[Foucault 2010, 63] 방식으로 '(개인적) 행위를 통솔'함으로써 현대사회의 새로운 도전을 (전체적으로) 자기-안정화된 규칙 형태로 활용하려는 정치체제다. 이는 '시스템 통합'을 가능하게 하는 권력 테크노놀로지와 권력관계를 재생산하고 구성한다. 분명히 이런 도전들 중 가장 중요한 것은 '순환의 문제'다[Foucault 2009 – 또한 본서의 Usher, Philo and O'Grady도 참고할 수 있다]. 이는 '효율적인 시장'을 구성한다는 통치 프로그램의 맥락에서, 처음에는 초기 근대 도시, 다음에는 현대 글로벌 자본주의 경제가, 구속되지 않고 가속화되는 개인 모빌리티에 체계적으로 의존하고 있음을 보여 주지만, 시스템 기능장애의 '위험'과 혼돈이 최소화된다는 것을 의미하기도 한다[Goodwin 2010, 73]. 즉, 인구-통치성-순환의 삼위일체다[Bærenholdt 2013].

이런 관점에서 우리는 자유주의와 자동차모빌리티를 연결할 때의 강점을 인식할 수 있다. 라잔Rajan[2006, 115]이 예리하게 설명했듯이, 자동차모빌리티는 "개인 자유의 보편적 행사를 촉진하는" 더 일반적인 자유주의 통치를 위한 결정적이고 중요한 장인 통치의 형태—

국가와 그 국가의 구제를 둘러싼 제도적 형태와 특정 주체성을 둘러싼 개인적 형태 모두—에 의존해 그 형태를 구체화한다. 따라서 자동차모빌리티 '시스템'을 분석할 때 우리는 '고속도로 및 연료 수송 인프라'로 실천이 조건화되는 방법뿐만 아니라 "교통 규칙, 주차 구조, 면허 절차, 다양한 규제 기관의 통치성을 통해 더욱 극적으로" 조건화되는 방법을 알게 된다[115]. 운전에는 속도(혼잡 허용)가 주는 활기뿐만 아니라 "안전하고 정중하게 다른 사람을 지나쳐 가야 하는 무거운 책임감"과 '감정과 능력이 상호적이라는 중대한 기대"가 포함된다[122]. 따라서 이것들은 생명정치 문제, 물리적 위험 문제, 전체 인구의 위험 문제일 뿐만 아니라 동시에 최대 순환과 '자율성', 부정적 자유, '책임감 있는' 사용의 문제다. 따라서 운전은, 혹은 운전자와 비운전자 모두에게 자동차모빌리티의 체계적 우위 문제는, (반)기능적 · 자유주의적 · 자본주의적 사회가 전제한 주체의 '훈련'을 위한 근대 자유주의적 · 자본주의적 삶의 핵심 장이다[Rajan 2006, 122].

더욱이 자유주의와 통치성에 대한 푸코의 분석은 저탄소 전환에 대한 비판적 연구를 위해 이러한 형태의 통치와 권력체제의 핵심 측면, 즉 포함과 배제의 기술에 대한 결정적인 의존, 즉 규범적으로 문제적인 특성인 양면성을 강조한다. 구체적으로 이런 기술은 '자유'를 소비하고 제공하는 권력-테크놀로지가 '안전' 테크놀로지이기도 하다는 사실에 기대고 있다. 여기서 '안전'은 인구에 주어진 위험을 (과학적으로) 식별한 다음에 관리하고 최소화하는 것을 의미한다. 이는 만약 이런 '비자연적' 위협이 없다면 개인적 자유의 상호작용에서 '자연적'으로 그리고 자발적으로 나타나는 시스템의 기능을 약화시킬 수 있다는 위험이다. 이것이 만들어 내는 '자연적인 것'과 '비자연적인 것'/위험한 것 간의 사후적 구분은 '과학적으로 추론'된 것이며 매우 자유롭고 신뢰할 수 있는 것이다. 그래서 인구의 '건강'을 최대화하고 지키기 위해 비자연적인 후자를 처벌한다. 이는 이성적이고 합리적인 조치로 여겨지며, 심지어 주권적('처형' 혹은 몰살) 기술을 가하는 것으로 이어질 수 있다. 따라서 안전 테크놀로지**로서의** 자유 테크놀로지는 둘 사이에 (항상 구체적인) 구분을 도입한다.

이런 양면성은 몇 가지 의미를 갖는다. 첫째, 자유주의(자동차모빌리티)는 '공포의 상태état de peur'(Lemke 2011, 49), 즉 특정 형태의 실천이나 존재가 집단 시스템의 무결성을 위협한다는 (과학적) 진리를 수용하는 일반적인 상식적 문화정치를 전제로 한다. 따라서 존재하는 '안전' 위협을 두려워하고 가능한 한 제거해야만 한다. 그러나 역으로 자유와 안전 테크놀로지 자체가 이러한 공포문화를 **생성하고** 지식 테크놀로지와 관련된 권력관계로 매개되는 자기–강화 역학을 설정하여 시스템 안정성을 만들어 낼 뿐만 아니라, 시스템 전환에 필수적인 **확장된** 역학을 만들어 낸다. 다시 말해서, 본질적으로 경쟁적인 새로운 자유–안전 역학은 본질적으로 자유주의적인 현대사회에서 권력 전환**으로서** 새로운 사회–기술 체제를 출현시킬 강력한 역학을 구성한다.

이런 방식으로 새로운 사회적 정체성과 분류가 등장하고 확산될 수 있다. 여기서 '포함된 것'은 새롭게 부상한 사회–기술적 시스템의 새로운 이점/자유와 그것이 배제하는 행위나 관습의 위험성과 불편함 모두에 대해 구체적이고 정서적이며 실제적인 경험에 비추어, 점점 더 스스로를 그 자체로 동일시하게 (따라서 중요한 새로운 주체성을 생성하게) 된다. 그리고 이는 배제된 것들과 **대조된다**. 그리고 이 구분이 합리적으로 이해되고 (주어진 세속적·과학적 사회에서) **도덕적으로** 정당화될 수 있는 것으로 (점점 더 광범위하게) 이해되는데, 이는 다시 새로운 시스템의 모멘텀과 안정성의 중요한 문화적 요소가 된다. 앞으로 보겠지만, 와해적인 저탄소 모빌리티 혁신과 관련해 중국에서 등장한 체체형성적이고 사회적으로 배타적인 분류 과정에 대한 명백한 증거가 있다. 더욱이 이 역학의 초기 자극은 분명히 신자유주의의 급진적인 '자유주의' 권력체제에서와 같이 일반화된 위기감, 특히 자동차모빌리티와 같은 중요한 사회-기술적 시스템의 기능 장애 및 이와 관련된 도덕경제에서 잘 드러난다. 이것이 중국을 비롯한 우리가 전 세계적으로 처한 상황이다.

마지막으로 이는 활성화된 전환 이후 자유주의적-자동차모빌리티 시스템이 최소한 규범적으로는 모호할 가능성이 있음을 시사한다. 한편으로 이 시스템의 유연성과 '합리성'은 부인할 수 없는 생산성을 제공하는 동시에 이 시스템의 출현과 뒤이은 안정화를 뒷받침하는 **권력**, 즉 (저탄소, 지속 가능한) '시스템 전환'의 **잠재력**을 제공한다. 하지만 다른 한편으로는 사회적 배제에 대한 체계적이고 '합리적으로 비합리적인' 정의, 그것들의 (아마도 잔인한) 강제(배제가 '합리적'일수록 폭력은 '합법화'되고 합리적으로 조직되어 '효과적'이게 된다),

그리고 사회가 불러일으키는 그림자를 두려워하는 정신분열적 시대정신이라는 대가를 반드시 지불해야만 한다.

이처럼 이 관점은 시스템이 그 '어두운 면'으로 전환되는 것에 주목한 연구가 분석적으로나 정치적으로나 굉장히 중요하다는 점을 우리에게 알려 준다(Sheller 2013; Salter 2013, 11). 전환을 뗄 수 없는 정치적·문화적 현상으로 간주하기 위해서는, ('전원 우승'이나 '세 팀 우승' 등등의) '논 제로섬non-zero sum' 담론에 대한 건강한 회의를 가져야 할 뿐만 아니라, 국가와 기업 모두에서 새로운 사회적 구분, 배제, (폭력적) 규율 기술들이 거의 **불가피하게** 이 과정의 일부로 받아들여져야 할 것이다. 그리고 이러한 수락은 연구자들에게 이 새로운 불평등과 불의를 분석하고 확인하고 제시하고, 가능하다면 개입(참여 연구를 통해)해야 하는 도덕적 책임을 부여한다.

사회-기술적 시스템에서 권력과 자유주의

푸코식 개념을 바탕으로 자동차모빌리티의 변형에 대한 다양한 방법론적·이론적·실체적인 관점을 보여 줄 수 있다. 이런 통찰은 그 자체로 유용할 뿐만 아니라 MLP(다층적 관점)의 주요 간극을 메우고 중요한 문제를 해결하는 것으로 생각되기도 한다. 실제로 지나치게 '체계적'이고 덜 정치화된 분석틀을 가정하는(Böhm et al. 2006, 4; Goodwin 2010, 60) 모빌리티 패러다임은 저탄소 전환이라는 긴급한 문제에 대한 폭넓은 연구에 기여했다. 특히 MLP는 전환과 분리할 수 없는 **사회**-기술적 특성, 시스템 관점의 중요성 및 안정성과 변화의 복잡한 역학에 대한 관심과 관련하여 핵심 문제들을 설득력 있게 주장하고 어느 정도 운용했지만, 여전히 도전적인 두 가지 문제가 남아 있었던 게 사실이다.

한편으로는 새로운 사회기술적 체제의 구성과 출현을 실시간으로 설명하고 연구해야 하는 문제가 있다. 이는 다양하고 이질적인 사회적 요인과 힘(경관-수준의 파열로 나타나는 '기회의 창'을 포함해서)의 분절 혹은 '정렬'(Kemp, Geels, and Dudley 2013, 16)을 통하는 것을 포함하며, MLP가 올바르게 강조하는 것은 일관되게 보이는 (그리고 점점 그렇게 되는) '시스템'과 관련되어 있다. 다양한 목록에 열거될 수 있는 이러한 요소들을 단순히 '요인들'로 개념화하면(Geels and Kemp 2013, 63), 이것들이 어떻게 '전체'로 통합되는지를 설명할 수 없다. 더욱이 요인들 자체는 최소한 분석을 위해 질적으로 변하지 않는 원소로서 다뤄져야만 한다. 이 문제는 특히 현재의 틈새가 어떻게 근미래에 체제 수준의 불연속성을 실행하는 지점까지 성장할 수 있을지 설명하거나 생각하는 것을 어렵게 만드는지에서도 드러난다.

반대로 관계적이고 분산적이고 생산적인 권력 개념(Law 1991)은 이 모든 상호연결된 문제들을 직접 해결한다. 분석의 핵심에 생산적 권력을 두는 것은 시스템 전환이 어떻게 출현하는지에 대한 설명할 수 있는 개념을 제공한다. 분석의 중심에 생산 권력을 두면 시스템 전환이 나타나는 방식을 설명해 줄 개념을 얻게 된다. 즉, 생산 권력의 새로운 형태들은 새로운 권력 테크놀로지와 역동적이고 전략적인 권력관계를 통해 나타나며, 새로운 사회-테크놀로지적 조합을 촉진하고, 정치적 연합, 정부기관, 주체성, 도덕경제(에 관한 담론)의 변화를 이끈다. **권력** 전환으로서 '조각들이 서로 맞춰지는' **방법**은 적어도 추상적으로는 이해하기 쉽다. 이 과정은 여러 전략적 행위자들이 적극적으로 위치와 연결과 연합을 놓고 씨름하는, 본질적으로 역동적인 과정의 결과다. 반대로 하나의 사회-기술적 시스템과 다른 사회-기술적 스템이 서로 다른 전략적 행위자와 유권자로 구성되고 활성화되고 제약된다는 점을 감안할 때, 권력 전환 **없이** 어떻게 전환이 가능할지 상상하기 어렵다. 더욱이 지리-역사적 특수성에서 새로운 권력 테크놀로지와 맺는 관계의 다양성에 초점을 맞추고, 복잡하고 모순적인 통합이 낳는 광범위한 사회적 영향을 생각하는 것은, '체계적인' 진화적 관점에 내재된 변화의 과정을 들여다볼 창을 제공한다. 특히 이는 **새롭게 떠오르는** 사회-기술적 체제를 분석할 때 중요하다(이 경우 제도조차도 더 이상 '외재적 변수'로 취급되지 않을 수 있다). 따라서 새로운 (사회-기술적) 질서와 '상식'에 관한 **질적** 변화는 그러한 질서를 물질적으로나 개념적으로 이해할 수 있게 하는 다양한 권력-테크놀로지에 초점을 맞춤으로써 분석할 수 있다.

MLP 연구는 '권력'과 '정치'가 부재한 분석이라는 광범위하고 오랜 비판에 대응하고자 노력하고 있지만(Shove and Walker 2007; Smith and Stirling 2007; Kern 2011;Meadowcroft 2009; Geels et al. 2013a), 현재 수행되고 있는 방식 역시 요점을 놓치고 있음을 알 수 있다. 기존 시스템—사실상 자동차 모빌리티—의 답답한 안정성과 '고정화'를 설명하고 현재 행위자(예컨대 자동차 회사나 국제 석유자본 같은)의 '권력'을 이용하는 데에 초점을 맞추고 있기 때문이다. 그렇다고 해서 자동차모빌리티에서 이런 권력의 중요성을 부정하는 것은 아니다(Urry 2013). 그러나 MLP는 '권력'과 '정치'를 정확히 '권력자'의 손에 달린 것으로, 고전적 법-담론적 개념으로, 그리고 '우리가 지금까지 (중요하긴 하지만) 생략했던 또 다른 요인'으로서 소개한다. MLP는 모두가 권력을 가지고 있을 때 **현재의** '힘 있는' 사람들이 어떻게 ('틈새'에 의해) 자리를 빼앗기는지 설명해야 하는 분석적 교착상태에 빠져 있다. 그리고 전환의 중요한 정치적 측면에 대한 개념이 부족하여 규범적 결과, 즉 MLP에 대한 이러한 비판의 동기를 제기할 수 있는 능력이 결여되어 있다. 그저 광범위하게 '고탄소' 시스템은 '나쁘고', '저탄소' 틈새는 '좋다'고 추정할 뿐이다(Smith, Voß, and Grin 2010).

권력관계와 테크놀로지에 초점을 맞추는 것은, 미시적인 것도 거시적인 것도 경제도 문화도 정치도 아니고 '운송'이나 '에너지' 분야도 아니고 이 모두를 연결하는 구체적인 현상에 주목하는 것이다. 이것은 MLP의 두 번째 핵심 문제, 즉 '경관'에 대한 분석적 격차로 이어진다. 앞서 논의한 바와 같이 이는 중대한 격차이며, (북서부 유럽과 달리) 중국에서의 도시 모빌리티 전환을 검토할 때 특히 그러하다. 전자에 의해 제기된 문제를 대충만 훑어봐도 수많은 경관의 힘이 보인다. 경관은 전환의 잠재력을 이해하는 데에 매우 중요한 역할을 한다. 이는 (국제적) 정치경제, 중국 성장 및 국제혁신분업조합의 지정학, 막대한 초과이윤의 분배, 신자유주의적 글로벌 규제 설계, 기업 형태와 국가-시장 관계, 이와 관련된 다중의 위기를 포함한다. 이것이 정확히 중국의 자동차모빌리티와 혁신 정책의 궁극적인 정책 목표인 '경관'의 차원이다. 게다가 푸코의 영향을 받은 통치성과 정치적 체제로서의 자유주의 분석은 우리가 특정한 사회-기술적 시스템과 더 넓은 권력체제 사이의 상호작용에 대한 중요한 질문을 생각해 볼 수 있는 이론적 자원을 제공한다. 따라서 자동차모빌리티 시스템과 그것의 사회-기술적 변화는 (글로벌) 정치경제를 둘러싼 동시대의 문제에 획기적으로 중요한 하나의 분석 창구가 되어 준다. 특히 권력체제를 형성하는 데에 자동차모빌리티의 역할이 점점 중요해진다는 것, 모빌리티의 통치가 아니라 모빌리티를 통한 통치라는 것을 생각할 때 그러하다(Bærenholdt 2013). 사회-기술적 시스템 변화에 대한 '거시적' 문제와 중시적(그리고 '미시적) 문제 사이의 공동생산적 상호관계는, 경관 문제와 함께 분석의 핵심으로 통합된다. 따라서 적시에 해결해야 하는 격차 혹은 맹점, 이론적 문제였던 경관은 이제 이 구조가 해결하기 위해 설정하는 핵심 질문으로 변형된다. 동시에 사회-기술 시스템과 정치체제의 상호작용이 시스템 전환, 즉 자동차모빌리티-자유주의 역학에서 얼마나 중요한지를 보여 주는 이론적 분석을 제공한다.

마지막으로 문화정치경제-통치성 관점은 '경관' 문제에 대한 분석을 제공하고 추동할 뿐만 아니라, 이러한 문제를 탐색하는 방법과 위치에 대한 중요한 지침을 제공한다. 지식과 측정 기술을 통해 매개되는 권력관계에 초점을 맞추면, 모빌리티 혹은 운송 전환의 핵심 테크놀로지 문제는 모빌리티(즉, 기계) 자체의 기술에 있는 것이 아니라 오히려 이러한 기술들이 권력-지식 테크놀로지와 상호작용하고 조정하는 방법에 있을 수 있음을 알 수 있다. 이것이 가능하려면 통합해야만 한다. 특히 후자는 새로운 자유와 '안전' 위협, 그리고 이를 '설명'하는 테크놀로지의 정치 역학을 통해서 새로운 모빌리티 사회-기술의 복잡한 연결을 매개한다. 다른 '영역'(예컨대 바이오 연료나 에너지 등을 통한 농업), 정치경제와 문화정치의 '경관' 차원에서의 변화, 그리고 사회-기술적 전환의 실체인 새로운 권력관계와 그 연합 사이의 연결 말이다(Tyfield 2013). 이는 시스템 전환의 대부분이 실시간으로 연결되는 웹 2.0, ITS(지능형 운송 시스템) 조정, 무인 자동차, 네비게이션 시스템, 차량 내 오락 서비스 등과 같은 '저탄소' 혁신에 초점을 맞추는 것에 비해 '무대 밖에서' 이루어지고 있음을 시사한다는 점에서, 현대 자동차모빌리티의 '친환경화'를 바라보는 중요한 관점이다(Sheller 2013 참고). 실제로 이 새로운 기능들은 현대 자동차모빌리티에서 가장 많은 투자가 집중된 곳이다.

한 마디로, 새로운 체제(교체) 요구를 일찍 알아차리기 위해서, 한편으로는 이질적인 권력 테크놀로지의 새로운 집합체가 '저탄소' 자동차모빌리티 혁신의 자립적 궤도를 어떻게 성립시키는지에 주목해야 하고, 다른 한편으로는 정치경제를 둘러싼 잠재적 영향력, 자동차모빌리티 문화정치와 소비자 선호 간 새롭게 상호작용하는 변화, 새로이 바뀌는 권력 블록과 사회적 정체성 및 '계급'의 출현 징후, 이 모든 것이 전략적인 성장의 자립적 역학을 가능케 한다는 점에 주목해야 한다. 현재의 구조, 상상, 담론, 그리고 전략적인 자기 보존 행동의 맥락에서뿐만 아니라 그에 대항해서도 역동적으로 대응해야 한다(Cohen 2010). 이제부터 이러한 관점에서 중국의 e-모빌리티 전환, 그리고 새로운 자유주의 2.0을 간략히 살펴보자.

중국의 e-모빌리티 전환: 중단된 전환과 정치적 개방

이 분석은 현 사회-기술 겸 권력체제의 특징에서부터 시작할 수밖에 없다. 시스템 관점에서 볼 때 전 세계적으로 지난 15~20년 동안 다양한 '틈새'에서 수많은 시도가 있었지만(Geels 2012), 자동차모빌리티 시스템에 주목할 만한 흔적을 남기진 못한 것 같다(Kemp, Geels, and Dudley 2013, 12; Sheller 2013; '피크 카'의 '호화로운' 세계와 관련해서는 Cohen 2012 참고). 사실 반대로 자동차모빌리티는 엄청난 추가 성장 잠재력과 함께 전 세계의 '대형시장'에서 새롭게 부상하고 있다(Tyfield 2013). 파산의 충격과 대규모 정부 지원, 그리고 최근 몇 년간 자동차 다국적 기업들이 점점 탈탄소화 차량의 중요성을 인지하고 있음에도 불구하고, 내연기관(ICE) 자동차에 대한 선호도와 관련해서든(여전히 주요한 R&D 지출의 초점은 자동차(Kemp, Geels, and Dudley 2013, 21)) 와해적인 새로운 주자의 등장과 관련해서든 업계에 큰 변화는 없었다. 오히려 위기 속에서도 정부 지원을 받아 현대의 신자유주의적 자동차모빌리티는 단순히 BAU(온실가스 배출량 전망치) 회복을 시도하는 혁신을 지원함으로써 자동차모빌리티 시스템이 낳은 위기를 심화시키고 있다. 특히 강화되는 배기가스 법규와 대체연료라는 도전 앞에서(Goodwin 2010, 63) 내연기관의 효율성을 높이기 위해 혁신을 추구하는 동안에도, 자동차 회사들은 성장하는 엘리트를 위해 가장 수익성이 높고—연료 소모가 많은—제품에 계속 집중하고 있다('엘리트 모빌리티'의 부정적 효과에 대해서는 Birtchnell and Caletrío 2014 참고).

이 산업 전략에서 가장 눈에 띄는 예외 국가가 바로 중국이다. 중국에서 전기차는 중앙정부와 지방정부, 그리고 (일부) 기업에 묶여 있었다. 전 세계적으로 경쟁력 있는 브랜드를 구축하는 데에 필요한 시간을 확보하기 위해서였다. 그 결과, 중국은 전기차산업 정책을 가장 적극적으로 지원하는 국가가 되었다. 구매 시 개인에게 상당한 보조금을 주고 있으며(예컨대 충전 시), R&D와 인프라 구축용 주요 프로그램들을 지원하고 있다(Gao and Wu 2008; BCG 2011; World Bank 2011;Tyfield and Urry 2012). 일부 소규모 민간 자동차 회사에서도, 특히 배터리 업체인 BYD(비야디)에서도, 전략적 목표로서 전기자동차(EV, electric vehicle)의 국제적 우위를 인정했다. 하지만 상당한 정부 지원, 일부 핵심 부문(예컨대 배터리 부문에서 BYD의 글로벌 리더십)의 인상적인 기술적 능력, 기존 기업의 관심이 거의 없는 경쟁 환경에도 불구하고, 전기자동차는 최근 몇 년 동안 중국에서 이례적인 실패로 판명됐다. 정부의 전기자동차 판매 목표는 크게 빗나갔다(Wang 2013). 민간 판매는 거의 전무한 가운데 당국이 운영하는 국영 택시로 일부 팔린 것이 전부였다.

앞서 논의한 바와 같이(Tyfield and Urry 2012), 이런 실패는 예컨대 운전자가 자동차를 사용하는 것이 먼저냐 충전 인프라를 구축하는 것이 먼저냐 하는 기본적인 사회-조직적 과제와 관련이 있다. 즉, 이런 실패는 사회-기술 시스템의 MLP(다층적 관점) 측면에서 두드러지게 나타나지만, 고객/사용자에 대한 예측 없이 인프라를 구축할 동기가 (그리고 어디에 구축해야 할지에 대한 아이디어도) 없다. 배터리 가격 때문에 전기자동차 구입에 드는 초기 비용의 핵심 문제는 본질적으로 사회기술적 문제인 소비자의 수용과 선택 문제를 제기하며, 이는 전통적 문제 틀에서처럼 양단간의 문제가 아니다. 이 글의 초점은 권력과 통치성-자유주의에 대한 푸코의 관점을 적용함으로써 얻는 구체적인 통찰이다.

기존 시스템의 안정성(혹은 '고정성')을 가장 잘 이해하는 방법은, 여러 겹으로 얽힌 '요인'이라는 정치적으로 중립적인 용어를 사용하는 것으로 충분치 않다. 그리고 현재 시스템의 강력한 음모라고만 볼 수도 없다. 이는 권력-테크놀로지 그리고 시스템으로서 신자유주의-자동차모빌리티에 얽힌 권력관계의 복합적이고 상호적인 강화 측면에서 가장 잘 이해될 수 있다. 이 관점에는 MLP 분석의 모든 '요인'이 포함되면서도, 이를 통해 특정 형태의 권력관계를 활성화하고 제한하는 지식-권력 테크놀로지가 그려진다. 즉, 도로나 연료와 관계된 물리적 인프라, R&D과 국제적 '경쟁력'을 포함한 '국가경제'에 자동차가 얼마나 중요한지를 보여 주는 기업 및 운전자 로비와 측정 기술, 그리고 마케팅 및 광고 산업과 경쟁적으로 소비자중심적이고 '초개인주의적' 주체성과 자유에 대한 담론을 구성하는 담론들을 들 수 있다.

그러나 각각의 경우에 푸코적-문화정치경제 관점은 정체된 전환을 뒷받침하는 이 신자유주의-자동차모빌리티의 견고함의 근원이 어떻게 오늘날의 위기와 취약성의 원천이 되는지를 보여 준다(Böhm et al. 2006). 예컨대 중국의 도로는 더 이상 원활한 통로가 아니다. 다른 곳 못지않게 끝없는 교통체증이 발생하고 숨 쉬기 힘들 정도의 대기오염도 생긴다. 소득 감소 및 정체가 나타나는 긴축재정 시대에, 고급 차량은 방탕하고 뻔뻔하게도 '소유한 것'과 '절대 가질 수 없는 것' 사이의 간극을, 그리하여 대중적 정당성을 상실한 도덕경제를 상징하게 되었다. 요컨대 신자유주의-자동차모빌리티는 현대사회의 삶에 깊이, 그리고 복잡하게 얽혀 있어 전환이 매우 어려운 시스템이지만, 그 자체의 역학이 제 자신을 약화시키면서 점점 더 취약해지고 있는 시스템이기도 하다. 따라서 이것은 표면적으로 단일해 보이는 대안을 배제하는 동시에 기존 체제의 '균열'에서 나타나는 한 대안적 시스템에 점점 더 공격당하게 될 뿐이다.

따라서 푸코의 관점은 MLP 관점이 가정하는 것보다 훨씬 덜 '고정된' '체제', '경관' 수준에서의 모든 고려 사항을 통합하여 시스템적 상황을 조명한다. 게다가 (자동차)모빌리티와 자유주의 사이의 긴밀한 연결을 인정하려고 할 때 푸코의 관점은 자동차모빌리티에 대한 체계적이고 개별적인 요구가 확립되고 증가하는 신자유주의적 조건 하에서 신자유주의를 대체하고 사회-기술적 전환을 지원할 수 있는 가장 좋은 기회를 가진 권력체제가 되살아난 자유주의임을 암시한다.

이어지는 핵심 질문은 이렇다. '어떻게, 어디서 대안이 나올 수 있을까?' 그리고 '어떤 구체적인 형태를 취할 수 있을까?' 전략적 권력 관계와 이를 중재하는 지식-권력 테크놀로지에 초점을 맞추면 이 문제에 대한 통찰을 얻을 수 있다. 사회-기술적 혁신을 탐구하게 만드는 관점이기 때문이다. 이는 잠재적인 권력-테크놀로지이자 사회-기술적 전환을 실제로 주도할 수 있는 새로운 권력관계와 확장의 역학으로서, 그리고 동시에 환원 불가능한 **정치적** 전환의 매개자로서 탐구된다. 그러나 이런 관점에서 생각했을 때 놀라운 것은 이런 도전들이 저탄소 전환 및 신자유주의의 세계적 위기와 거의 상관없어 보이는 최근 중국 사회가 직면한 정치적 도전과 어떻게 공명하는가 하는 점이다.

사실 중국도 푸코가 말한 '순환의 문제'에서 벗어날 수 없으며, 다만 그 해결을 계속 미룰 수밖에 없었다. 36년간의 '개혁개방' 과정은 중국공산당이 세심하게 관리했다. 개인이 아닌 당-국가, 권력과 최고 정통성이라는 본질적으로 반자유주의적인 정치 프로젝트에 끊임없이 헌신하는 자국의 권력체제에서 국가권력의 독점을 유지하려는 목적에서다. 물론 이 과정에 큰 위기가 없었던 것은 아니다. 특히 1989년의 사건〔천안문 사건〕은 정권의 지속적인 정치적 정당성과 모든 사회주의 담론을 포기하게 만들고 경제성장에 깊이 몰두하게 하는 결과를 낳았다. 그 결과는 지난 20년 동안의 눈부신─심지어 혼란스러운(Wen and Li 2007)─경제성장으로 나타났다. 여기에는 시장

경제 건설도 포함되는데, 시장경제에 의존하면서 이로부터 권한을 부여받은 완전히 새로운 계급이 탄생했으며, 물론 역사적으로 유례없는 도시화와 오늘날 계속되고 있는 '자동화' 과정도 포함됐다.

　명백하게 이런 성장의 지속은 그 과정의 심화 그리고 '순환의 문제', 그리고 현 정치체제의 동반적 지속에 대한 실존적 중요성에 달려 있다. 그 결과, 자동차모빌리티 정치는 정체, 오염, 도로 안전, 도로 건설, 토지 취득, 새로운 하이테크 모빌리티의 위험, 심지어 점점 강력한 정치적 요구가 되고 있는 주차 문제(The Economist 2012)와 더불어 정치적 담론 차원에서도(표현의 자유에 대한 제약에도 불구하고) 중국 국내 정치에서 점점 더 중추적인 문제로 대두되고 있다. 즉, 21세기 중국 사회는 적극적으로 구성되고 있는 새로운 자유를 보호하기 위해서 '안전 위협'을 널리 수용하고 정치적으로 동원하고 있다. 따라서 우리는 여기에서 '순환을 전제로 하는' 자유주의 권력 시스템의 (역사적인 것이 아니라) 현재 진행 중인 건설의 완벽한 현대적 사례를 (결정적이고 구체적인 특수성과 차이점이 있음에도 불구하고) 만나게 된다(Salter 2013, 11). 실제로 자동차모빌리티가 현대 통치의 중심이 되면서(Bærenholdt 2013), 중국에서 그 어느 때보다 치열하게 경쟁하는 자동차모빌리티 정치는 시스템적으로 매우 중요할 것으로 예상되는 것이 당연하다.

　따라서 '순환의 문제'는 CCPChinese Communist Party〔중국공산당〕의 레닌주의적 일당국가모델이 보여 준 정부 구성의 권위주의적 논리와 정반대인 동시에 중국공산당의 생존이 점점 더 결합되는 통치 문제를 제기하기 때문에 현 정치체제에 점점 더 근본적인 도전의 역학을 설정하게 된다(Foucault 2009, 75). 이런 추론이 중국에서 '자유민주주의' 혁명이 임박했다는 결론으로 귀결되지는 않는다. 자유주의는 본질적으로 구성적 배제라는 '어두운 면'으로 특징지어질 뿐만 아니라, 민주적 통치와의 본질적 연관성도 없는 권력체제이기 때문이다. 이는 역사적으로 볼 때 본질적으로 자유주의적 권력체제에 대한 투쟁을 포함하는 광범위한 대중투쟁의 결과다. 또한 이런 역학이 국가권력의 축소를 의미하지도 않는다. 반대로 자유주의와 자동차모빌리티 자체는—본질적으로 자유주의로서 구성된 개인의 '자유'—'자유'와 '자연적' 시장처럼(Polanyi 1957), 국가권력 심화의 '동반자'가 되었다 (Böhm et al. 2006, 7).

그러나 자동차모빌리티 정치를 둘러싼 이런 긴장이 중국의 광범위한 정치경제적 변화를 구성하는 한, 자동차모빌리티 전환, 정치경제, 그리고 자유주의 권력체제 문제와 관련해 전 세계적으로 결정적인 영향을 미칠 수도 있다. 간단히 말해서, 세계경제에서 중국이 차지하는 비중과 중심성을 감안할 때, 21세기 중국 자동차모빌리티는 특히 중국의 자유주의 사회-기술 및 권력체제로서 국가 헤게모니의 분산적 · 정치적 · 물질적 · 기술적 확산을 위한 주요 '수단'으로서 20세기 미국 자동차 회사의 선두를 따를 수 있을 것이다. 따라서 핵심 질문은 중국의 자동차모빌리티 전환에 관한 새로운 경향과 실험이 이러한 전환을 뒷받침하고 이 새로운 시스템적 가능성을 실현할 수 있는 권력 기술과 관계를 어느 정도까지 보여 주는가 하는 것이다.

정치적 힘으로서의 와해성 혁신?

와해성 혁신disruptive innovation은 "이전엔 무시된 고객을 대상으로 하는 비전통적인 참여자들에 의해 만들어지는, 기존 제품이나 서비스보다 저렴하고 사용하기 쉬운 대안"(Christensen 1997; Willis, Webb, and Wilsdon 2007, 1)을 개발함으로써 기존 기술을 사회적으로 재정의하고 새로운 맥락과 조합으로 사용하는 것을 포함한다. 따라서 첫 번째 같은 경우에 와해성 혁신은 해당 제품의 '존재'나 '기능'에 대해 확립된 사회적 정의에 비추어 봤을 때 기존 제품보다 더 낮은 기능의 제품을 제공할 수도 있다. 그러나 더 낮은 비용으로 새로운 기능 조합을 제공함으로써 기존 시장을 완전히 혼란시킬 수 있는—이에 맞춰 와해성 혁신 자체도 개선되면서—새로운 시장이 열릴 수도 있다. 여기에 맞는 고전적인 사례가 바로 디지털카메라다.

따라서 와해성 혁신은 본질적으로 사회-기술적 혁신으로만 이해될 수 있다. 또한 장래성에 대한 혁신 연구(MLP 연구 포함)의 일관된 통찰과도 일치하는 것으로, 기존 체제의 관점에서 주변부적이거나, 소소하거나, 유망해 보이지 않는 것으로 보이는 혁신에서 비롯될 수 있는 전환이다(Elzen, Geels, and Green 2004). 그러나 여기서 와해성 혁신의 중요성은 저탄소 혁신, 특히 전동 이륜차(E2W)에서 자동차모빌리티와 관련된 것을 포함하는 와해성 혁신에서 중국 기업 특유의 강점과 관련이 있다(Zeng and Williamson 2007; Breznitz and Murphree 2011). 이런 회사들은 기존 제품을 변형시켜 소비자들에게 인기 있는 제품을 제공하고 확보된 수익을 다시 R&D에 투자하여 혁신을 일으켜 추가 성장을 불러오는 과정을 기반으로 한다.

이는 정부가 지원하는 하이테크 독점 전기자동차 모델이 현재까지 완전히 실패한 것과 대조된다. 전기자동차는 판매실적이 부진한데다 기존 내연기관보다 훨씬 비싸기 때문에 정부 보조금에 의존하고 있지만, 전동 이륜차는 이제 중국에 어디에나 있으며 2010년까지 약 1억 2천만 대가 도로를 누비게 된다(Weinert et al. 2008). 전동 이륜차의 매력은 혼잡한 거리와 인도를 오가는 저비용의 빠르고(최대속도 40~50km/h) '민첩한' 운송수단이라는 점이다. 이 거대한 '자발적' 시장의 베스트셀러인 전동 이륜차 역시 중국의 브랜드다. 전기로 움직이고 더 작고 더 가벼우며 더 움직이기 쉽고, 그래서 에너지 효율이 더 높기 때문에 전동 이륜차는 전기자동차를 포함한 자동차에 비해 상당한 '저탄소' 이점을 약속한다. 게다가 이러한 성공은 정부 지원 없이 이뤄 낸 것일 뿐만 아니라, 심지어 규제와 처벌이 증가해 중국의 여러 도시에서는 전동 이륜차가 공식적으로 금지되기도 했다(예컨대 베이징, 푸저우, 선전).

전동 이륜차와 관련해 가장 중요하게 생각할 부분은 '자동차'라는 개념 자체를 사회적으로 재정의할 가능성이 마련됐다는 점이다. 루이안 같은 중국의 전동 이륜차 반대 기업들은 다른 전기자동차의 미래를 구축한다는 분명한 목적 하에 설립되었고, 이미 다른 형태의 차량(가령 3륜차)을 실험하고 있다(Tyfield, Jin, and Rooker 2010). 좀 더 큰 차량 형태는 근본적인 재설계를 가능하게 한다. 전기 드라이브 트레인이 자동차의 나머지 부분이 조립되는 내연기관 변속기와 엔진을 제거하기 때문이다. 특히 전동 이륜차에서 전기자동차를 개발한다면 '자동차'의 현재 설계에서 출발하지 않고 와해적인 가능성을 탐색할 수 있다. 이는 산자이나 모조 브랜드가 증가하는 관행에 비춰보면 특히 분명하다. 가령 작은 차고를 기존 자동차와 결합해 전기자동차로 개조하는 것(Wang 2011)은 중국 도시에 널리 퍼진 관행으로 대개 3륜차 같은 소형차에 중점을 두고 있다. 이 '판을 뒤집는' 혁신은 이제 거꾸로 기존 자동차 회사의 관심을 끌고 있다. 2010년 상하이 엑스포에서 GM-SAIC는 EN-V 버블카(The Economist 2010)를 전시했는데, 이는 두 명이 나란히 앉지만 평행한 바퀴가 2개뿐이라서 전기자동차 또는 전동 이륜차와 구분하기 어렵다. 엔진을 구동하면 자이로스코프 방식으로 차량을 균형 있게 들어올리며 운행된다. 전동 이륜차를 통해 새로운 소비자에게 매력적인, 그리고 어쩌면 정치적으로 중요한 자동차모빌리티 자유를 가능하게 할 가능성은 분명하다.

그러나 이 글의 초점은 이 같은 모빌리티 혁신을 새로운 **지식-권력 테크놀로지**로 간주하여 이러한 와해성 혁신의 잠재적인 **정치적** 의미를 사유하는 데에 있다. 그리하여 권력관계와 새롭게 등장하는 연합, 그리고 그것들이 조건화할 수 있는 자기-정립적 주체성이 주제이다. 와해적인 전동 이륜차 혁신은 사회-기술적 전환의 핵심 측면인 정치적 전환과 문화적 전환에 어떻게 기여할 수 있을까?

이 문제에 집중하는 것은 순전히 사회-기술적 시스템 용어로 이야기된 와해성 혁신이라는 낙관적 이야기에 존재하는 핵심적 제약 조건을 우선 강조한다. 와해성 혁신이 자동차모빌리티 시스템의 기존 정치 및 문화 담론(CPE 관점에서 볼 때 축적 체제)을 변형시킬 수 없다면 이는 아무리 크더라도 틈새로만 남을 것이다. 디지털카메라 같은 와해성 혁신의 패러다임 사례에서는 이러한 정치적 재편성이 비교적 간단했다. 장치 및 권력과 관계된 개별 소비자 선택이 기존 기술에서 새로운 기술로 비교적 자유롭게 이동할 수 있었기 때문이다(예컨대 휴대폰 카메라로 폴라로이드를 대체하려면 약간의 비용과 사소한 불편함만 있으면 된다). 그러나 시스템 전환을 성공적으로 수행할 가능성과 자동차모빌리티 관련 와해성 혁신을 구별해 내려면 오직 권력에만 주의를 기울여야 한다.

이런 관점에서 우리는 전동 이륜차가 현재 중국의 규제에서 왜 그렇게 처벌받고 제외되었는지를 새롭게 생각할 수 있다. 이 산업이 제공할 수 있는 향상된 도시 모빌리티(혹은 새로운 자유)가 직간접적으로 중국에 미칠 잠재적이고 정치적인 이익을 고려할 때 이는 무언가 어려운 문제가 된다. 하지만 전동 이륜차 문제는 단지 경제적인 혹은 혁신 정책의 문제만이 아니라 앞서 논의한 현대 중국 정치의 중요한 문제, 즉 순환의 문제다. '안전'과 마주 보고 있는 '자유'를 통치하고 관리하는 문제인 것이다.

전동 이륜차는 글로벌 신자유주의(하이테크, 하이-IP)에 대한 지속적인 약속에 맞서는 '작고' 하찮은 (심지어 '뒤떨어진') 테크놀로지로서 중국의 정책 및 기성 권력 네트워크 '레이더에서 벗어나' 있는 문제만은 아니다. 더 중요한 것은, 전동 이륜차가 민첩하고 빠르고 저렴하기 때문에 '레이더에서 벗어난', 그래서 모두(누구나 할 것 없이!) 사용할 수 있는 운송수단이라는 점이다. 따라서 중국공산당이 자동차모빌리티에 더 근본적으로 전념하는 동안, 전동 이륜차는 더 유용하고 대중적인 자동차모빌리티가 되었을 뿐만 아니라 잠재적으로 위험하고 제어할 수 없는 자동차모빌리티를 제공하는 권력-테크놀로지가 되었다. 따라서 정확히 인구의 안전과 순환의 체계적인 기능이 가진 위험성을 가리키는 푸코식 용어인 '공공안전'의 측면에서 전동 이륜차에 취해지는 조치에 대해—국가 관리자와 시민 모두에게—편재하는 정당화는 다음과 같다. 교통사고를 일으키는지, 보행자와 충돌하지는 않는지, 절도(하거나 무음silent 전동 이륜차를 사용하는 일)는 없는지, 심지어 역설적이게도 혼잡을 일으키는지 여부이다.

따라서 전동 이륜차 자동차모빌리티의 최근 '통제불가능성'을 더 광범위한 사회-기술적 · 정치적 영향에 맞서는 정치적 도전(물론 이러한 전략적 권력 안에서의 사회-담론적 구조)으로 초점화하는 것은, 자동차모빌리티 혁신을 이끄는 일련의 보완적 기술 발전이 새로운 전환, 즉 자동차가 기계적인 장치에서 전기적인 장치로 이동함에 따라 ICT〔정보통신기술〕및 웹 2.0이 차량에 점점 더 많이 통합되는 전환을 탐색하는 데에 핵심적인 장소가 될 수 있다. 이는 "본질적으로 개인의 모빌리티와 이동의 자유를 제공하는 데에 사용되는 장치로부터, 점점 더 도시화되고 혼잡한 공간 환경 속에서 사람들을 **보호하고**

연결하는 장치로의 자동화 변화"(Wells, Nieuwenhuis, and Orsato 2013, 136, 강조는 필자), 즉 안전과 자유 각각의 기술을 제안한다.

하지만 이를 차량 자체의 와해성 모델과 결합하면—앞서 설명한 확장된 엔지니어링 가능성을 고려할 때 더욱 가능성이 높은 조합—ICT 기반으로 재정의된 자동차와 차량 중심으로 재정의된 자동차 간의 생산적이고 긍정적인 피드백 순환을 쉽게 상상할 수 있다. 예 컨대 전자는 복합운송(공유 가능한) 이동의 효율적이고 원활한 조정 가능성을 열어 '자동차'의 의미와 기술적 요구를 더 변화시킨다. 예 를 들어, **개인** 소유 차량은 더 이상 개인의 지위를 표시하는 것이 아 니라 가족 휴가를 보내기에 충분한 크기에 머물 것이다. 여기에 더 해 문화적 · 정서적 정치와 자동차모빌리티의 주체성이라는 문제와 관련해 ICT 통합의 증가는 차량에 대한 경험을 변화시켜 자동차를 실제로 **소유할** 필요를 사라지게 한다. 어쩌면 차 안의 환경을 자신만 의 취향에 맞게 (음악, 라디오방송, 위성항법장치 설정, 클라우드 기반 데 스크탑, 심지어 향기 등을) 조정해 주는 스마트 카드로 나의 '자동차'가 곧장 나의 '집'으로 바뀔 수 있을지도 모른다.

권력과 푸코식 자유와 안전 테크놀로지에 초점을 맞추면 형재 진 행 중인 다양한 자동차모빌리티의 위기와 관련해 전환의 역할이 강 조된다. 즉, 모빌리티 자체의 위기와 그것이 지속적인 경제성장에 미치는 영향(따라서 개인의 자율성과 국가의 정당성 문제), 모빌리티 조 정의 위기(혼잡과 도로 안전 문제), 환경오염(대기오염이 가장 강력하 고, 간접적이긴 하지만 온실가스와 기후변화, 불안정성의 가시적 효과 문제)의 위기 말이다. 이는 단지 수동적이고 느리고 간접적으로 작용하는 '경관'으로서가 아니라, 능동적·역동적으로 반응하는 전략적 담론 자원으로서 그러하다. 한편으로는 향상된 '자유'와 관련해 이러한 새로운 ICT 기술은 특정 도량형과 인식 능력―수용 가능한 이동 기술에 통합된 경우에만 소비자에게 분명해지는 능력―을 제공하여 기존 시스템의 기능장애를 다루기 시작했다. 이는 새로운 혁신을 정당화하고 요구하는 역할로 이어진다. 다른 한편으로는 '안전'과 관련하여 점점 더 부인할 수 없게 된 이 위기는 공공안전을 위협하는 '위험한' 실천을 (오히려 명백하게) 관리하고 제거할 '합리적' 권력 테크놀로지가 필요하다는 점을 '상식'으로 만들고 있다. 따라서 이러한 모빌리티-연결-안전 테크놀로지와 관련된 새로운 도덕적 담론은, 웹 2.0 및 ICT와 연결되어 전기로 조정되는 저배출 차량으로 이동하는 것은 사적 이익뿐만 아니라 공적 의무 및 책임과도 관련되게 되었다.

무엇보다 중요한 것은 이것들이 통합한 특정(2.0) 기술로 파생된 와해적인 전동 이륜차의 발전이, 산업은 물론이고 재정적이고 정치적인 후원자 그리고 소비자들의 사회적·문화적·정치적 지위와 태도를 변화시킬 것이라는 점이다. 주변부에서 어슬렁대고 '위험하게 움직이는 조악한 것'이었던 2.0-E2W(전동 이륜차)는 세계 무대에서 중국의 국가경제적 위상, 모더니티와 진보, 책임 있는 모빌리티, 국가 및 세계 환경 구원자의 상징이 될 것이다. 따라서 전동 이륜차의 와해성 혁신은 도시 모빌리티의 '친환경화', 새로운 문화적 담론을 제공함과 동시에, 현재 주요 정치적 공백으로 남아 있는 도시 모빌리티 전환에 (그것의 존재 이유로서) 근본적으로 참여하는 (특히 중국인) 생산가/혁신가의 새로운 정치적 연합을 제공할 것이다 (Geels, Dudley, and Kemp 2013, 354).

여기서 절대적으로 중요한 것은, 이 설명에서 암묵적으로 추정되는 '대표자' 혹은 '보편적' 대리인은 중국 시민이 아니라 모든 면에서 봤을 때—정치적으로 중요한—유권자라는 점이다. 떠오르는 '중산층', 더 구체적으로 말해서 젊고, 남성이고, 도시에 살며, 교육 받았고, 온라인 환경에 능하며, (상대적으로) 고소득인 이들은, 반대로 자동차모빌리티 정치와 저항에 의해 그리고 그것에 권한을 부여 받은 새로운 계급에서 이미 크게 과장되어 표현되고 있다. 물론 이런 역학은 새로운 질적 구성 요소와 사회적 주체성을 구성함으로써 사회-기술적 혁신을 **더욱** 강화할 새롭고 추가적이며 더 강력한 요구의 긍정적 피드백 순환을 구성한다.

게다가 정보통신기술 접근·사용·능력에서 나타나는 지속적인 문제와 정보 격차를 고려할 때, 소외된 사람들은 단지 무시당하는 것을 넘어 차별을 받게 될 수 있다. 갈수록 '무책임하고' '위험한' 모빌리티로 간주되면서 말이다. 즉, '안전 위협'은 위험한 모빌리티에 대한 징벌적 치안을 창조하게 된다. 따라서 이런 방식으로 사회-기술적 모빌리티 전환은 새롭게 배제되고 비합법화되는 집단 구성을 포함하게 되며, 이는 특히 모빌리티에서의 배제가 심화되면서 합법적으로 무력화되는 사회문제로 정의된다.

마지막으로 전동 이륜차의 이러한 변화는 **정치적** 전환을 훨씬 더 상상하기 쉽게 만드는 경향을 불러올 수 있다. 떠오르는 '중산층'의 정치적 연대는 새로운 그람시주의의 역사적 연합을 구축할 수도 있다. 이들은 중국 정부를 변화시키는 난제에서 핵심적 정치 행위자로서 새로운 모빌리티 시스템 최적화에 구체적이고 구성적으로 관여하고 있어, 현재 중국 정부 기구에 대한 실존적 도전을 전형적으로 보여 주는 순환 문제를 직접적으로 다루게 된다. 하지만 이 그룹은 규모 면에서 제한적이고 현재 중국 사회의 '승자들'로만 구성되기 때문에, 근본적인 '민주적' 혁명 혹은 재스민 혁명[2010년 튀니지 민주화 혁명]을 불러오기보다는 이념적으로 황폐해진 '공산당'보다 더 넓은 유권자에게 국가권력의 고삐를 열어 주는 정도의 의미일 수 있다. 다른 한편으로는 통신기술 기반의 안전 기술을 전동 이륜차에 통합하면 전동 이륜차에 대한 현재의 정치적 반대와 사용자 권한 부여 문제가 상당히 완화될 것이며, 공개적으로 금지된 모빌리티 테크놀로지에서 규범적으로 필수적인 모빌리티 테크놀로지로 전환될 뿐만 아니라, **사회의 특정** '책임 있는' 부분에 대한 개인의 자율성 증대가 지속적이고 강화된 국가 감시와 완전히 양립할 수 있는—실제로는 의존할 수 있는—수단을 제시할 수 있다. 이런 상황에서 중국 정치의 '자유 2.0' 전환은 억누를 수 없을 뿐 아니라 기존 권력체제의 관점에서 완벽히 소화될 수 있을 것이다.

결론

여러 차례 위기를 겪으면서 특히 중국에서 자동차모빌리티 시스템의 전환이 점점 더 시급해지고 있다. 그러나 이 기술이 세계적인 규모의 분수령을 경험했음에도 불구하고 정책과 기업이 택한 선택지인 전기차는 지연되고 있다(Orsato et al. 2013). MLP(다층적 관점)와 같은 사회-기술적 관점에서는 전동 이륜차를 둘러싼 와해성 혁신과 자동차에 대한 잠재적 재정의에 관한 좀 더 밝은 가능성을 확인할 수 있다. 그러나 전환이 직면한 문제와 그것의 사회적 의미 모두 두 가지 주요 측면에서 다층적 관점을 뛰어넘어 푸코로부터 영감을 받은 문화정치경제 관점에서 조명 가능하다.

하나는, 사후적으로가 아니라 실시간으로 나타나는 질적인 사회-기술적 변화를 분석하게 하는 권력 개념에 '대한 권력'의 생산성 측면이고, 이와 불가분의 관계인 다른 하나는, 특정한 형태의 (자유주의적) 권력체제의 전환이 결정적으로 중요하며 이를 통해 '경관' 문제를 분석의 핵심으로 가져온 측면이다. 따라서 이는 실질적으로 중국 내에서 그리고 전 세계적으로 사회-기술적 자동차모빌리티 시스템 전환이 포함되어야 할 중대한 정치, 문화, 제도, 정치경제학적 변화를 강조한다.

새로운 사회-기술적이고 정치적인 체제를 뒷받침하는 자유 테크놀로지가 안전 테크놀로지가 될 것이라는 인식을 감안할 때, 이는 MLP에 대한 이 관점의 최종적이고 결정적인 이점, 즉 새로운 사회-

기술적 권력 시스템과 관련된 새로운 규범적 문제를 상세히 식별하고 경험적으로 검토하는 능력으로 이어진다. 비판적 학문을 위해 21세기 저탄소 사회에 대한 핵심 규범적 질문이 이제 공식화될 수 있을 것 같다. 이 같은 새로운 권력 테크놀로지가 기존의 사회 권력 관계, 그 문제와 위기, 그리고 대응과 전략적으로 상호작용함에 따라 (중국에서의) 새로운 e-자동차모빌리티가 생산하는 '안'과 '밖'이라는 새롭고 자기강화적인 사회문화적 구분은 무엇인가? **어떻게**, 그리고 **누가** 제외되는가? 이러한 질문에 대한 대답으로 드러나는 징후에 비추어 볼 때, 바람직한 정치적 영향을 가져올 전략적 대응은 저탄소 사회-기술적 미래—특히 (자동차)모빌리티에 관한—뿐만 아니라 사회적으로 정의롭고 공평하고 화합하는 미래를 보장하는 방향으로 형성될 수 있을 것이다.

후원

이 연구는 영국경제사회연구위원회(ESRC)의 지원으로 이루어졌다[grant number ES/K006002/1].

8장

이동 문제, 자동차와 미래 모빌리티 체제

: 규제 양식과 장치로서의 자동차모빌리티

카타리나 만더샤이트_스위스 루체른대학 사회과학대

모빌리티 연구에서 자동차모빌리티의 쇠퇴와 새로운 모빌리티 체제의 출현에 대한 연구들이 늘어나고 있다. 이러한 맥락에서 담론적 지식, 물질적 구조, 사회적 실천 및 모빌리티를 둘러싼 주체화의 뒤얽힘을 추적하는 데에 도움이 되는 '장치로서의 모빌리티'를 개괄적으로 설명한다. 장치 개념은 기존 자동차모빌리티 연구로 드러나는 다양한 규모의 모빌리티와 관련하여 불평등에 영향을 미치는 다층적이면서 분산적인 권력관계를 분석하는 데에 구체적인 도움을 준다. 이로써 사회질서, 공간, 헤게모니적 모빌리티 체제의 공통조직이 전면화된다. 하지만 이러한 푸코식의 모빌리티 계보학에서 누락된 것은 안정화되는 물적 조건에 대한 더 광범위한 개념화다. 따라서 이 글은 규제이론 요소를 보완적인 사회이론으로 삼아 모빌리티의 장치를 이해하고자 한다. 특정한 규제 양식과 축적 체제(의 단순한 기능으로서가 아니라)에 내재되어 있고 안정화된 모빌리티 장치를 이해하고자 한다. 마지막으로 현재의 자동차모빌리티 장치를 검토하고 그 몇 가지 쇠퇴 징후를 살펴보면서 결론에 이른다.

서론

오늘날 사람과 사물, 자본, 정보, 아이디어는 역사상 그 어느 때보다도 '이동 중'이다. 이러한 맥락에서 모빌리티에는 물리적 · 인적 이동 및 물질적 물체의 이동, 다양한 새로운 미디어와 오래된 미디어를 통한 가상의 커뮤니케이션 이동(Urry 2007, 47)도 포함된다. 이러한 관찰을 출발점 삼아, 새로운 모빌리티 패러다임(Sheller and Ury 2006)은 정지보다는 움직임이 모든 사회적 형성에 기초한다는 것을 강조함으로써(Ury 2007, 6, 46) 현대사회학에 도전했다. 현재 일반적으로 '세계화' 또는 '포스트포드주의'라고 불리는 프레임의 개발과 기술 진보와 결합되어, 이동의 질서 자체는 근본적인 과도기에 있는 것으로 보이며, 국가 상태를 넘어서는 변화된 사회 형태를 포괄하고 있다(Ury 2000).

속도/모빌리티가 증가하고 있지만, 모든 사람과 모든 사물'이 동일한 속도로, 동일한 리소스와 동일한 기동 공간으로 이동 중인 것은 아니다. 더구나, 모든 사람이 제멋대로 움직이는 것도 아니다. 바우만(2000, 120)은 다음과 같이 이동, 권력 및 불평등의 복잡한 상호작용을 설명한다.

----

1 이 글에서는 인공물보다는 사람에 초점을 맞출 것이다. 사물, 지식, 상징, 정보를 고정시킬 뿐만 아니라 동원하는(이동시키는) 권력은 모빌리티 및 사회적 불평등과 관련해 또 다른 연구 분야를 구성한다.

더 빨리 움직이고 행동하는 사람들, 운동의 순간성에 가장 근접한 이들이 이제 세상의 지배자들이다. 그들만큼 빨리 움직이지 못하거나, 자유자재로 떠나지 못하는 범주의 사람들이 피지배자들이다. 지배는 도망가고, 결속을 끊고, '다른 어딘가에 있을' 능력과 이것들을 실행하는 속도를 결정할 권리에 있다. 그와 동시에 피지배자들에게서 자기들의 움직임을 가로막거나 억누르거나 늦추는 힘을 빼앗으면서 말이다(Bauman 2000, 120).

모빌리티 연구는 지난 20년 동안 특히 의식적이고 능동적인 실천으로서 모빌리티의 수행과 경험을 강조해 왔다(Bissell 2010; Maryman 2013). 그러나 최근 《모빌리티》 저널에서 행위자 중심의 접근 방식이 지정학적 질서, 정치적 지배구조 및 사회경제적 전제 조건과 그 진행 중인 변화(Adey and Bissell 2010, 3, D'Andrea, Ciolfi 및 Gray 2011, 155f)에 대한 근본적인 질문을 무시하는 위험을 초래할 수 있다는 주장이 제기되었다(Bärenholdt 2013, 22; Salter 2013, 7f.; Manderscheid 2014). 따라서, '모빌리티 체제[2]의 생산 및 형성과 관련된 규모와 사회적 불평등의 관계에 대한 다차원적 영향을 경험적으로 분석하는 것이 가치 있어 보인다.

다음에서 이러한 바람직한 데이터를 염두에 두고, 나는 '**장치**

---

[2] '모빌리티 체제'라는 말은 움직임의 사회적 · 물질적 구조를 강조하여 권력과 통치 문제를 지적한다. 마찬가지로 뵘 등Böhm et al.(2006, 6)은 '체계system'라는 용어의 폐쇄성에서 벗어나고자 자동차모빌리티와 관련해 '체제regime'라는 용어를 사용하자고 제안하며 자동차모빌리티에 대한 비판적 논의에 참여한다.

dispositif'라는 푸코적인 개념을 사용하여 구별되지만 매우 상호 관련성이 높은 차원 내에서 모빌리티와 권력/불평등성의 상호 관련성을 고려할 것을 제안한다. 장치라는 개념으로 푸코는 사회적 중시적·미시적 스케일에 대한 지식 형성, 물질적 풍경, 주제 및 실천의 상호작용을 명시적으로 다룬다. 이에 따라 사회질서, 공간, 헤게모니적 모빌리티 체제의 공통조직이 표면화된다. 그러나 특정 체제의 출현뿐만 아니라 지속을 잘 이해하기 위해, 문화정치적 경제와 규제이론에 대한 연구 아이디어로 이를 보완해 보고자 한다.

장치 개념의 사용은 모빌리티에 대한 다른 내러티브를 통과하고 추적할 수 있는 도구를 제공한다. 또한 장치는 권력구조의 유형은 숨긴 채로 이러한 모바일 사회의 다양한 표현에 대한 다차원적 조망을 허용한다. 장치 개념은 다양한 규모의 모빌리티와 관련하여 불평등에 영향을 미치는 다면적이면서도 분산적인 권력관계를 분석할 수 있게 해 준다. 따라서 장치 분석은 파열과 모순을 드러내는 동시에 설명한다.

이러한 장치–분석 접근법을 자동차모빌리티에 적용하면서, 모빌리티/불평등 연쇄를 둘러싼 권력관계를 드러내고자 지금까지 개별적으로 분석했던 측면을 종합하면서 기존 분석과 통찰력을 기반으로 연구를 시작하려 한다. 모빌리티 장치의 지속적인 변화를 더 넓은 사회경제적 맥락과 연결함으로써, 기존 자본주의 사회 형태에 내재된 '우발적 필연성contingent necessity'(Jessop 2009)의 특성이 드러날 것이다.

움직이는 불평등과 모빌리티 장치

새로운 모빌리티 패러다임의 전제 중 하나는 사람들의 모빌리티 실천이 그들의 공간, 문화, 정치, 경제, 사회 및 개인적 맥락에 내재되어 있다는 것이다. 앤서니 단드레아Anthony D'Andrea, 치올피Ciolfi, 그레이Gray는 이렇게 말한다.

> 주체와 대상이 공간적 · 사회적 · 문화적 환경에 걸쳐 이동하는 것은 그들의 주체성, 로컬리티, 모빌리티를 형성하는 정치적이고 경제적인 구조와 독립된 것이 아니다. 실제로는 이동함으로써 더 큰 물질적이고 상징적인 체제를 굳혀 가며 기록하고 갱신하고 있다(Anthony D'Andrea, Ciolfi, Gray 2011, 158).

이렇게 모빌리티 실천의 관계성과 내재성을 가정하는 것은 모빌리티에 사용된 교통수단이나 이동 거리가 아니라 그 너머의 것에 초점을 맞추는 접근법을 불러온다. 모빌리티 연구는 오히려 움직임을 사회적 실천으로서 그려 내고 개인적이고 집단적인 경험, 의미와 이동 동기뿐만 아니라 주변 담론과 지식 분야의 구성에도 관심을 집중시킨다.

최근 개념화와 관련된 연구 관행이나 방법론에 대한 반성적 접근이 대두하고 있지만(Büscher and Ury 2009; Fincham, McGuinness, Murray 2010; Büscher, Ury, Witchger 2011; Maryman 2013; Manderscheid 2014), **사회적 불평등**과 관

계된 모빌리티 개념화의 의미는 여전히 체계적으로 탐구되어야 한다. 지금까지 대부분의 이론적 개념과 경험적 연구는 모빌리티 불평등의 한 측면에만 초점을 맞추었다. 예를 들어, 존 어리(2007, 197)가 제안한 **네트워크 자본**이라는 주목할 만한 개념은 '친밀하지 않은 사람들과 사회적 관계를 형성하고 유지할 수 있는 능력'을 가리킨다. 그러므로 통신기술에 대한 접근, 알맞은 가격에 잘 구축된 교통망, 적절한 만남의 장소, 친교와 환대를 제공하는 중요한 사람들에 대한 관리 등과 같이 네트워크 자본도 몇가지 불평등하게 사용 가능한 요소들로 구성된다. 그런 다음 이러한 요소들은 명확하게 계층화된 순서를 생성하며 조합된다(Urry 2007, 197).

그러나 네트워크 자본을 논할 때 이동을 위한 복잡한 전제 조건을 강조하다 보면 특정한 사회적·지리적 맥락에서 구성되는 '연결행위doing of connection'(Bärenholdt 2008, 2)와 각 구조 사이의 상호보완성을 간과하게 된다. 라센Larsen과 야콥센Jacobsen(2009, 87f.)의 논의가 말해 주듯이 네트워크란 지리적으로 분산된 상태에서 작동하는 것처럼 보이지만, 모든 사람이 멀리 떨어진 네트워크 관계를 갖는 것은 아니다. 따라서 이동하는 능력과 자원은 몇 세대에 걸쳐 지역 네트워크에 뿌리내린 사람들보다는 확실이 일부 그룹, 예컨대 국제적으로 활동하는 학자들이라든가 두 개 이상의 국가에 사회적 네트워크를 유지하는 이주자들에게 더 유용해 보인다. 더욱이 네트워크 자본의 요소로서 교통수단에 대한 **개인적** 접근은 이용 가능한 **공적** 대안이 무엇인지에 따라, 그러니까 그가 처한 정치-지리적 위치에 따라 다른 사회적 결과를 낳는다. 가령 스위스에서는 **차가 없다는 것**이 그 사람의 사회적 기회와 거의 상관없는 문제지만,[3] 영국 등지에서는 낮은 사회적 지위와 상당히 관련된 문제임을 경험적으로 알 수 있다(Manderscheid 2010, 42ff.; Lucas 201%; Manderscheid 2014). 따라서 자동차에 대한 불평등한 접근 문제는 그 자체로 불평등한 사회적 기회를 의미하는 것이 아니라 중요한 장소가 지리적으로 분산되어 있고 자동차를 대체할 교통수단이 없는 상황에서 발생한다. 이 두 상황은 모빌리티 실천 및 잠재력 분석이 사회구조와 공간구조의 특정 배경과 더 체계적으로 연결되고 평가되어야 함을 시사한다.

더욱이, 모빌리티/불균형 연쇄의 구조적 측면에 초점을 맞춘 연구는 모빌리티 실천과의 연관성을 과소평가하는 경향이 있다. 특히 인프라와 공간의 지속적인 양극화와 '분할'은 다양한 각도(예를 들어 Graham and Marvin 2001; Sassen 2001; Castells 2005)에서 많은 주목을 받으면서 모빌리티 인프라 구성에서 나타나는 불평등한 공간 분할을 강조하는 연구를 낳았다. 이런 연구는 일반적으로 집계된 데이터를 기반으로 한 구조적 분석 수준에 머물러 있음으로써, "어떤 주체적 매개도 없는 채로, 외부 사회 형태(흐름, 회로, 사람과 자본과 문화의 순환)에서 벗어난 사회생활"을 읽을 위험이 있다(Povinelli and Chancey 1999,

---

3 스위스 2005년 조사(Swiss Household Panel 2005)에 근거하여 자동차가 없는 것과 가계소득 간의 상관관계를 발견할 수 있었다. 스위스에서는 사회적 지위가 높은 사람일수록 자동차 소유 비율이 낮았다.

D'Andrea, Ciolfi 및 Gray 2011, 156). 여기에서 더 명시적으로 개념화되어야 하는 것은 글로벌 규모의 물질 구조, 국가 또는 지역 규모의 매개 구조, 공적 담론이나 일상적 담론과 지식상에 나타난 표현, 집단과 개인의 경험, 그리고 모빌리티 및 기타 사회적 실천에 대한 영향 사이의 연결이다.

모빌리티/불평등 연쇄의 여러 차원 간 다면적인 연결을 다룰 방법으로, 나는 모빌리티를 **장치**로 개념화하고자 한다.[4] 이는 공간 구조, 사회의 내재적 특징, 모빌리티 실천, 개인 및 집단적 욕망, 이용 가능한 이동 수단 사이의 권력관계뿐만 아니라 연결 관계를 이해하는 데 도움이 될 것이다. 미셸 푸코는 **장치**를 다음과 같이 설명했다.

내가 이 용어로 말하고자 하는 것은 담론, 제도, 건축상의 정비, 법규에 관한 결정, 법, 행정상의 조치, 과학적 언표, 철학적 · 도덕적 · 박애적 명제를 포함하는 확연히 이질적인 집합이다. 한 마디로 말해진 것이든 말해지지 않은 것이든, 이것이 장치의 요소들이다. 장치 자체는 이런 요소들 사이에 성립되는 네트워크다(Foucault 1980, 194f.).

그렇다면 **모빌리티를 현대의 생산적 장치로** 이해하는 것은 이동하는

---

4 프랑스에서 흔하게 사용되는 장치dispositif라는 용어는 영어로는 종종 'apparatus(장치)'로 번역되는데, 이렇게 번역하면 상당히 기계적인 용어가 되어 버린다. 따라서 이 글에서는 영어에서 잘 쓰지 않는 단어지만 dispositif(장치)라고 쓰겠다.

신체 및 그에 상응하는 공간적 특성의 구성, 배열, 통치에 초점을 맞추는 것을 의미한다. 이 관점에 따르면 이동은 사회적 의미와 지식, 공간 구조, 교통 및 통신기술과 경관과 사회적 관계, 경제적 지형 및 주거 지형 등의 복잡한 네트워크 안에서 발생하는 동시에, 이 네트워크 구성에 기여한다. 또한 장치 개념은 이 요소들 내부와 그 사이에서 발생하는 불일치, 모순, 적대에 대한 탐색을 돕는다.[5] 이는 헤게모니적 담론과 반헤게모니적 담론과 의미, 사회구조와 공간적 물질성과 실천 사이의 다양한 상호 관계, 이동하는 주체와 경험적 정체성의 형성에도 초점을 맞춘다. 담론은 이동과 정지를 정의하면서 모빌리티를 지식의 대상으로 구성하고, 이러한 사회적 사실에 특정한 의미를 부여한다. 물질적·비물질적 객관성은 인프라와 테크놀로지뿐만 아니라 경관, 거주지, 도시를 지속적으로 형성, 재형성하는 법률, 교통 규정, 사회제도로 구성된다. 관찰 가능한 움직임과 정지의 실천은 공간과 담론을 통해 스스로 형성되고 일어난다.[6]

마지막으로 모빌리티 장치는 특정한 이동 **주체성**을 형성한다. 더욱이 분산된 권력에 대한 푸코의 생각은 모빌리티 장치 전체가 중앙에서 또는 위계적으로 조직되거나 관리되지 않는다는(그리고 관리될 수 없다는) 점을 암시하지만, 그 요소들과 부분들이 그것들 자체의

---

[5] 뵘 등Böhm et al.(2006, 5)은 모빌리티에 대한 시스템 개념이 은유적 설명으로서는 잘 작동하지만, 그 생성과 형성에서 정치적 행위자를 드러내지는 않는 경향이 있다고 지적한다.

[6] 그러나 문제의 모빌리티 실천과 관련한 지식과 지리을 정의하는 일은 경험적 문제로 남아 있다.

역학에 따라 작동한다는 점에서 리좀적이고(Deleuze and Guattari 1987 참고) 산포적인 것으로 특징지어질 수 있다(Salter 2013, 13ff.).[7] 따라서 권력구조, 사회적 불평등, 모빌리티는 구체적인 맥락과의 관계 속에서 분석되어야 한다.

여기에 더해 모빌리티 장치는 우연히 생겨난 획일적이고 고정된 시스템을 설명하지 않는다. 오히려 푸코의 정의가 말해 주듯, 역사적으로 '긴급한 요청', '긴급성'에 대한 대응으로 나타난다.

'장치'는 말하자면 긴급한 요청에 응하는 역사적 순간에 주요한 기능을 발휘하는 것이다. 따라서 이는 지배적인 전략적 기능을 가지고 있다. 예컨대 이는 본질적으로 중상주의 경제에 부담이 되는 유동하는 인구를 동화시키기 위한 것이었을지 모른다. 여기에는 광기, 성병, 신경증의 통제나 주체를 점차 과소평가하는 장치의 매트릭스로 작동하는 전략적 명령이 있다(Foucault 1980, 195).

이 글의 나머지 부분에서는 20세기 후반의 헤게모니적 모빌리티 장치로서 자동차와 자동차모빌리티에 초점을 맞추어 모빌리티 장치 개념을 구체화하겠다. **자동차모빌리티** 개념은 인공물로서 자동차

---

7 다양한 차원 간의 이질적 상호작용과 관련하여 하나의 장치 차원이 오히려 중앙집중식으로 이를 끌고 갈 가능성을 강조하자면, 최근 인터넷의 발전은 사이버공간의 물질적 기반 같은 단일 차원이 구글, 페이스북, 아마존 등과 같은 각 운영자에 의해 통제될 수 있다는 것을 보여 준다. 이러한 유용한 사례를 제공해 준 마틴 페더슨Martin Pedersen에게 감사한다.

보다 더 많은 것을 아우른다. 오히려,

> 자동차모빌리티는 모더니티가 조직되는 주요한 사회기술적 제도 중
> 하나이다. 그것은 자동차모빌리티의 공간적 움직임과 영향을 체계
> 화, 가속화, 형상화하는 동시에 많은 결과를 규제하는 일련의 정치적
> 제도 및 실천이다. 또한 자유, 프라이버시, 이동, 진보 및 자율성의 이
> 상을 구체화하는 담론적 형성이며, … 이를 통해 담론에서 … 자동차
> 모빌리티가 표현되고 자동차모빌리티의 기술적 인공물(도로, 자동차
> 등)이 합법화된다. 결국 이는 세계를 경험하는 일련의 방법인 현상학
> 을 수반한다[Böhm et al. 2006, 2].

이와 마찬가지로 어리[2004, 25f.]는 자동차모빌리티를, 산업적으로
제조된 자동차라는 대상, 주요 소비재로서 자동차의 사회적 의미,
관련 산업과 서비스 및 주거 형태 내에서 자동차의 경제적 의미, 다
른 이동 방식에 대한 자동차의 지배적 위치, 자동차의 생태학적이
고 문화적인 영향력 등으로 구성된 글로벌 시스템이라고 설명했다.
비슷한 맥락에서, **자동차모빌리티를 장치로** 이해하면 특정 주체성과
모빌리티 실천의 통치, 구성, 담론, 자동차 경관이 구성해 내는 다각
적인 면모가 전면화된다. 여기에 더하여 장치라는 용어는 자동차의
헤게모니를 만들어 내는 요소들의 권력관계와 뒤얽힘에 초점을 맞
추게 한다. 따라서 이 접근법은 허용된 움직임과 금지된 움직임의
공간 구성, 가능하고 가시적인 것뿐만 아니라 상상도 못 하거나 반

문화적인 모빌리티 풍경의 구성, 그리고 다양한 규모의 사회적 권력투쟁을 구조화하고 이를 통해 정상, 비정상, 불능으로 구조화되는 이동 주체의 구성을 명시적으로 강조한다. 자동차모빌리티 장치는 자동차에 기반한 사회적 형태의 생산, 구축, 인식, 통치, 수행, 저항의 지속적인 과정에 영향을 미친다. 이는 또한 모든 수준에서 모빌리티 장치가 권력구조화된 네트워크 내 대상, 개인, 집단, 장소를 지정한다는 점을 의미한다. 따라서 그 결과로 나타나는 사회 구성은 사회적·공간적 불평등의 특정한 관계로 특징지어지며, 이는 모빌리티가 사회적 구조화와 공간적 구조화를 함께 구성한다는 점을 강조하는 지점이다(Manderscheid 2009). 즉, 다차원적 불평등 관계가 핵심 문제다.

과거 연구 결과에서 알 수 있듯이, 자동차모빌리티는 일단 어느 정도 안정되면 새로운 기술, 정책, 소비자의 다른 요구 조건과 같은 변화하는 조건을 적응시키고 통합할 수 있다는 것이 입증되었다. 따라서 예컨대 어리(2004, 27)는 자동차모빌리티를 자기조직적이고 자기확장적인 자기생산적autopoietic 시스템으로 설명한다. 현재는 특히 자동차모빌리티가 오일 피크oil peak(매장량이 줄어 석유 생산량이 줄어드는 시점)라는 상황, 기후변화에 대한 대응으로서 대안적 모빌리티 양식 육성정책, 자동차에 의한 도시 공간 점유가 늘어나는 현상과 같은 도전에 직면에 헤게모니적 위치를 유지할 수 있을지(만약 그렇다면 어떻게 할 수 있을지)에 관심이 쏠리고 있다. 즉, 자동차모빌리티 장치 내에서 양면성, 모순, 파열뿐만 아니라 안정화를 찾는 문제가 홍미를 끈다. 나아가 이는 모빌리티 장치가 역사적으로 구체적인 답을 제시했던 역사적 '긴급성'을 이해하는 데에 도움이 될 것으로 보인다. 따라서 계보학적 접근 방식은 초역사적 원인이나 법칙에 대한 고려 없이 가능성의 조건을 발굴하는 데에 도움이 된다(Foucault 1977, 142). 그러나 그 출현뿐만 아니라 안정화를 더 잘 이해하기 위해, 장치 개념은 문화정치적 경제에 기초해 이해되어야 할 것이다. 이를 염두에 두면서 다음 절에서는 '이동 문제movement problem'를 간략히 요약한 후 푸코적인 장치 분석을 규제이론으로 보완해 보겠다.

모더니티의 이동 문제

모빌리티를 긍정적으로 평가하는 것은 모더니티의 역사적 특성으로, 모빌리티는 진보와 미래지향성을 암시하는 것처럼 보인다 (Rammler 2008; Goodwin 2010, 72ff.). 더욱이 지식의 대상으로서 모빌리티와 순환은 역사의 특정 시점에 나타난 것으로 보인다. 이는 질문을 불러온다. "무엇이 일어났고 무엇이 변화하여 지식의 대상이자 통치되어야 할 실천으로서 모빌리티가 전면화되었는가? 모빌리티 장치의 해법은 무엇인가?"[8]

---

8 물론 여기에서 모빌리티의 일반적 역사를 제시하거나 인간 움직임의 원인과 기원을 탐구하겠다는 것은 아니다. 오히려 움직이는 신체와 사물을 통치하는 정치적 선입견의 바탕에 놓인 몇 가지 역사적 성좌, 외부적 조건을 그려 보고 싶은 것이다. 이는 또한 자동차모빌리티가 근대 서구 사회를 구성하는 동력이자 운송수단의 헤게모니를 차지할 수 있는 여건을 마

푸코는 통치성 강의(Foucault 2007, 2008)에서 "인구 개념 및 인구 규제를 보장하는 메커니즘이 정치적 지식의 탄생의 중심"에 있다고 보았다(Foucault 2007, 319). 따라서 푸코의 후기 작업은 자본주의 사회 형성 가능성의 조건에 대한 분석으로 이해될 수 있다(Donzelot et al. 1994, 8ff). 토머스 렘케Thomas Lemke의 주장처럼 **통치성**[9]은,

> 푸코가 '자율적' 개인의 자기통제 능력을 탐구하고 이것이 어떻게 정치적 지배와 경제적 착취 형태와 연결되는지 연구하고자 도입한 개념이다(Lemke 2002, 52).

푸코는 인구의 출현을 17세기 초 중상주의적 정치경제적 합리성의 맥락에서 통치의 대상으로 발견해 낸다.

> 인구가 부와 국력의 토대가 되려면 **외부로의 이민을 막고, 외부로부터의 이민을 불러들이고**, 출생률을 활성화하는 규제장치로 인구 개념 자체가 틀 지워져야만 한다. 유용하고 **수출 가능한 생산품**이 무엇인지 규정하고, 임금뿐만 아니라 생산 품목과 생산수단을 결정하며 나태함과

련해 주었다. 통치성 연구를 포함한 푸코의 연구를 통해 이 점을 그려 볼 것이다. 이런 논의는 구체적으로 전개되어야 하며 철저한 역사적 연구에 근거해야 한다.

[9] 푸코에게 통치성은 단순히 일반적인 정치적 의미의 통치를 말하는 것이 아니라, 자기통제, 가족과 자녀에 대한 통솔, 가정관리, 영혼 인도 등을 포함한다. 이는 흔히 '행위의 통솔 conduct of conduct'로 요약된다(Lemke 2002, 50f. 참고).

부랑 생활을 금지하는 규제장치를 통해서 말이다. 요컨대 인구를 국력과 국부의 원리이자 근간으로 생각하게 만드는 장치, 인구가 **올바른 곳**에서 필요한 일을 올바로 할 수 있게 해 주는 장치가 필요한 셈이다. 달리 말하면 엄밀한 의미에서 중상주의자들의 고심거리는 생산력으로서의 인구였다(Foucault 2007, 97, 강조는 필자).

더욱이 스튜어트 엘든Stuart Elden(2007, 2010)이 주장했듯이 지식과 통치의 대상으로서 인구의 탄생은 현대적 의미에서 **영토**의 출현을 동반했다. 그리고 마지막으로 조반나 프로카치Giovanna Procacci(1991)가 상술했듯 정치경제라는 새로운 담론의 출현은 이에 상응하는 사회정책을 불러왔다. 봉건제의 쇠퇴와 지역적인 모빌리티 규제로, 다수의 '주인없는 사람masterless men'이 지역사회 질서를 위협하며 일어났다(Groebner 2007; Cresswell 2010, 27). 역사적으로 주변 담론과 지식은 경제적 번영의 '타자'를 구성하는 빈곤에 중심을 맞춘다. 빈곤은 통제되지 않는 모빌리티를 나타낸다. "이는 통제하거나 활용하는 것이 불가능하며 유동적이고 이해하기 어려운 사회성의 잔여물이 의인화된 것으로, 질서 없이 떠돌아다니는 두려운 사람인 방랑자는 무질서의 원형이자 반사회적인 것이 된다"(Procacci 1991, 161). 따라서 공동구성된 시민사회와 그에 수반되는 현대 국가의 영토와 정치경제, 사회정책의 일부와 함께, 인구의 출현은 사회질서를 확립할 목적에서 모빌리티를 보장하고, 통제하고, 통치하는 '긴급성'을 만들어 낸다. 비슷한 이유로 매튜 패터슨Matthew Paterson은 현대 국가가 무질서를 예방하고 생산적인 이동을 촉진하고자 움직임을 규칙화하는 특정한 체제에 뿌리를 두고 있다고 주장한다(Paterson 2007, 127).

소위 '이동 문제'(본서의 Usher 논문)는 인구, 영토, 정치경제, 사회정책의 공통적인 특징인데, 푸코는 다음과 같이 설명했다.

> 이제 우리는 … 영토를 고정한다거나 구획하는 것이 아니라 나쁜 순환을 가려내고, 항상 이러저러한 것이 움직이고 계속 이동하면서 꾸준히 어느 점에서 다른 점으로 옮겨 가도록 만드는 문제가 등장함을 볼 수 있는 듯하다. 단, 이 순환에 내재하는 위험성은 없애는 식으로 말이다. 이제는 군주와 그 영토의 안녕sûreté이 아니라 인구의 안전sécurité, 따라서 인구를 통치하는 자들의 안전이 문제가 된다. 이는 또 다른 매우 중요한 변화다(Foucault 2007, 93).

하지만 움직임과 움직임의 통치는 별개의 영역이다. 경제적 생산은 사물, 상품, 노동의 조직적인 흐름에 의존하는 반면, 민족국가와 영토에 위치한 사회는 내부와 외부, 시민과 이민자 사이에 확보된 경계선에 의존한다.

> 이러한 국가들은 자급자족적이지 않기 때문에 분리된 정치적 단일체로서의 각 국가란 두 가지 작용, 즉 국가 간 경계를 유지하는 것과 이 경계를 넘어 사람, 생각, 상품, 서비스를 계속 이동시키는 것 모두에 기대고 있다(Hindess 2000, 1488).

억압적인 면과 생산적인 면을 모두 포함하는 넓은 의미의 모빌리티 장치는 특정 결과를 결정하는 것이 아니라 식별, 승인, 검사 과정을 통해 활성화와 감금의 구조를 만든다(Salter 2013, 10). 특히 푸코가 자유라는 용어를 사용하는 것은 모빌리티 장치의 양가성과 관련해서이다.

> 우리가 자유라는 단어로 이해해야 하는 것, 안전장치가 등장한 국면, 양상, 차원의 일환으로 이해해야 하는 것은 바로 이처럼 넓은 의미에서의 순환의 자유다(Foucault 2007, 71).

자동차모빌리티 장치

이상을 종합하면, 모빌리티 장치의 등장은 근대 자본주의 민족국가의 이면인 것으로 보인다.[10] 통합된 소규모 마을 공동체가 와해되고 상호의존성의 사슬이 길어짐에 따라(Elias 1999; Rammler 2008), 상품과 생각뿐만 아니라 사람도 점점 더 먼 지리적 거리를 이동했다. 구체적으로 말하자면 인구 증가 및 산업화와 도시화의 맥락, 그리고 많

---

[10] 역사의 흐름에 따라 이 장치의 발현은 변화했고 사람들의 이동, 시민권과 이민 정책, 관광과 교통 체계 및 운송과 같은 독립적인 조직 혹은 체제를 구성했다. 이들 각각은 인프라, 건설 환경 및 제도, 지식과 담론, 주체화와 경험적으로 관찰되는 실천들 사이의, 지리적이고 역사적인 특정 상호작용에 초점을 맞춘 장치 분석의 대상이 될 수 있다. 하지만 나는 자동차가 여전히 서구 사회의 헤게모니적 운송수단이라는 점에 초점을 맞출 것이다.

은 수의 사람을 이동시켜야 하는 주요한 '긴급성'이 대두된 것이다. 서구 산업화의 초기 단계에서는 증기기관차가 기술적이고 경제적인 발전과 진보를 대표하는 전형이었고, 19세기 후반부터는 말에 이어 전기로 움직이는 트램이 대표적인 도시 내 교통수단이 되었다. 하지만 이는 거꾸로 말할 수도 있다. 산업화와 도시화는 대중교통수단 없이는 불가능한 것이었다고 말이다. 경제결정론을 피해 말하자면, 정치경제 및 모빌리티 장치 그리고 정치적 조직은 사회적 권력의 단순한 효과라기보다는 공동-구성적인 것으로 보인다.

돌이켜 보면 자동차는 단순히 영토 내에서 사람들의 생산적 이동을 조직하는 데에 가장 적합한 기술이었기 때문에 지배적인 대중교통수단이 되었던 것 같다. 이와 동시에 경제성장을 불러오는 긍정적인 효과도 낳았다. 이런 맥락에서 자동차에 탄 사람의 이동은 '자연스러움'의 아우라를 얻는 데 성공했고, "많은 사람들은 자동차가 진화한 교통의 전형이자 자유로운 이동을 위한 궁극적인 기술적 확장이라고 생각했다"(Goodwin 2010; Henderson 2009). 따라서 차에 대한 이야기는 카를 벤츠Carl Benz, 고틀립 다임러Gottlieb Daimler, 빌헬름 마이바흐Wilhelm Maybach 같은 재능 있는 엔지니어의 기술적 발명품에 대한 직선적 성공신화로 회자되며, "차를 구입하고 사용하고 교외로 이동하는 등등 수백만 개인의 복잡적인 선택이 뒤따르게 된다"(Paterson 2007, 91).

하지만 자동차의 역사를 조사해 보면 초기에는 자동차가 사회적으로 널리 받아들여질 것이라 내다보지 못했던 게 사실이다(Kuhm

1997; Paterson 2007; Norton 2008; Dennis and Urry 2009). 자동차가 처음 등장했을 때에는 생산적인 대중을 움직이기에 적합해 보이지 않았다. 오히려 산업화된 세계를 탈출하겠다는 엘리트적인 약속을 담고(Kuhm 1995) 부르주아적 레저 수단으로 도입되었기 때문에 사회적 구별 수단으로 작용했다. 가장 분명한 것은 가격이 비쌌기 때문에 인구 대다수는 자신의 첫 차를 손쉽게 가질 수 없었다는 것이다(Gartman 2004). 그러므로 자동차모빌리티의 역사적 승리는 단순히 일반적인 인간의 욕망에 대한 엔지니어의 기술적 해답 혹은 역사적으로 불가피한 어떤 종류의 진보를 구성한다기보다, 모든 범위의 사회적 투쟁, 정치적 개입, 과학적 담론과 경제적 이익의 뿌리를 두고서 다양한 환경에서 비-집합적인 방식으로 발생한 것이었다. 정치적 심급과 권력 전략을 포함하는 이 같은 권력투쟁을 조명하고자 장치[11]로서의 자동차모빌리티 이야기를 소개하고자 한다(더 자세한 것은 Manderscheid 2012a). 더욱이 자동차모빌리티에 대한 이런 관점에서 사회적 불평등과 공간적 불평등의 관계에 미치는 영향 중 일부는, 이러한 통치 양식에서 제거될 부산물이 아니라 오히려 필수 요소로서 가시화된다.[12] 이런 설

---

[11] 매튜 패터슨Matthew Paterson(2007), 코튼 세일러Cotton Seiler(2008), 제러미 팩커Jeremy Packer(2008)는 푸코의 배치, 장치, 통치 개념에서 영향 받아 자동차모빌리티를 분석했다. 여기서는 이들의 연구를 계승하면서 자동차 장치의 효과로서 사회적 불평등과 구조화에 더 초점을 맞춘다.

[12] 다른 곳에서는 상황이 달리 보인다는 점은 감안해야 하지만, 다음의 관찰은 다소 서구적이고 유럽적인 상황을 보여 준다.

명은 기존의 모빌리티 분석을 기반으로 하며 개념적 틀로서의 모빌리티/불평등 결합에 대한 앞으로의 연구를 위한 궤적을 제안한다.

자동차모빌리티의 자연화에서 중요한 것은 **지식과 담론**의 차원이다. 장치 요소는 이동하는 신체와 이동의 실천에 의미와 감각을 부여한다(Cresswell 2006, 4; Frello 2008). 제니퍼 본햄Jennifer Bonham(2006)이 상세히 설명한 바와 같이 이동과 교통에 대한 근대적 이해가 출현하면서 교통 및 공간 계획 정책의 정치적 제도화와 통치를 위한 실질적인 전제 조건을 형성했다. 이런 맥락에서 도로 정비는 모든 사람이 동등하게 대중교통수단에 접근할 수 있는 공공장소를 중심으로 재정의됨으로써 보행자보다 자동차가 우선시되는 결과를 낳았다(Norton 2008). 이 지식은 분류 및 위계화 구조 관행, 경관, 개별화를 필수적으로 수반하는 것 같다.

이동에 대해 생각하는 방식은 이동 수단을 생각하는 것이다. 즉, 우리는 '이동 목적지'에서의 활동에 참여하고자 한 지점에서 다른 지점으로 이동한다. … 기차, 트램, 자동차보다 중요한 이 혁신은 이동 실천을 객관화하고 여행을 효율적으로 완성하는 지식을 만들어 냈다. 교통지식 생산은 효율성과 관련하여 이동 실천을 분리하고, 분류하고, 정렬하는 것과 관련된다. 이러한 이동 정렬에서는 어떤 이동 실천을 다른 실천보다 높이 평가할 뿐만 아니라 … 공공장소에서 우선순위를 정할 수 있게 하는 위계 구조를 설정한다(Bonham 2006, 58).

그러나 자동차모빌리티와 자동차 재현과 담론은 정책, 정비, 교통에만 국한되지 않는다. 오히려 자동차모빌리티는 특히 진보, 자유, 자율성, 안전과 같은 막연한 용어와 관련되면서, 자동차 광고와 마케팅 전략으로 공동제작되고 사용되는 수많은 대중가요 가사, 영화, 문학에 스며들었다[예컨대 Paterson 2007, 144ff.; Pearce 2012]. 반면에 대중교통은 비융통성, 부정확한 시간성, 느린 속도, 빈곤, 말하자면 근대적이고 진보적이고 신자유주의적인 사고 내에서 매우 **부정적인** 사회적 가치와 관련되는 경향이 있다.[13]

이렇게 담론적으로 생산된 다양한 이동수단의 위계화는 자동차를 '정상성'과 연결짓고 대중교통뿐만 아니라 자전거 이용자와 보행자도 부가적인 혹은 비정상적인 경우로 처리한다[Böhm et al. 2006, 8; Gegner 2007]. 이런 사고방식은 공간 및 교통정책과 계획을 선–구성하고 이것들이 만들어 내는 권력 기반을 영속적으로 유지한다. 하지만 지식과 물질적 실현의 연결은 개념과 계획의 일차원적 실현 이상을 불러오게 되며, 오히려 다양한 이해관계자와 기존 경관 사이의 지속적인 권력투쟁으로 구성된다[Flyvbjerg 1998; Richardson and Jensen 2003]. 따라서 축적된 지식과 권력으로서의 **모빌리티 경관**은 현재의 담론투쟁에서 강력한 힘을 구성한다. 이런 맥락에서 "사회 인프라[와] 기계에 대한 매몰 투자"[Kemp, Geels, and Dudley 2012, 13]는 자동차 사회–공간

---

[13] 때때로 대중교통은 인종차별적이고[Henderson 2009, 151] 젠더화된 것처럼[Murray 2008] 보인다.

질서를 안정시키고 영속화하려는 경향이 있다.

'자동차 공간의 구조'는 사람들로 하여금 매우 중요한 거리를 가로질러 모빌리티와 사회성을 복잡하고 이질적인 방식으로 편성하게 만든다. 자동차 편의로 20세기 후반에 만들어진 도시환경은, 과거에는 공유된 공적 공간 내에서 일어난 긴밀하게 통합되면서 나눠져 있었던 사회적 실천이던 가정, 직장, 비즈니스, 여가의 영역을 '분리'시켰다. … 자동차모빌리티는 직장과 가정을 분리시켜 도시를 오가는 긴 통근 시간을 만든다. 이는 집과 상업지구를 분리시켜서, 걷거나 자전거를 타고 접근할 수 있는 지역 소매점을 약화시키고 마을 중심, 차 없는 거리, 공공장소를 침식한다. 또한 집과 다양한 레저 장소를 분리시켜서 교통수단을 이용해야만 접근할 수 있게 한다(Urry 2006, 19).

이런 맥락에서 객관화된 자동차모빌리티는—도시 및 농촌 지리뿐만 아니라 규제, 제도, 법률에서도—(주거뿐만 아니라) 이동 방향과 방식을 규정하고, 인도, 자전거도로, 트램 노선 등과 같은 다양한 교통수단의 경관에 영향을 미친다(그리고 무엇보다 종속시킨다). 하지만 이처럼 경관을 통해 자동차모빌리티 이동이 규정되고 영속화되는 것은 근본적인 적대감을 불러온다는 점에서 한계를 갖는다. 이동이 불가능하다는 것은, 이동의 정반대에 놓인 집단적 임모빌리티 상태를 의미하기 때문이다(Böhm et al. 2006, 9). 최소한 러시아워 동안 유럽 여러 도시의 물질적 구조는 자동차 이동에 불리하게 작용한다. 오히려 자전거나 지하철을 이용하는 것이 혼잡한 거리를 우회하며 빨리 이동할 수 있는 방법이다. 이는 자동차모빌리티의 한계 전조이며, 시간적으로는 뒤집힌 헤게모니의 불안함으로 해석될 수 있다.

20세기 후반 서구 복지국가들의 공간 계획은 '인프라의 이상'에 지배되어 국가 영토 전반에 걸쳐 표준화되고 규범적인 인프라 네트워크를 모든 곳에서 제공하고자 했다(Graham and Marvin 2001). 사회정책과 국가 건설이라는 넓은 맥락에서 자동차는 틀림없는 '사회적 균형장치social equalizer'가 되었다(Rajan 2006, 114). 제2차 세계대전 이후 서구 사회는 자동차로 어디에나 쉽게 접근할 수 있는 다양한 단계를 경험했다. 하지만 자동차모빌리티의 정상화와 그에 따른 자동차 강요, 그리고 (지리적 불평등을 완화하고 자동차 접근성을 보장하려는) 환경적 영향으로 인해, 사람들의 공간적이고 사회적인 '위치성'(Sheppard 2002)과 관련해 새로운 불평등이 나타났다. 지역이나 장소, 국가와 마찬가지로 사람을 상관적이고 위계적 공간에 배치하는 것이다. 이러한 사회-공간적 질서는 자동차 접근성의 결과로 나타나는 중심 또는 주변적 위치로 정의된다. 자동차와 도로는 장소와 사람을 연결하는 고리다. 자동차 소유는 계속 증가했지만,[14] 일부 사람들은—신체적 제한(나아가 건강 문제) 그리고 종종 경제적 빈곤이나 여성이라는 성별과 관련된 이유 때문에(for the UK: Lucas 2011)—자동차를 이용할 수 없었

---

[14] 2010년 인구 1천 명당 자동차 대수는 영국 457대, 스위스 521대, 덴마크 390대이다(The World Bank 2013).

다. 이 차원은 교통의 다른 경관, 가령 대중교통이나 도보, 자전거 이용 접근성과 위치 등 다양한 범위에서 조정됐으나, 열악한 대기 질, 소음, 건강 문제 등 자동차가 미치는 부정적인 영향은 특히 소외된 지역의 가난한 사람들에게 해당되는 경향이 있다(Martin 2009, 223f.).

반사적인 지식과 내면화된 습관과 함께, 모빌리티 경관과 이용 가능한 이동 수단은 개인이 움직임을 기반으로 사회적 연결을 수립하고 유지할 수 있는 공간을 결정한다. 하지만 이러한 **모빌리티 실천**은 가능한 선택지로부터 연역해서 이해하거나 담론의 단순한 효과로 볼 수는 없다.[15] 이는 구조적이고 개별적인 조건과 역학의 접점에서 등장하며 이동의 끝은 개별적이고 지리적이고 사회적인 맥락으로 구성되기 때문에 경험적으로 연구되어야 한다. 종종 부분적으로만 의식되지만 오히려 통합되고 습관화되어 공간과 잠재적 모빌리티에 대한 지식과 담론을 일상적 실천과 연결시킨다.

말레네 프로이덴달 페데르센Malene Freudendal-Pedersen은 집단적으로 공유된 모빌리티 담론을, '머릿 속의 자동차'(Canzler 2000)가 지배하는 경향이 있는 "구조적 이야기"(Freudendal-Pedersen 2007)로 제시했다. 그러나 이러한 일상적 지식은 비록 상당 부분 공동체와 공유되지만 사회적으로 (그리고 공간적으로) 구조화된 아비투스와 함께 변한다고 가정된다(Bourdieu 2000). 더욱이 자동차모빌리티는 사회적으로 차

---

[15] 일반적으로 푸코의 담론 분석과 통치성 연구는 경험적 실천과의 연결을 무시한다.

별화되고 위계화되고 관련되는 여러 실천 및 생활 방식에 깊이 뿌리내리고 있다. 가령 교외에 사는 중산층 가정 환경에서는 일반적으로 가족 중 한 사람이 장거리 통근을 하게 됨으로써 다른 가족 구성원에게 혹은 외부 서비스에 가사와 육아를 할당하게 된다. 따라서 자동차모빌리티 실천은 구조화된 분업으로 구조화된다(Seiler 2008; Manderscheid 2012b;Scheiner and Holz-Rau 2012). 헨더슨Henderson은 미국의 예를 들며 열악한 학교, 도시 범죄, 인종적 다양성을 비롯한 여러 도시적 병폐로부터 거리를 두고자 이 같은 "문제"가 있는 공간에서 벗어나려고 노력하는 미국 중산층의 "분리주의적 자동차모빌리티 정치"를 설명한다(Henderson 2009, 152). 따라서 사회-공간적 불평등, 이 경우에는 인종적 불평등까지도 발생하게 된다.[16]

따라서 이런 광범위한 관점에서 자동차 관습은 지속적으로 사회-공간적 차별화, 거리감, 종속, 배제를 만들어 내고 수행하게 된다. 또한 다수의 자동차들과 함께 자동차모빌리티를 둘러싼 복합적 연관성들은 자동차를 소유하는 것이 개인의 라이프스타일, 윤리, 가치를 표현하면서 구별해 주는 수단으로 기능하도록 만든다. 가령 부, 안전, 거친 개인주의의 상징인 SUV를 탈 것인가, 혹은 지속가능성이나 기후 문제 같은 탈물질적 가치와 관련된 최신 하이브리드 자동차를 탈 것인가 등의 프레임을 만들어 낸다(Goodwin 2010, 64; Bourdieu

---

[16] 그러나 대중교통에 대한 저항은 값싼 노동력에 대한 자본의 수요에서 한계를 발견한다 (Henderson 2009, 158).

2000). 이런 점에서 자동차 운전은 자동차 공간을 계속 재생산하며, 이는 '공간 만들기'인 동시에 '사회질서 만들기'의 한 방법으로 볼 수 있고,[17] 이는 다시 계급과 라이프스타일, 성별, 인종에 의해 차례로 교차되는 듯 보인다.

마지막으로 패터슨이 주장한 바대로, "자동차는 어떤 책략을 통해 외부적으로 우리에게 부과된 것이 아니라, 우리가 누구인지를 부분적으로 구성하는 것이다"(Paterson 2007, 123). 이런 맥락에서 **주체화**의 장치 차원은 제도, 절차, 분석, 성찰에 의한 권력 실행을 통해 이동하는 개인과 집단을 형성하고 통제하는 것에 집중한다. 이는 인간의 몸과 삶, 사고방식과 행동 방식, 사회화와 사회 형성 방식을 향한다(Foucault 2007, 144, 167). 베렌홀트Bærenholdt(2013)가 주장한 대로, 사회, 국가, 도시, 지역을 함께 만들고 결합하는 데에 근본적인 모빌리티는 언제나 통치되지만, 이는 무엇보다 정치적 기술인 통치 방식이다. 그렇다면 자동차모빌리티화automobilisation는 현대 자본주의 사회 구성 내에서 개별적으로 주체를 동원하는 특정한 역사적 통치 효과로 이해될 수 있다.

미미 셸러Mimi Sheller(2004, 227)에 따르면, 자동차 사회로의 사회화와 자동차 주체의 구성, 그리고 자동차 성향의 구현은 가장 어린 시절

---

[17] '공간 하기doing spzce'는 '젠더 하기doing gender'(West and Zimmerman 1987)와 유사하게 이해할 수 있으며, 사람들의 실천을 통한 공간적 구조와 사회적 구조 사이의 상호구성을 강조한다.

부터 수행된다. 대부분의 국가에서 교통교육을 국정 교육과정에 포함시킨다. 거리에서의 '안전한' 행동이 무엇인지 가르치고, 자동차의 흐름에 따라 아이들의 움직임을 조절하게 만듦으로써 종속시키는 것이다(Collins, Bean, and Kearns 2009). 그리고 마지막으로 운전면허시험 통과와 면허증 수령은 자동차 사회의 완전한 구성원이 되는 성인으로의 진입을 나타낸다(Rajan 2006; Packer 2008; Seiler 2008).

　하지만 이는 자동차 주체 그 자체뿐만 아니라 경제적으로 생산적인—직장에 가거나 소비를 하고자 운전하는—자동차 주체의 완전한 사회적 진입을 뜻한다. 자동차모빌리티의 공동생산과 확장에도 불구하고, 다른 이동 주체—보행자나 대중교통 사용자, 자전거 사용자—는 일반적이지 않고 인지도도 낮다. 따라서 자동차 주체의 형성은 이동 주체 지위의 위계 구조를 구성하는 부분이며, 한편으로는 정상적이고 좋은 움직임과 부유하는 것을 구분하고, 다른 한편으로는 종속적이거나 비정상적이거나 단순히 비생산적인 형태를 구분한다. 예컨대 경제활동을 하는 노동력의 통근과 통제되지 않는 여가 생활 중의 이동, 뉴에이지 여행자와 돈 쓰는 관광객, 보조금을 받는 대중교통수단과 개인의 자가용 등으로 나뉘는 것이다. 게다가 자동차라는 것은 다른 많은 주체 입장을 특징짓는 중요한 것이다. 예를 들어 책임감 있는 부모 역할을 하기 위해서는 자녀를 학교에서부터 여가 공간으로 자동차로 태워 데려다 줄 수 있어야 한다. 미국의 교외 중산층이 되는 것은 SUV 같은 차를 직접 운전하는 일과 직결된다. 혹은 고용 가능한 사람이 된다는 것은, 근로복지 체제에 따라, 자동차로 긴 통근 거리를 오가는 일을 받아들이는 것과 직결된다.

이처럼 이동하는 주체는 계획이나 정책-결정뿐만 아니라 미디어, 광고, 교육제도, 법률, 규제, '좋은 삶'에 대한 공동체의 이상 등에 의해 통치되고 구성된다. 이는 실제로 존재하는 개인과 그들의 실천을 결정하지는 않지만, 그에 영향을 미치는 "규범적 리얼 픽션 normative real-fiction"(Graefe 2010)으로 이해되어야 한다. 따라서 개인이 외부적으로 미리 정의된 이 같은 주체의 위치—자동차 주체는 이 중에 단 하나일 뿐이다—를 적절하게 조정하거나 저항하거나, 변경하는 방법은 경험적인 문제로 남는다(Bührmann and Schneider 2010, 274ff.).

자동차 장치의 모든 요소는 주체화 및 실천과 관련해 지리학적 또는 사회적 구조와 지식과 관계된 불평등을 수반한다. 그러나 이는 특히 자동차모빌리티 장치 요소들 사이의 상호작용으로, 모빌리티 불평등과 사회적 위계화의 복잡한 그물망을 구성한다. 이 글에서는 이러한 연결 중 일부를 지적했지만, 사회적 불평등과 권력관계에 대한 이런 측면의 효과, 역학, 근거를 더 잘 이해하려면 추가 연구가 필요하다.

자동차모빌리티의 지속, 혹은 새로운 모빌리티 장치의 출현?

하지만 자동차모빌리티를 연구하는 것은 다각도의 문제가 되었기 때문에 대중적 관심과 과학적 관심을 받았다. 가령 오일 피크, 기후변화, 대기오염, 소음, 교통체증, 도시 공간 사용으로 인한 질적

저하 등은 자동차 헤게모니가 가져온 부정적 영향 중 일부이다. 따라서 자동차모빌리티가 지속 가능한 이동 시스템으로 자리잡을 수 있을지, 그리고 이것이 어떻게 가능할지에 대한 질문은 점점 사회학적 관심을 받는 시급한 문제다(Conley and McLaren 2009; Dennis and Urry 2009; Cass and Manderscheid 2010; Goodwin 2010; Sheller 2011; Geels et al. 2012). 달리 말하자면, 주목되는 것은 현재 자동차 장치의 안정화 요인에 대한 이해뿐만 아니라 대안적 모빌리티 체제의 가능성에 대한 모색이다.

장치-분석적 접근의 특별한 강점은, 대개는 우발적이지만 잠재적으로는 언급했던 요소들 사이의 상호적인 강화 작용을 통해 자동차모빌리티의 헤게모니 출현을 추적하는 것에 있다. 게다가 장치 개념은 다른 형태의 지식과 그 물질적 구현의 상호작용이 권력을 만들어 내는 현실을 설명할 수 있다. 하지만 이 상호작용 역시 몇 가지 모순과 단절을 수반하는 것처럼 보인다. 실제로 자동차모빌리티의 기본 특성은 안정적으로 잘 작동하는 기계를 구성하는 것이 아니라 본질적으로 부서지기 쉬운 것이다. 특히 자동차모빌리티에 내재된 적대감과 불가능성이라는 배경에 맞서(Böhm et al. 2006, 9ff) 혼잡, 환경 악화, 석유 자원 고갈 등의 한계와 인명에 대한 위협으로서 대량 자동차모빌리티 주장과 그 지속적인 안정화에 대해서는 더 많은 설명이 필요하다.

이를 염두에 두고서 이제부터는 자동차모빌리티, 그리고 특히 모빌리티 체제가 일반적으로 자본주의 사회의 구성 요소로 이해되어야 한다는 나의 주장을 상세히 설명하겠다. 이는 자동차모빌리티와 다른 강력한 힘, 특히 경제적(그리고 지리적)[Böhm et al. 2006, 10] 힘과의 연결을 통해 이런 문제를 해결하려고 할 때 특히 중요해 보인다.

장치는―폐쇄적 시스템과 대조되며―리좀적인 것[Deleuze and Guattari 1987, 7, 25]으로 특징지어지며, 안정화되거나 약화될 수 있는 사회의 다양한 분야에 만연해 있다. 자동차모빌리티의 경우 이 장치는 단순히 교통이나 문화적 재현 또는 주체화로 환원될 수 없으며, 20세기 중반 이후 서구 산업 생산의 원동력을 구성한다. 또한 존 어리가 최근에 지적하고[Urry 2010] 애디Adey, 비셀Bissell과의 인터뷰에서도 밝힌 것처럼, 자동차모빌리티의 부상 역시 석유 자원에 뿌리를 두고 있다.

> 따라서 모빌리티의 자원 기반은 의심할 나위 없이 중요하다. … 나는 20세기가, 1859년 최초의 석유 발견이라는 매우 특징적인 사건으로 가능해진 인류 역사의 한순간일 가능성이 있다는 견해를 발전시켜 왔다. … 따라서 이 대량-기계-기반 이동은 실로 20세기를 만들어 냈다. 이 점진적으로 이동하는 세기는 움직이는 석유라는 매우 독특한 자원을 기반으로 한다[Adey and Bissell 2010, 4].

현재 산업 생산을 위한 가장 중요한 단일 화석자원인 석유에 대한 이런 의존은 또한 자동차모빌리티를 글로벌 지정학적 문제[Böhm et al. 2006, 10] 및 글로벌 정지경제 시스템의 불평등 문제와 연결시킨다.

게다가 대중교통수단이자 또 다른 가능성의 조건으로서 자동차모빌리티는 특정한 생산양식, 즉 대량소비의 전제 조건인 테일러주의식 분업과 합리성에 기반한 표준화된 대량생산에 그 뿌리를 두고 있다. 포드사의 정책에 따라 만들어진 노동과정의 이 새로운 조직 덕분에 더 넓은 사회계층용 차가 만들어졌고 대중을 위한 차가 제조되었다. 노동과 소비의 재편성에서 자동차 중심성을 강조하면서, 이 '축적의 체제'를 '포디즘Fordism'이라고 불렀다. 따라서 자동차 장치 안정화의 상당 부분은 특정한 축적 체제에 포함된 결과이다(Schipper 2012, 207).

'순수' 경제이론과 고전적 마르크스주의적 접근 방식과는 대조적으로, 규제이론(Aglietta 1979; Lipitz 1985; Krätke 1996; Jessop, Röttger, and Diaz 2007; Boyer 2011)은 자본축적의 공동구성, 잉여가치가 장기간에 걸쳐 생성되고 실현되는 역사적으로 특정한 체제, 수익성 있는 민간사업 조건을 확보하고 안정시키는 특정한 규제 방식, 뿐만 아니라 사회정치적 제도, 정책, 규범, 통치철학과 소비문화를 통한 노동 재생산을 강조한다(Aglietta 1979, 1998; Jessop 1999; Paterson 2007, 105). 기본적으로 경제는 항상 시스템이 자체적으로 제공할 수 없는 외부 경제 조건에 의존한다.

서구 포드주의 시대는 주로 수요 측면의 관리를 통해 상대적으로 폐쇄된 국가경제에서 완전고용을 확보하고자 발휘되는 국가의 뚜렷한 역할로 특징지어져 왔다. 노동력의 재생산을 목적으로 하는 사회정책에는 대량소비, 가족임금을 촉진하고 이에 따라 노동자계급을 자본주의 사회로 통합하려는 독특한 복지 지향성을 가지고 있다(Aglietta 1979, 152; Jessop 1999; Paterson 2007, 111f.). 전체적인 임금 상승을 경제성장의 전제 조건으로 삼았기 때문에 자본의 이익과 모순되지 않왔다. 이런 맥락에서 마이클 아글리에타Michel Aglietta가 강조했던 것처럼 자동차와 교외 주택은 소비 규범의 중심 요소를 구성했다.

따라서 소비 규범의 구조는 자본주의적 생산관계에 의한 조건화와 일치한다. 이는 두 가지 상품으로 통치된다: 개별 소비의 특권화된 장소인 **표준화된 주택**, 그리고 집과 직장의 분리와 양립할 수 있는 이동 수단으로서의 자동차(Aglietta 1979, 159).

대량생산을 통해 대부분의 사회계층에 저렴한 가격으로 제공되는 개인용 자동차는 '균형장치equalizer'로 설명될 수 있으며, 특히 엘리트층에게는 넉넉한 개인 공간을 제공하고 기회를 확장시켜 준다(Rajan 2006, 114). 사회적 안전 수준이 높아짐에 따라 특정 공간 조직과 대량 자동차모빌리티는 울리히 벡Ulrich Beck(1992)이 '개별화'과 '위험 사회'라고 칭한 것, 니콜라스 로즈Nicolas Rose(1999; Miller and Rose 2009)가 자유와 인격의 특정 개념화라고 부른 것의 중요한 토대를 형성하게 된다. 이론적 차이 외에도 이 작업들은 주로 노동조합이나 정치적 정당, 기타 여러 전통적 유대 관계 같은 집단적 조직력을 희생시키고 사회구조와 불평등의 개별화된 경험을 촉진하면서, 20세기의 마지막 분기에 등장한 자기-지배와 자기-책임이라는 특정한 양식을 강조한다.

그러나 규제이론은 이러한 소비 규범이 그에 따라 행동하는 사람들로 변하는 방식을 무시하는 경향이 있다. 그래서 사회적 행위자의 상대적 자율성은 무시하지만, 암묵적으로 경제적 조건으로부터 식별 역학과 사회적 실천을 추론한다(Noël 1987; Mahnkopf 1988; Demirović 1992). 더욱이 이 그림에서 제외된 것은 자동차모빌리티에 존재하는 피드백 순환과 이러한 소비 규범에 영향 받는 특정한 공간 조직의 연결이다(예외는 Paterson 2007). 정치 분석은 다양한 사회적 차원에서 테크놀로지와 권력관계를 전면화하는 유용한 도구가 될 수 있다. 이는 자동차모빌리티를 가능하게 하며, 따라서 암시적인 혹은 노골적인 경제결정론을 피하게 한다. 이런 의미에서 지식 생산, 물리적 경관, 주체화, 개인적 실천 분석을 통한 규제 양식들과 연결되어 있고, 이 양식들 사이에 위치지워진다.

정치적으로 추동된 금융시장의 규제 완화, 경제적 교역의 국제화, 서구 경제에서의 실업 증가는 공공 예산에 대한 압박이 증가했음을 의미했으며, 임금노동에 대한 과도한 의존, 국가 복지기관의 권력 쇠퇴 및 국가개입 범위에 대한 심각한 제한을 감안한 것이다(André 2002, 99f.). 새롭게 부상하고 있는 규제 체제는 경쟁력 향상, 임금 정책 확대, 자기책임적인 기업가적이고 유연성 높은 주체의 강화로 특징지어지는 듯 보인다(Alnasseri et al. 2001, 35f.; Lemke 2002; Bührmann 2004; Miller and Rose 2009). 이런 발전은 자동차모빌리티 헤게모니의 몇 가지 중요한 요소에 영향을 미친다.

첫째로, 특히 유럽에서는, 담론적인 차원에서 과거에는 논란의 여지가 없었던 자동차모빌리티의 헤게모니와 진보, 부, 자유와의 연관성이 환경운동가들뿐만 아니라 부유한 사회집단에 의한 도시 공간의 재발견과 관련해서도 비난받게 되었다. 일반적으로는 고령화 계층과 소위 "창의적 계층"의 특히 교외의 자동차 기반 생활모델은 도시와 연결된 라이프스타일에 대한 매력을 상실했다(Institut für Mobilitätsforschung (ifmo) 2011; Dowling and Simpson 2013). 도시계획 분야에서 나타난 이러한 변화는 자동차 기반에서 좀 더 자유로운 도시 개발과 대안적인 '스마트' 모빌리티 양식에 대한 논의를 불러왔다(Glotz-Richter, Loose, and Nobis 2007; Sheller 2011). 하지만 이러한 새로운 담론 외에도 자동차 정치학은 계속 정책 결정과 교통 및 공간 계획을 통해 진행되고 있다.

둘째로, 경관의 차원에서, 스티븐 그레이엄Stephen Graham과 사이먼 마빈Simon Marvin(Graham and Marvin 2001)이 "조각난 도시화Splintering Urbanism"라고 명명했던 국가 내 지리적 불평등과 인프라 불평등이 심화되는 중이다. 영토를 통합하는 수단으로서 인프라의 이상이 쇠퇴하면서 국가개입과 계획을 점점 공간정책과 경제정책의 최우선으로 이해하게 되었다(Jessop and Sum 2006, 109; Manderscheid and Richardson 2011). 게다가 초국가적 경제 연결을 위한 인프라와 새로운 공간성 —흐름의 공간(Castells 2005), 글로벌 도시 네트워크(Sassen 2000), 유럽 도시간 네트워크(Leitner and Sheppard 2002)—은 지역적으로 묶인 인구의 공간성을 중첩시킨다. 전기자동차와 같은 새로운 발전은 아직 내연기관으로 구동되는 차량만큼의 규모로 발전하지 못했다.

셋째, 이러한 발전과 관련하여, 모바일 장치를 통한 차량 공유 및 통신을 연결하는 다중 모드 및 네트워크 모빌리티 관행이 증가하고 있는 것으로 보인다. 특히 도시에 사는 모빌리티 정도가 높은 젊은 세대 사이에서 자동차 소유의 감소와 자동차 이동의 감소를 관찰할 수 있는데, 현재 '피크 카peak car'라는 상표로 논의되고 있다(Kuhnimhof, Zumkeller, and Chlond 2013; Metz 2013).

이에 상응하는 네 번째 변화로서, 자동차는 주체성과 정체성 형성에 미치는 영향을 상실하고 있는 것으로 보인다. 자동차로 움직이는 국민이라는 이념 대신에, 창의적이고 세계적인 노마드가 주도적인 형상이 되는 것 같다(Bradotti 1994; Cresswell 2011). 그러나 이러한 자동차 이후의 모빌리티 주체와 실천은 특정 인프라에 의존하므로 도시 및 도시 간 연결과 특정 형태의 네트워크 자본(Urry 2007, 197)에 묶여 도시 엘리트와 소위 창조적 계층만을 위한 선택지가 되었다. 이렇게 네트워크화된 지역의 이면은 고속 운송 시스템과 단절된 주변 지역으로 구성된다. 이곳에서는 전통적인 자동차모빌리티에 대한 의존성이 강화되는 것으로 보인다.

결론

모빌리티 패러다임 연구에서는 자동차모빌리티의 쇠퇴와 가능한 새로운 모빌리티 체제의 개발에 집중하려는 경향이 커지고 있다(Urry 2008; Dennis and Urry 2009; Henderson 2009; Goodwin 2010; Geels et al. 2012; Manderscheid 2012a; Dowling and Simpson 2013). 이러한 맥락에서 장치 분석 및 규제이론이라는 틀은 여러 규모의 공간에서 발생하는 권력의 다양성을 전면화함을 의미한다. 이와 함께 장치 개념은 자동차모빌리티에 대한 다른 내러티브를 통과하고 추적하는 것을 용이하게 하고 자동차모빌리티에 대한 담론과 지식, 자동차 풍경, 모빌리티와 이동의 실천, 자동차모빌리티 담론의 형성을 구성하는 그 요소들의 상호작용을 미리 준비하는 것을 돕는다. 이러한 요소와 이것들의 상호작용은 사회공간적 질서와 위계를 위한 생성적 집합체로서 이해되며, 이는 움직이는 신체와 움직이지 않는 신체 각각에 의해 지속적으로 수행되고 실천되는 강력한 위치 및 주체성 그리고 덜 강력한 위치 및 주체성을 포함한다. 이 다소 복잡한 다차원 접근법은 분석적으로 분리된 모빌리티 체제 안에서, 그리고 모빌리티 체제 사이에서 권력과 불평등의 관계를 전면화한다는 데에 그 가치와 의의가 있다.

이 글에서 나는 푸코적인 장치 분석 방식을 확장함으로써 자동차모빌리티가 소비, 생활양식, 공간적으로 분산된 네트워크와 같은 사회적·공간적·행동적·문화적 차원뿐만 아니라 물질적 제약, 정치적 전략의 범위 안에 뿌리내리고 있음을 보여 주었다. 이 같은 정치경제학의 기반 내에서 자동차모빌리티 장치는 규제 양식과 축적 체제 사이에 위치하며, 지식과 담론, 물질적 경관과 제도 및 법률에 침전된 통치성, 주체 형성, 경험적 실천을 통해 이를 연결한다. 더욱이 사회정치적 규제 요소로서 이질적이고 분산적인 모빌리티 장치에 대한 이러한 이해는 주류 연구에서 경제발전의 영향으로 크게 축소된 불평등과 관련된 이해를 확장시킨다. 그러나 장치-분석적 접근 방식은 모빌리티 체제가 자본주의 축적, 공간 형성 및 규제 양식에 미치는 영향에 초점을 맞춰 반대의 관점도 허용한다. 따라서 경제, 정치 영역, 사회구조와 계층화, 공간과 이동의 동시적 출현과 권력구조가 개념화되고 연구될 수 있다.

공간적 · 정치적 · 경제적 영역에서의 발전과 더불어, 다중-양태적으로 연결된 도시와 자동차 공간으로 구성된 시골 사이의, 부유한 고급주택 주인과 불안정하게 살아남은 가정 사이의, 국제적인 엘리트와 지역 안에 정주한 라이프스타일 사이의, 유연하게 움직이는 창조적 남성 노마드와 정박한 채로 재생산 노동만을 하는 여성 사이의 양극화가 심화될 것으로 예상된다. 따라서 자동차모빌리티, 그 지속성과 전환에 대한 비판적인 이해를 발전시키기 위해서는 미래 모빌리티 체제의 이러한 어두운 측면에 대한 많은 경험적 연구가 필요하다. 이런 비판적인 맥락에서, 운송을 조직할 새로운 방법을 찾는 것은 사회질서와 정치경제의 일부이자 부분으로 정교하게 묘사된 더 넓은 의미에서 모빌리티 통치를 재협상하는 것으로 보일 수 있다. 아니면 데니스 소론Dennis Soron이 말한 바와 같이,

자동차모빌리티에 대한 비판은 그것이 단순히 우리의 개인적인 관계를 특정 물건으로 방향을 바꾸는 것을 넘어 자동차의 사용을 조건화하고 전제하는 더 넓은 사회경제적 시스템에 대한 우리의 저항을 공유하기 시작할 때 가장 의미가 있다. 자동차모빌리티에 대한 비판은 우리 필요의 표현이 자본주의 필수주의에 덜 왜곡되고, 우리의 일상이 더 민주적으로 조직되고, 개인적으로 충족되며, 자연적인 한계에

적응하는 소비자 이후의 미래를 구상하는 진입점이 될 수 있다(Soron 2009, 195).

마지막으로 앞으로의 연구는 북반구 선진국 너머로 초점을 확장시켜 사회-공간적이고 정치적인 권력관계와 불평등의 재구성과 함께 자동차모빌리티의 거대한 성장을 다룰 것이다.

출처

이 책의 모든 글은 《모빌리티Mobilities》 9권 4호(2014.9)에 실린 논문이다.
논문을 인용할 때는 다음의 원출처 쪽수 표기.

1장 *Editorial Introduction: Introduction to Special Issue on 'Mobilities and Foucault'*
Katharina Manderscheid, Tim Schwanen & David Tyfield
Mobilities, volume 9, issue 4 (November 2014) pp. 479–492

2장 *'One Must Eliminate the Effects of . . . Diffuse Circulation [and] their Unstable and Dangerous Coagulation': Foucault and Beyond the Stopping of Mobilities*
Chris Philo
Mobilities, volume 9, issue 4 (November 2014) pp. 493–511

3장 *Securing Circulation Through Mobility: Milieu and Emergency Response in the British Fire and Rescue Service*
Nathaniel O´Grady
Mobilities, volume 9, issue 4 (November 2014) pp. 512–527

4장 *Prison and (Im)mobility. What about Foucault?*
Christophe Mincke & Anne Lemonne
Mobilities, volume 9, issue 4 (November 2014) pp. 528–549

5장 *Veins of Concrete, Cities of Flow: Reasserting the Centrality of Circulation in Foucault's Analytics of Government*
Mark Usher
Mobilities, volume 9, issue 4 (November 2014) pp. 550–569

6장 *Governing Mobilities, Mobilising Carbon*
Matthew Paterson
Mobilities, volume 9, issue 4 (November 2014) pp. 570–584

(인용과 관련한 모든 문의는 clsuk.permissions@cengage.com)

1장 서문: 푸코와 모빌리티는 어디서, 어떻게 만나는가

Adey, P. 2007. "May I Have Your Attention': Airport Geographies of Spectatorship, Position, and (Im) Mobility." *Environment and Planning D: Society and Space* 25 (3): 515-536.

Adey, P., and B. Anderson. 2010. "Anticipating Emergencies: Technologies of Preparedness and the Matter of Security." *Security Dialogue* 43 (2): 99-117.

Adey, P., and D. Bissell. 2010. "Mobilities, Meetings, and Futures: An Interview with John Urry." *Environment and Planning D: Society and Space* 28 (1): 1-16.

Amoore, L. 2006. "Biometric Borders: Governing Mobilities in the War on Terror." *Political Geography* 25 (3): 336-351.

Bærenholdt, J. O. 2013. "Governmobility: The Powers of Mobility." *Mobilities* 8 (1): 20-34.

Barker, J. 2009. "Driven to Distraction?': Children's Experiences of Car Travel." *Mobilities* 4 (1): 59-76.

Barker, J., P. Kraftl, J. Horton, and F. Tucker. 2009. "The Road Less Travelled–New Directions in Children's and Young People's Mobility." *Mobilities* 4 (1): 1-10.

Bissell, D. 2010. "Vibrating Materialities: Mobility-body-technology Relations." *Area* 42 (4): 479-486.

Böhm, S., C. Jones, C. Land, and M. Paterson. 2006. "Part One Conceptualizing Automobility: Introduction: Impossibilities of Automobility." *The Sociological Review* 54 (sl): 1-16.

Bonham, J. 2006. "Transport: Disciplining the Body That Travels." In *Against Automobility*, edited by S. Böhm, J. Campbell, C. Land and M. Paterson, 57-74. Malden, MA: Blackwell.

Bonham, J., and P. Cox. 2010. "The Disruptive Traveller? A Foucauldian Analysis of Cycleways." *Road & Transport Research* 19 (2): 42-53.

Brighenti, A. M. 2012. "New Media and Urban Motilities: A Territoriologic Point of View." *Urban Studies* 49 (2): 399-414.

Buscema, C. 2011. "Mobility/Proximity, Indigenous Migrants and Relational Machines." In *The Politics of Proximity. Mobility and Immobility in Practice*, edited by G. Pellegrino, 43-58. Farnham, Burlington: Ashgate.

Callon, M., and J. Law. 2004. "Introduction: Absence-Presence, Circulation, and Encountering in Complex Space." *Environment and Planning D: Society and Space*

22 (1): 3-11.

Clark, N. 2013. "Geoengineering and Geologic Politics." *Environment and Planning a* 45 (12): 2825-2832.

Crampton, J. W., and S. Elden. 2007. *Space, Knowledge and Power: Foucault and Geography*. Aldershot: Ashgate.

Cresswell, T. 2006. *On the Move: Mobility in the Modern Western World*. New York: Routledge.

Cresswell, T. 2010. "Towards a Politics of Mobility." *Environment and Planning D: Society and Space* 28 (1): 17-31.

D'Andrea, A. 2006. "Neo-nomadism: A Theory of Post-identitarian Mobility in the Global Age." *Mobilities* 1 (1): 95-119.

D'Andrea, A., L. Ciolfi, and B. Gray. 2011. "Methodological Challenges and Innovations in Mobilities Research." *Mobilities* 6 (2): 149-160.

Dalby, S. 2011. *Welcome to the Anthropocene! Biopolitics, Climate Change and the End of the World as We Know It*. Paper for the Annual Meeting of the Association of American Geographers, Seattle, WA, April.

Deleuze, G. 1988. *Foucault*. Minneapolis: University of Minnesota Press.

Dodge, M., and R. Kitchin. 2007. "The Automatic Management of Drivers and Driving Spaces." *Geoforum* 38: 264-275.

Ek, R., and J. Hultman. 2008. "Sticky Landscapes and Smooth Experiences: The Biopower of Tourism Mobilities in the Öresund Region." *Mobilities* 3 (2): 223-242.

Elden, S. 2009. *Terror and Territory: The Spatial Extent of Sovereignty*. Minneapolis: University of Minnesota Press.

Endres, M., K. Manderscheid, and C. Mincke eds. (Forthcoming). *The Mobilities Paradigm: Discourses and Ideologies*. Farnham: Ashgate.

Faubion, J. D., ed. 1997. *Essential Works of Foucault 1954-1984, Volume 1: Ethics*. London: Penguin Books.

Faubion, J. D. ed. 1998. *Essential Works of Foucault 1954-1984, Volume 2: Aesthetics*. London: Penguin Books.

Faubion, J. D. ed. 2000. *Essential Works of Foucault 1954-1984, Volume 3: Power*. London: Penguin Books.

Featherstone, M., N. Thrift, and J. Urry, eds. 2004. 'Automobilities', Special Issue of *Theory, Culture & Society* 21 (4-5): 1-284.

Fortier, A.-M., and G. Lewis. 2006. "Editorial: Migrant Horizons." *Mobilities* 1 (3): 307-311.

Foucault, M. 1965. *Madness and Civilization: A History of Insanity in the Age of Reason*. New York: Pantheon Books.

Foucault, M. 1970. *The Order of Things: An Archaeology of the Human Sciences*.

London: Tavistock.

Foucault, M. 1972. *Archaeology of Knowledge*. London: Tavistock.

Foucault, M. 1973. *The Birth of the Clinic: An Archaeology of Medical Perception*. London: Tavistock.

Foucault, M. 1977. *Discipline and Punish: The Birth of the Prison*. London: Penguin Books.

Foucault, M. 1978. *History of Sexuality. Volume 1: An Introduction*. New York: Random House.

Foucault, M. 1980. "Two Lectures." In *Power/Knowledge: Selected Interviews & Other Writings 1972-1977*, edited by C. Gordon, 78-108. New York: Pantheon Books.

Foucault, M. 1985. *History of Sexuality. Volume 2: The Use of Pleasure*. London: Penguin Books.

Foucault, M. 1986. *History of Sexuality. Volume 3: The Care of the Self*. London: Penguin Books.

Foucault, M. 1997. "Technologies of the Self." In *Essential Works of Foucault 1954-1984, Volume 1: Ethics*, edited by J. D. Faubion, 223-251. London: Penguin Books.

Foucault, M. 2005. *The Hermeneutics of the Subject: Lectures at the Collège De France, 1981-1982*. New York: Picador.

Foucault, M. 2007. *Security, Territory, Population*. Houndsmills: Palgrave MacMillan.

Foucault, M. 2008. *The Birth of Biopolitics*. Houndsmills: Palgrave MacMillan.

Foucault, M. 2010. *The Government of Self and Others*. Houndsmills: Palgrave MacMillan.

Frello, B. 2008. "Towards a Discursive Analytics of Movement: On the Making and Unmaking of Movement as an Object of Knowledge." *Mobilities* 3 (1): 25-50.

de Goede, M. 2012. *Speculative Security: The Politics of Pursuing Terrorist Monies*. London: University of Minnesota Press.

Goodwin, K. 2010. "Reconstructing Automobility: The Making and Breaking of Modern Transporta tion." *Global Environmental Politics* 10 (4): 60-78.

Gray, B. 2006. "Redefining the Nation through Economic Growth and Migration: Changing Rationalities of Governance in the Republic of Ireland?" *Mobilities* 1 (3): 353-372.

Hammond, L. 2011. "Governmentality in Motion: 25 Years of Ethiopia's Experience of Famine and Migration Policy." *Mobilities* 6 (3): 415-432.

Haverig, A. 2011. "Constructing Global/Local Subjectivities—The New Zealand OE as Governance through Freedom." *Mobilities* 6 (1): 103-123.

Huijbens, E. H., and K. Benediktsson. 2007. "Practising Highland Heterotopias: Automobility in the Interior of Iceland." *Mobilities* 2 (1): 143-165.

Huxley, M. 2006. "Spatial Rationalities: Order, Environment, Evolution and

Government." *Social & Cultural Geography* 7 (5): 771-787.

Jensen, O. B. 2009. "Flows of Meaning, Cultures of Movements—Urban Mobility as Meaningful Every day Life Practice." *Mobilities* 4 (1): 139-158.

Jensen, A. 2011. "Mobility, Space and Power: On the Multiplicities of Seeing Mobility." *Mobilities* 6 (2): 255-271.

Jensen, A. 2013. "Mobility Regimes and Borderwork in the European Community." *Mobilities* 8 (1): 35-51.

Jensen, O. B., and T. Richardson. 2003. *Making European Space: Mobility, Power and Territorial Identity*. London: Routledge.

Law, J. 1994. *Organizing Modernity*. Oxford: Blackwell.

Lentzos, F., and N. Rose. 2009. "Governing Insecurity: Contingency Planning, Protection, Resilience." *Economy and Society* 38 (2): 230-254.

Little, J. 2013. "Pampering, Well-being and Women's Bodies in the Therapeutic Spaces of the Spa." *Social & Cultural Geography* 14 (1): 41-58.

Lyon, D. 2013. "Surveillance Technologies and Social Transformations: Emerging Challenges of Sociotechnical Change." In *Frontiers in New Media Research*, edited by F. L. F. Lee, L. Leung, J. L. Qiu and D. S. C. Chu, 56-72. New York: Routledge.

Macmillan, A. 2011. "Michel Foucault's Techniques of the Self and the Christian Politics of Obedience." *Theory, Culture & Society* 28 (4): 3-25.

Manderscheid, K. 2014. "Criticising the Solitary Mobile Subject: Researching Relational Mobilities and Reflecting on Mobile Methods." *Mobilities* 9 (2): 188-219.

Merriman, P. 2007. *Driving Spaces*. Malden, MA: Blackwell.

Middleton, J. 2010. "Sense and the City: Exploring the Embodied Geographies of Urban Walking." *Social & Cultural Geography* 11 (6): 575-596.

Molz, J. G. 2006. "Watch Us Wander': Mobile Surveillance and the Surveillance of Mobility." *Environment and Planning a* 38 (2): 377-393.

Moran, D., L. Piacentini, and J. Pallot. 2012. "Disciplined Mobility and Carceral Geography: Prisoner Transport in Russia." *Transactions of the Institute of British Geographers* 37 (3): 446-460.

Newmeyer, T. 2008. "under the Wing of Mr. Cook": Transformations in Tourism Governance." *Mobilities* 3 (2): 243-267.

Nowicka, M. 2006. "Mobility, Space and Social Structuration in the Second Modernity and beyond." : *Mobilities* 1 (3): 411-435.

Oels, A. 2014. "Climate Security as Governmentality: From Precaution to Preparedness." In *Governing the Climate*, edited by J. Stripple and H. Bulkeley, 197-216. Cambridge: Cambridge University Press.

Packer, J. 2006. "Becoming Bombs: Mobilizing Mobility in the War of Terror." *Cultural Studies* 20 (4-5): 378-399.

Paterson, M. 2007. *Automobile Politics: Ecology and Cultural Political Economy*. Cambridge: Cambridge University Press.

Paterson, M., and J. Stripple. 2010. "My Space: Governing Individuals' Carbon Emissions." *Environ ment and Planning D: Society and Space* 28 (2): 341-362.

Philo, C. 1992. "Foucault's Geography." *Environment and Planning D: Society and Space* 10 (2): 137-161.

Philo, C. 2012. "A 'New Foucault with Lively Implications - or "the Crawfish Advances Sideways?." *Transactions of the Institute of British Geographers* 37 (4): 496-514.

Rabinow, P., ed. 1984. *The Foucault Reader: An Introduction to Foucault's Thought*. London: Penguin Books.

Salter, M. B. 2007. "Governmentalities of an Airport: Heterotopia and Confession." *International Politi cal Sociology* 1 (1): 49-66.

Salter, M. B. 2013. "To Make Move and Let Stop: Mobility and the Assemblage of Circulation." *Mobilities* 8 (1): 7-19.

Schwanen, T., D. Banister, and J. Anable. 2011. "Scientific Research about Climate Change Mitigation in Transport: A Critical Review." *Transportation Research Part a: Policy and Practice* 45 (10): 993-1006.

Schwanen, T., D. Banister, and A. Bowling. 2012. "Independence and Mobility in Later Life." *Geoforum* 43 (6): 1313-1322.

Seiler, C. 2008. *Republic of Drivers*. *Chicago*, IL: The University of Chicago Press.

Shamir, R. 2005. "without Borders? Notes on Globalization as a Mobility Regime." *Sociological Theory* 23 (2): 197-217.

Sheller, M., and J. Urry. 2006. "The New Mobilities Paradigm." *Environment and Planning a* 38 (2): 207-226.

Skinner, D. 2012. "Foucault, Subjectivity and Ethics: Towards a Self-forming Subject." *Organization* 20 (6): 904-923.

Stehlin, J. 2014. "Regulating Inclusion: Spatial Form, Social Process, and the Normalization of Cycling Practice in the USA." *Mobilities* 9 (1): 21-41. MSC 1992. lanning

Thrift, N. 2007. "Overcome by Space: Reworking Foucault." In *Space, Knowledge and Power: Foucault and Geography*, edited by J. W. Crampton and S. Elden, 53-58. Aldershot: Ashgate.

Turnbull, D. 2002. "Performance and Narrative, Bodies and Movement in the Construction of Places and Objects, Spaces and Knowledges: The Case of the Maltese Megaliths." *Theory Culture Society* 19 (5-6): 125-143.

Tyfield, D. and J. Urry, eds. 2014. "Energising Society", Special Issue of *Theory, Culture and Society* 31 (5): 3-226.

Urry, J. 2004. "The System of Automobility." *Theory, Culture and Society* 21 (4-5): 25-39.

Urry, J. 2013. *Societies beyond Oil*. London: Zed.

Waldschmidt, A. 2005. "Who is Normal? Who is Deviant? "Normality" and "Risk" in Genetic Diagnostics and Counseling." In *Foucault and the Government of Disability*, edited by S. Tremain, 191-207. Ann Arbor: The University of Michigan Press.

Walters, W. 2006. "Border/Control." *European Journal of Social Theory* 9 (2): 187-203.

Yusoff, K. 2013. "Geologic Life: Prehistory, Climate, Futures in the Anthropocene." *Environment and Planning D: Society and Space* 31 (5): 779_795.

2장 불안정하고 위험한 응고: 모빌리티 정지 너머와 푸코

Adey, P. 2006. "If Mobility is Everything Then it is Nothing: Towards a Relational Politics of (Im)mobilities." *Mobilities* 1: 75-94.

Amin, A., and N. Thrift. 2013. *Arts of the Political*. London: Duke University Press.

Bærenholdt, J. O. 2013. "Governmobility: The Powers of Mobility." *Mobilities* 8: 20-34.

Bissell, D., and G. Fuller, eds. 2009a. "Still [a theme issue]." *M/C Journal* (on-line) 12 (1).

Bissell, D., and G. Fuller. 2009b. "The Revenge of the Still." *M/C Journal* (on-line) 12 (1).

Bissell, D., and G. Fuller, eds. 2011a. *Stillness in a Mobile World*. London: Routledge.

Bissell, D., and G. Fuller. 2011b. "Stillness unbound." In *Stillness in a Mobile World*, edited by D. Bissell and G. Fuller, 1-17. London: Routledge.

Canguilhem, G. 1973. *On the Normal and the Pathological*. Translated by C. Fawcett. Dordrecht: D.Reidel.

Cresswell, T. 1996. *In Place/Out of Place: Geography, Resistance, Transgression*. Minneapolis: University of Minnesota Press.

Cresswell, T. 2001. "Mobilities: An Introduction." *New Formations* 43: 11-25.

Cresswell, T. 2006. *On the Move: Mobility in the Modern Western World*. London: Routledge.

Cresswell, T. 2010. "Towards a politics of mobility." *Environment and Planning D: Society and Space* 28: 17-31.

Deleuze, G., and F. Guattari. 2004a. *Anti-Oedipus: Capitalism and Schizophrenia*. Vol. 1. New York: Continuum.

Deleuze, G., and F. Guattari. 2004b. *A Thousand Plateaus: Capitalism and Schizophrenia*. Vol. 2. Translated by B. Massumi. New York: Continuum.

Derrida, J. 1981. "Cogito and the History of Madness." In *Writing and Difference*, edited by J. Derrida, 31-63. London: Routledge.

Driver, F. 1990. "Discipline Without Frontiers? Representations of the Mettray Reformatory Colony in Britain, 1840-1880." *Journal of Historical Sociology* 3: 272-293.

Driver, F. 1993. *Power and Pauperism: The Workhouse System, 1834-1884*. Cambridge: Cambridge University Press.

Driver, F. 1994. "Bodies in Space: Foucault's Account of Disciplinary Power." In *Reassessing Foucault: Power, Medicine and the Body*, edited by C. Jones and R. Porter, 113-131. London: Routledge.

Ek, R., and J. Hultman. 2008. "Sticky Landscapes and Smooth Experiences: The Biopower of Tourism Mobilities in the Öresund Region." *Mobilities* 3: 223-242.

Elden, S. 2003. "Plague, Panopticon, Police." *Surveillance and Society* 1: 240-253.

Elden, S. 2006. "Discipline, Health and Madness: Foucault's Le pouvour psychiatrique." *History of the Human Sciences* 19: 39-66.

Ferrant, A. 1997. "Containing the Crisis: Spatial Strategies and the Scottish Prison System." PhD thesis, University of Edinburgh.

Foucault, M. 1961. *Histoire de la folie à l'âge classique* [History of Folly in the Classical Age]. Paris: Plon.

Foucault, M. 1965. *Madness and Civilization: A History of Insanity in the Age of Reason*. Translated by R. Howard (abridged translation of Foucault, M. 1961, above). New York: Pantheon.

Foucault, M. 1975. *Surveiller et punir: naissance de la prison* [Survey and Punish: Birth of the Prison]. Paris: Éditions Gallimard.

Foucault, M. 1976. *Discipline and Punish: The Birth of the Prison*. London: Penguin Books.

Foucault, M. 1997. "Il faut defender la société". *Cours au Collège de France, 1975-1976* ["Society Must be Defended"]. Paris: Éditions du Seuil/Gallimard.

Foucault, M. 1999. *Les anormaux. Cours au Collège de France, 1974-1975* [The Abnormals]. Paris: Éditions du Seuil/Gallimard.

Foucault, M. 2003a. *Pouvour psychiatrique. Cours au Collège de France, 1973-1974* [Psychiatric Power]. Paris: Éditions du Seuil/Gallimard.

Foucault, M. 2003b. *Abnormal: Lectures at the Collège de France, 1974-1975*. Translated by G. Burchell. London: Verso.

Foucault, M. 2003c. "Society Must be Defended": *Lectures at the Collège de France, 1975-1976*. Translated by D. Macey. New York: Picador.

Foucault, M. 2004a. *Sécurité, territoire, population. Cours au Collège de France, 1977-1978* [Security, Territory, Population]. Paris: Éditions du Seuil/Gallimard.

Foucault, M. 2004b. *Naissance de la biopolitique. Cours au Collège de France, 1978-1979* [Birth of Biopolitics]. Paris: Éditions du Seuil/Gallimard.

Foucault, M. 2006a. *History of Madness*. Translated by J. Khalfa (unabridged translation of Foucault, M. 1961, above). London: Routledge.

Foucault, M. 2006b. *Psychiatric Power*. Translated by A. I. Davidson. Hampshire: Palgrave Macmillan.

Foucault, M. 2007. *Security, Territory, Population*. Translated by G. Burchell. London: Palgrave Macmillan.

Foucault, M. 2008. *The Birth of Biopolitics*. Translated by G. Burchell. London: Palgrave Macmillan.

Goodey, C. F. 2011. *A History of 'Intelligence and Intellectual Disability': The Shaping of Psychology in Early Modern Europe*. Farnham: Ashgate.

Gordon, C. 1990. "Histoire de la folie: An Unknown Work by Michel Foucault." *History the Human Sciences* 3: 13-26.

Hacking, I. 2006. "Foreword." In *History of Madness*, edited by M. Foucault, ix-xii. London: Routledge.

Hannah, M. 1997. "Space and the Structuring of Disciplinary Power: An Interpretive Review." *Geografiska Annaler, Series B: Human Geography* 79: 171-180.

Hannam, K., M. Sheller, and J. Urry. 2006. "Editorial: Mobilities, Immobilities and Moorings." *Mobilities* 1: 1-22.

Minke, C., and A. Lemonne. 2013. "Prison as a mobility dispotif?" Paper presented at *Foucault and Mobilities Research* Symposium, held at Universität Luzern, Switzerland, January 7.

Moran, D., N. Gill, and D. Conlan, eds. 2013. *Carceral Spaces: Mobility and Agency in Imprisonment and Migrant Detention*. Farnham: Ashgate.

Moran, D., L. Piacentini, and J. Pallot. 2012. "Disciplined Mobility and Carceral Geography: Prisoner Transport in Russia." *Transactions of the Institute of British Geographers* 37: 446-460.

Murphie, A. 2011. "Shadow's Forces/Force's Shadows." In *Stillness in a Mobile World*, edited by D. Bissell and G. Fuller, 21-37. London: Routledge.

Nally, D. 2011. "The Biopolitics of Food Provisioning." *Transactions of the Institute of British Geographers* 36: 37-53.

Neville, J. 2000. "Trolley-buses (With An Introduction)." Unpublished manuscript; paper presented at *The 6th European Mental Health Nursing Conference*, Glasgow, Scotland, UK.

Neville, J. n.d. "The Healing Power of Narrative, Reflection and Art: 'Minding your Head Where Extremes Meet'." Unpublished manuscript.

Ogborn, M. 1995. "Discipline, Government and Law: Separate Confinement in the

Prisons of England and Wales, 1830-1877." *Transactions of the Institute of British Geographers* 20: 295-311.

Pallot, J. 2005. "Russia's Penal Peripheries: Space, Place and Penalty in Soviet and Post-Soviet Russia." *Transactions of the Institute of British Geographers* 30: 98-112.

Parr, H. 2008. *Mental Health and Social Space*. Oxford: Blackwell.

Parr, H., C. Philo, and N. Burns. 2004. "Social Geographies of Rural Mental Health: Experiencing Inclusions and Exclusions." *Transactions of the Institute of British Geographers* 29: 401-419.

Philo, C. 1989. "Enough to Drive One Mad': The Organisation of Space in Nineteenth-century Lunatic Asylums." In *The Power of Geography: How Territory Shapes Social Life*, edited by J. Wolch and M. Dear, 258-290. London: Unwin Hyman.

Philo, C. 1995. "Journey to Asylum: A Medical-geographical Idea in Historical Context." *Journal of Historical Geography* 21: 148-168.

Philo, C. 2001. "Accumulating Populations: Bodies, Institutions and Space." *International Journal of Population Geography* 7: 473-490.

Philo, C. 2004. *A Geographical History of Institutional Provision for the Insane from Medieval Times to the 1860s in England and Wales: 'The Space Reserved for Insanity'*. Lewiston, NY: Edwin Mellen Press.

Philo, C. 2007a. "Scaling the Asylum: Three Geographies of the Inverness District Lunatic Asylum (Craig Dunain)." In *Madness, Architecture and the Built Environment: Psychiatric Spaces in Historical Context*, edited by L. Topp, J. E. Moran, and J. Andrews, 107-131. London: Routledge.

Philo, C. 2007b. "A Vitally Human Medical Geography? Introducing Georges Canguilhem to Geographers." *New Zealand Geographer* 63: 82-96.

Philo, C. 2007c. "Review Essay: Michel Foucault, Psychiatric Power: Lectures at the Collège de France, 1973-1974," edited by J. Lagrange. *Foucault Studies* 4: 149-163.

Philo, C. 2012. "A 'New Foucault' with Lively Implications; or 'The crawfish Advances Sideways'." *Transactions of the Institute of British Geographers* 37: 496-514.

Philo, C. 2013. "A Great Space of Murmurings': Geography, Romance and Madness." *Progress in Human Geography* 37: 167-194.

Philo, C. 2014. "Looking into the Countryside from Where He had Come': Placing the 'Idiot', the 'Idiot School' and Different Modes of Educating the Uneducable." *Cultural Geographies* [forthcoming].

Ploszajska, T. 1994. "Moral Landscapes and Manipulated Spaces: Gender, Class and Space in Victorian Reformatory Schools." *Journal of Historical Geography* 20: 413-429.

Said, E. 1978. *Orientalism*. London: Penguin Books.

Salter, M. 2013. "To Make Move and Let Stop: Mobility and the Assemblage of Circulation." *Mobilities* 8: 7-19.

Seguin, E. 1846. *Traitment moral, hygiéne et éducation des idiots et des autres enfants arriéres* [Moral Treatment, Hygiene and Education of Idiots and Other 'Backward' Children]. Paris: J.B. Ballière.

Seguin, E. 1866. *Idiocy: And its Treatment by the Physiological Method.* New York: William Wood.

Simpson, M. K. 2014. *Modernity and the Appearance of Idiocy: Intellectual Disabilities as a Regime of Truth Lewiston.* NY: The Edwin Mellen Press.

Stein, J. 1995. "Time, Space and Social Discipline: Factory Life in Cornwall, Ontario, 1867-1893." *Journal of Historical Geography* 21: 278-299.

Still, A., and I. Velody, eds. 1992. *Rewriting the History of Madness: Studies in Foucault's Histoire de la Folie.* London: Routledge.

Thrift, N. 2004. "Intensities of Feeling: Towards a Spatial Politics of Affect." *Geografiska Annaler, Series B: Human Geography* 86: 57-78.

Thrift, N. 2007. "Overcome by Space: Reworking Foucault." In *Space, Knowledge and Power: Foucault and Geography*, edited by J. W. Crampton and S. Elden, 53-58. Aldershot: Ashgate.

Thrift, N. 2008. *Non-representational Theory: Space/Politics/Affect.* London: Routledge.

Wainwright, E. M. 2005. "Dundee's Jute Mills and Factories: Spaces of Production, Surveillance and Discipline." *Scottish Geographical Journal* 121: 121-140.

Watkins, M., and G. Noble. 2011. "The Productivity of Stillness: Composure and the Scholarly Habitus." In *Stillness in a Mobile World*, edited by D. Bissell and G. Fuller, 107-124. London: Routledge.

Wolpert, J. 1976. "Opening Closed Spaces." *Annals of the Association of American Geographers* 66: 1-13.

3장 모빌리티를 통한 안전 순환: 영국 소방구조서비스 환경과 비상사태

Adam, B., and U. Beck. 2000. "Repositioning Risk; the Challenge for Social Theory." In *The Risk Society and beyond: Critical Issues for Social Theory*, edited by B. Adam, U. Beck, and J. Van Loon. London: Sage.

Adey, P. 2006. "If Mobility is Everything Then It is Nothing: Towards a Relational Politics of (Im)Mobilities." *Mobilities* 1: 75-94.

Adey, P., and B. Anderson. 2011. "Event and Anticipation: UK Civil Contingencies and the Space-times of Decision." *Environment and Planning a* 43: 2878-2899.

Amoore, L. 2006. "Biometric Borders: Governing Mobilities in the War on Terror." *Political Geography* 25: 336-351.

Amoore, L., and M. de Goede. 2008. "Transactions after 9/11: The Banal Face of the Preemptive Strike." *Transactions of the Institute of British Geographers* 33: 173-185.

Anderson, B. 2009. "Security and the Future: Anticipating the Event of Terror." *Geoforum* 41 (2): 227-235.

Anderson, B. 2010. "Preemption, Precaution, Preparedness: Anticipatory Action and Future Geographies." *Progress in Human Geography* 34: 777-798.

Aradau, C. 2010. "Security That Matters: Critical Infrastructure and Objects of Protection." *Security Dialogue* 41 (5): 491-514.

Aradau, C., and R. van Munster. 2012. "The Securitization of Catastrophic Events: Trauma, Enactment and Preparedness Exercises." *Alternatives: Global, Local, Political* 37: 227-239.

Canguilhem, G. 1988. *Ideology and Rationality in the History of the Life Sciences.* Cambridge, MA: MIT Press.

Canguilhem, G. 1994. *A Vital Rationalist: Selected Writings from Georges Canguilhem.* New York: Zone Books.

Department of Communities and Local Government. 2004. *Fire and Rescue Services Act.* London: HMSO.

Foucault, M. 2003. *Society Must Be Defended.* London: Penguin.

Foucault, M. 2007. *Security, Territory and Population.* Basingstoke: Palgrave/Macmillan.

de Goede, M. 2012. *Speculative Security: The Politics of Pursuing Terrorist Monies.* London: University of Minnesota Press.

Kwan, M.P., and T. Schwanen. 2009. "Quantitative Revolution 2: The Critical (Re) Turn." *The Professional Geographer.* 61 (3): 289-291.

Lamarck, J.-B. 1960. *Philosophe Zoologique.* Weinheim: Engelmann, Weldon and Wesley.

Massumi, B. 2002. *Parables for the Virtual.* Durham, NC: Duke University Press.

Office of the Deputy Prime Minister. 2003. *Our Fire and Rescue Service.* London: HMSO.

Salter, M. 2013. "To Make Move and Let Stop: Mobility and the Assemblage of Circulation." *Mobilities* 8 (1): 7-19.

4장 감옥과 (임)모빌리티: 푸코는 어떻게 보았는가?

Aebi, M., and N. Delgrande. 2013. *Council of Europe. Annual Penal Statistics: Space I- 2011.* PC-CP (2013)5. Strasbourg - Lausanne: Council of Europe

Bauman, Z. 2000. *Liquid Modernity.* Cambridge/Malden, MA: Polity Press/Blackwell.

Blanchette, L.-P. 2006. "Michel Foucault: Genèse du biopouvoir et dispositifs de sécurite

[Michel Foucault: Genesis of Biopower and Safety Devices]." *Lex Electronica* 11 (2): 1-11. http://www.lex-electronica.org/articles/v11-2/blanchette.pdf.

Dean, M. 1999. *Governmentality. Power and Rule in Modern Society*. London: Sage.

Deleuze, G. 1992. "Postscript on the Societies of Control." *October* 59: 3-7.

Demonchy, C. 2004. "L'architecture des prisons modèles françaises [The Architecture of French Model Prisons]." In *Gouverner, enfermer. La prison, un modèle indépassable?* [Govern, Lock up. Is the Prison an Unavoidable Model?], edited by P. Artières and P. Lascoumes, 269-293. Paris: Presses de Science Po.-Université de Lausanne.

Dreyfus, H., and P. Rabinow. 1984. *Michel Foucault: Beyond Structuralism and Hermeneutics*. Chicago: University of Chicago Press. [Version cited in article: 1984. Michel Foucault. Un Parcours Philosophique]. Paris: Folio Essais.

Foucault, M. 1971. "Nietzsche, la généalogie, l'histoire." In *Hommage à Jean Hyppolite*, edited by S. Bachelard and G. Canguilhem, 145-172. Paris: P.U.F., "Epiméthée".

Foucault, M. 1975. *Surveiller et punir. Naissance de la prison* [Discipline and Punish: The Birth of the Prison]. Paris: Gallimard, "Bibl. des histoires".

Foucault, M. 1977. "Nietzsche, Genealogy, History." In *Language, Counter-Memory, Practice: Selected Essays and Interviews*, edited by D. F. Bouchard. New York: Cornell University Press.

Foucault, M. 1979. "Naissance de la biopolitique [The Birth of Biopolitics]." In *Histoire des systèmes de pensée, années 1978-1979*. Paris: Annuaire du Collège de France.

Foucault, M. 1984. "Des espaces autres (conférence au Cercle d'études architecturales, 14 mars 1967) [Of Other Spaces (Conferences at the Cercle d'études Architecturales, march 14, 1967)." *Architecture, Mouvement, Continuite* 5: 46-49.

Foucault, M. 2001a. "Qu'appelle-t-on punir? [What Do We Mean by Punishment?]." In *Dits et écrit II, 1976-1988*, edited by D. Defert, F. Ewald and J. Lagrange, 636-646. Paris: Quatro Gallimard.

Foucault, M. 2001b. "Le jeu de Michel Foucault [Michel Foucault's Game] (interview with D. Colas, A., Grorichard, G. Le Gaufrey, J. Livy, G. Miller, J. Miller, J.-A Miller, C. Millot, G. Wajeman), Ornicar?, Bulletin périodique du champ freudien, n°10, juillet 1977, pp. 62-93." In *Dits et écrit II, 1976-1988*, edited by D. Defert, F. Ewald and J. Lagrange, 298-329. Paris: Quatro Gallimard.

Foucault, M. 2004. *Sécurité, territoire, population* [Security, Territory, Population]. Paris: Seuil.

Francis, V. 2008. "Du Panopticon à la 'Nouvelle Surveillance'. Un examen de la littérature anglophone [From the Panopticon to the 'New Surveillance' A Survey of the Literature in English]." *Revue de droit pénal et de criminologie* 11: 1025-1046.

Frello, B. 2008. "Towards a Discursive Analytics of Movement: On the Making and Unmaking of Movement as an Object of Knowledge." *Mobilities* 3 (1): 25-50. doi:10.1080/17450100701797299.

Genel, K. 2004. "Le biopouvoir chez Foucault et Agamben [Biopower as Seen by Foucault and Agamben]." *Methodos* 4. http://methodos.revues.org/131.

Jonckheere, A., and E. Maes. 2012. "Le Trop-plein De Détenus [The Prisoner Overflow]." (77). http://politique.eu.org/spip.php?article2571.

Koskela, H. 2003. "Cam Era - the contemporary urban Panopticon." *Surveillance and Society* 1 (3): 292-313.

Maes, E. 2009. *Van gevangenisstraf naar vrijheidsstraf. 200 jaar Belgisch gevangeniswezen* [From the Prison Sentence to the Freedom Sentence. Two Hundred Years of Belgian Penitentiary Policy]. Antwerpen/Apeldoorn: Maklu.

Michon, P. 2002. "Strata, Blocks, Pieces, Spirals, Elastics and Verticals. Six Figures of Time in Michel Foucault." *Time & Society* 11 (2-3): 163-192. doi:10.1177/09614 63X02011002001.

Mincke, C. 2011. "Où le lecteur s'aperçoit que la transparence peut être une illusion d'optique [Where the Reader Notices that Transparency can be an Optical Illusion]." *Revue Nouvelle* 12: 32-42.

Mincke, C. 2013a. "Mobilité et justice pénale. L'idéologie mobilitaire comme soubassement du managérialisme [Mobility and Criminal Justice: the Mobilitarian Ideology Underpinning Managerialism]." *Droit et Société* 84: 359-389.

Mincke, C. 2013b. "Discours mobilitaire, désirs d'insécurités et rhétorique sécuritaire [The Mobilitarian Discourse, Insecurities Sought and the Security Rhetoric]." In Université de Liège (Belgique): HAL archives ouvertes. http://hal.archives-ouvertes.fr/docs/00/83/50/63/PDF/Mincke_desirs_d_insecurite.pdf.

Mincke, C. 2014. "La médiation pénale, contre-culture ou nouveau lieu-commun? Médiation et idéologie mobilitaire [Mediation, a Counter-culture or New Cliche? Mobilitarian Ideology and New Normativities]." In *Médiation pénale. La diversité en débat. Bemiddeling in strafzaken. En wispelturig debat*, edited by Carl Beckers, Dieter Burssens, Alexia Jonckheere and Anne Vauthier, 85-110. Antwerpen: Maklu.

Mincke, C. and B. Montulet. 2010. "Immobilités éprouvées et mobilités éprouvantes. Quelques considérations à propos de l'idéologie mobilitaire [Immobilities Tried and Trying Mobilities. Some Considerations on Mobilitarian Ideology]." présenté à Les mobilités éprouvantes. (Re)connaître les pénibilités des déplacements ordinaires, mars 25, Bruxelles.

Montulet, B. 1998. *Les enjeux spatio-temporels du social: mobilités. Vol. Collection Villes et entreprises* [The Space-Time Issues at Stake in the Social Realm:

Mobilities]. Paris: Harmattan.

Proposition de résolution relative au rapport final de la Commission "loi de principes concernant l'administration pénitentiaire et le statut juridique des détenus [Draft Resolution on the Final report of the Commission on the Law Regarding Principles of Prison Administration and Prisoners' Legal Status]." 2003.

Rapport final de la commission "loi de principes concernant l'administration pénitentiaire et le statut juridique des détenus." Rapport fait au nom de la commission de la Justice par Vincent Decroly et Tony Van Parys [Final report of the Commission on the Law Regarding Principles of Prison Administration and Prisoners' Legal Status. Report Prepared on Behalf of the Justice Commission by Vincent Decroly and Tony Van Parys]. 2001. Documents parlementaires.

Rose, N., and P. Miller. 1992. "Political Power beyond the State: Problematics of Government." *The British Journal of Sociology* 43 (2): 173-205.

Sheller, M., and J. Urry. 2006. ""The New Mobilities Paradigm." *Environment and Planning A* 38: 207-226. doi:10.1068/a37268.

Smart, B. 1983. "On Discipline and Social Regulation: a Review of Foucault Genealogical Analysis." In *The Power to Punish. Contemporary Penalty and Social Analysis*, edited by D. Garland and P. Young, 62-83. London: Heinemann Educational Books.

Vanneste, C. 2004. "L'usage de la prison de 1830 à nos jours [Use of the Prison from 1830 to Present]." In *Histoire politique et sociale de la justice en Belgique de 1830 à nos jours-Politieke en sociale geschiedenis van justitie in België van 1830 tot heden*, edited by D. Heirbaut, X. Rousseaux and K. Velle, 103-122. Bruxelles: Die Keure – La Charte.

Vanneste, C. 2013. "Pénalité Et Inégalité: Nouvelle Actualité Des Rapports Entre Pénalité Et Économie. L'exemple De La Belgique [Punishment and Inequality: New Data on the Relationship between Punishment and the Economy. Belgium's Example]." In *Criminologie, Politique Criminelle Et Droit Pénal Dans Une Perspective Internationale. Mélanges En L'honneur De Martin Killias*, edited by André Kuhn and Christian Schwarzenegger. Bern: Stämpfli.

5장 콘크리트의 혈관, 흐름의 도시: 푸코의 통치 분석에서 순환이 갖는 중심성

Anderson, P. 1974. *Lineages of the Absolutist State*. London: New Left.

Augé, M. 1995. *Non-places: Introduction to an Anthropology of Supermodernity*. London: Verso.

Bakker, K. 2003. *An Uncooperative Commodity: Privatizing Water in England and*

Wales. Oxford: Oxford University Press.

Bauman, Z. 2000. *Liquid Modernity.* Cambridge: Polity.

Bennett, T., and T. Joyce, eds. 2010. *Material Powers.* London: Routledge.

Braudel, F. 1981. *Civilization and Capitalism 15th–18th Century, Volume I: The Structures of Everyday Life: The Limits of the Possible.* London: William Collins Sons and Co.

Buckley, C. B. [1902] 1984. *An Anecdotal History of Old Times in Singapore.* Singapore: Oxford University Press.

Butterfield, H. 1957. *The Origins of Modern Science 1300-1800.* 2nd ed. London: Bell & Hyman.

Castells, M. 2000. *The Rise of the Network Society: The Information Age: Economy, Society and Culture.* 2nd ed. Vol. I. Cambridge, MA: Blackwell.

Chauvois, L. 1957. *William Harvey. His Life and Times: His Discoveries: His Methods.* London: Hutchinson Medical Publications.

CLC-PUB. 2012. *Water: A Scarce Resource to National Asset.* Singapore: Cengage Learning.

Collier, S. J. 2011. *Post-Soviet Social: Neoliberalism, Social Modernity, Biopolitics.* Princeton, NJ: Princeton University Press.

Corlett, R. 1992. "The Ecological Transformation of Singapore, 1819-1990." *Journal of Biogeography* 19 (4): 411-420.

Darling, J. 2011. "Domopolitics, Governmentality and the Regulation of Asylum Accommodation." *Political Geography* 30 (5): 263-271.

Deleuze, G., and F. Guattari. 1987. *A Thousand Plateaus: Capitalism and Schizophrenia.* Minneapolis, MN: University of Minnesota Press.

Elden, S. 2007. "Strategy, Medicine and Habitat: Foucault in 1976." In *Space, Knowledge and Power: Foucault and Geography*, edited by J. Crampton and S. Elden, 67-82. Aldershot: Ashgate.

Elden, S. 2010. "Land, Terrain, Territory." *Progress in Human Geography* 34 (6): 799-817.

Elden, S. 2013. "Secure the Volume: Vertical Geopolitics and the Depth of Power." *Political Geography* 34: 35-51.

ENV (Ministry of the Environment). 1972. *Annual Report.* Singapore: ENV.

ENV (Ministry of the Environment). 1975. *Annual Report.* Singapore: ENV.

ENV (Ministry of the Environment). 1980. *Annual Report.* Singapore: ENV.

ENV (Ministry of the Environment). 1988. *Annual Report.* Singapore: ENV.

ENV (Ministry of the Environment). 1990. *Annual Report.* Singapore: ENV.

ENV (Ministry of the Environment). 1993. *ENVNews.* No. 27. Singapore: General Printing.

Foucault, M. 1977. *Discipline and Punish: The Birth of the Prison*. London: Penguin.

Foucault, M. 1978. *The History of Sexuality Volume 1, an Introduction*. New York: Random House.

Foucault, M. 2000. "The Birth of Social Medicine." In *Power: Essential Works of Foucault 1954-1984*. Vol. 3, edited by J. Faubion, 134-156. London: Allen Lane.

Foucault, M. 2003. *Society Must Be Defended*. New York: Picador.

Foucault, M. 2006. *History of Madness*. London: Routledge.

Foucault, M. 2007. *Security, Territory, Population*. Basingstoke: Palgrave Macmillan.

Foucault, M. 2008. *The Birth of Biopolitics*. Basingstoke: Palgrave Macmillan.

Franklin, K. J. 1961. *William Harvey: Englishman, 1578-1657*. London: MacGibbon and Kee.

Friedrich, C. 1952. *The Age of Baroque 1610-1660*. New York: Harper and Brothers.

Frost, M., and Y. Balasingamchow. 2009. *Singapore: A Biography*. Singapore: Editions Didier Millet.

Gandy, M. 2002. *Concrete and Clay: Reworking Nature in New York City*. Cambridge, MA: MIT Press.

Gibson-Hill, C. A. 1952. "The Orang Laut of the Singapore River and the Sampan Panjang." *Journal of the Malayan Branch of the Royal Asiatic Society* 25 (1): 161-174.

Hallifax, F. J. [1921] 1991. "Municipal Government." In *One Hundred Years of Singapore*. Vol. One, edited by W. Makepeace, G. Brooke and R. Braddell, 315-340. Singapore: Oxford University Press.

Hannah, M. 2009. "Calculable Territory and the West German Census Boycott Movements of the 1980s." *Political Geography* 28: 66-75.

Haque, M. S. 2004. "Governance and Bureaucracy in Singapore: Contemporary Reforms and Implications." *International Political Science Review* 25 (2): 227-240.

Harvey, W. [1628] 1978. *Exercitatio Anatomica de Motu Cordis et Sanguinis in Animalibus*. The Keynes English Translation of 1928. Birmingham, AL: The Classics of Medicine Library.

Harvey, D. 1989. "From Managerialism to Entrepreneurialism: The Transformation in Urban Governance in Late Capitalism." *Geografiska Annaler. Series B, Human Geography* 71: 3-17.

Huff, W. 1995. "The Developmental State, Government, and Singapore's Economic Development Since 1960." *World Development* 23 (8): 1421-1438.

Joyce, P. 2003. *The Rule of Freedom: Liberalism and the Modern City*. London: Verso.

Kaika, M. 2005. *City of Flows: Modernity, Nature, and the City*. London: Routledge.

Karvonen, A. 2011. *Politics of Urban Runoff: Nature, Technology, and the Sustainable City*. Cambridge, MA: MIT Press.

Keynes, G. 1978. *The Life of William Harvey*. Oxford: Clarendon Press.

Kostof, S. 1991. *The City Shaped: Urban Patterns and Meanings through History*. London: Thames and Hudson.

Kuhn, T. 1957. *The Copernican Revolution: Planetary Astronomy in the Development of Western Thought*. New York: Random House.

Le Corbusier. [1925] 1987. *The City of To-Morrow and its Planning*. New York: Dover.

Lee, K. Y. 2000. *From Third World To First*. New York: HarperCollins.

Lefebvre, H. 1991. *The Production of Space*. Oxford: Blackwell.

Legg, S. 2007. *Spaces of Colonialism*. Oxford: Blackwell.

Little, R. 1848. "On the Medical Topography of Singapore, Particularly on its Marshes and Malaria." *The Journal of the Indian Archipelago and Eastern Asia 2*: 449-494.

Mumford, L. 1961. *The City in History: Its Origins, its Transformations, and its Prospects*. London: Penguin.

NAS (National Archives of Singapore). 2012. *The Papers of Lee Kuan Yew: Speeches, Interviews and Dialogues, Volume 5, 1969-1971*. Singapore: Seng Lee Press.

O' Malley, C. D., F. N. L. Poynter, and K. F. Russel. 1961. *William Harvey: Lectures on the Whole of Anatomy*. Berkeley: University of California Press.

Olds, K., and H. Yeung. 2004. "Pathways to Global City Formation: A View from the Developmental City-state of SINGAPORE." *Review of International Political Economy* 11 (3): 489-521.

Osborne, T. 1996. "Security and Vitality: Drains, Liberalism and Power in the Nineteenth Century." In *Foucault and Political Reason*, edited by A. Barry, T. Osborne and N. Rose, 99-122. Chicago, IL: University of Chicago Press.

Osborne, T., and N. Rose. 1999. "Governing Cities: Notes on the Spatialisation of Virtue." *Environment and Planning D: Society and Space* 17: 737-760.

Oswin, N., and B. Yeoh. 2010. "Introduction: Mobile City Singapore." *Mobilities* 5 (2): 167-175.

Pinder, D. 2005. *Visions of the City*. Edinburgh: Edinburgh University Press.

PUB (Public Utilities Board). 1970. *Newsletter* 6 (6). Singapore: PUB.

PUB (Public Utilities Board). 2008. *Annual Report*. Singapore: PUB.

PUB (Public Utilities Board). 2009. *Active, Beautiful and Clean Waters: Design Guidelines*. Singapore: PUB.

PUB (Public Utilities Board). 2012. *Annual Report*. Singapore: PUB.

Rabinow, P. 1989. *French Modern: Norms and Forms of the Social Environment*. Chicago, IL: Chicago University Press.

Sassen, S. 2006. *Territory, Authority, Rights: From Medieval to Global Assemblages*. Princeton, NJ: Princeton University Press.

Scott, J. C. 1998. *Seeing Like a State: How Certain Schemes to Improve the Human*

Condition Have Failed. New Haven, CT: Yale University Press.

Sennett, R. 1994. *Flesh and Stone: The Body and the City in Western Civilization.* London: Faber and Faber.

Swyngedouw, E. 2004. *Social Power and the Urbanization of Water.* Oxford: Oxford University Press.

Swyngedouw, E., and M. Kaika. 2000. "The Environment of the City or... the Urbanization of Nature." In *A Companion to the City,* edited by G. Bridge and S. Watson, 567-580. Oxford: Blackwell.

Taylor, P. J. 2004. *World City Network: A Global Urban Analysis.* London: Routledge.

Teo, S. E. 1992. "Planning Principles in Pre- and Post-independence Singapore." *The Town Planning Review* 63 (2): 163-185.

UNESCO-WWAP. 2006. *United Nations World Water Development Report 2: Water, A Shared Responsibility.* Paris: UNESCO. http://unesdoc.unesco.org/images/0014/001454/145405E.pdf.

Urry, J. 2007. *Mobilities.* Cambridge: Polity.

Virilio, P. 2006. *Speed and Politics: An Essay on Dromology.* New York: Semiotext(e).

Yeung, H. 2000. "State Intervention and Neoliberalism in the Globalizing World Economy: Lessons from Singapore's Regionalization Programme." *The Pacific Review* 13 (1): 133-162.

6장 모빌리티의 통치, 탄소의 동원

Aglietta, M. 1979. *A Theory of Capitalist Regulation.* London: New Left Books.

Andrew, J., and C. Cortese. 2011. "Accounting For Climate Change and the Self-regulation of Carbon Disclosures." *Accounting Forum* 21: 130-138.

Bachram, H. 2004. "Climate Fraud and Carbon Colonialism: The New Trade in Greenhouse Gases." *Capitalism, Nature, Socialism* 15 (4): 5-20.

Bäckstrand, K., and E. Lövbrand. 2006. "Planting Trees to Mitigate Climate Change: Contested Discourses of Ecological Modernization, Green Governmentality and Civic Environmentalism." *Global Environmental Politics* 6 (1): 50-75.

Bærenholdt, J. O. 2013. "Governmobility: The Powers of Mobility." *Mobilities* 8 (1): 20-34.

Barrett, S. 2009. "The Coming Global ClimateTechnology Revolution." *The Journal of Economic Perspectives* 23 (2): 53-75.

Best, J., and M. Paterson. 2009. *Cultural Political Economy.* London: Routledge.

Betsill, M., and M. J. Hoffmann. 2011. "The Contours of 'Cap and Trade': The Evolution of Emissions Trading Systems for Greenhouse Gases." *Review of Policy*

Research 28 (1): 83-106. doi:10.1111/j.1541-1338.2010.00480.x.

Bloomberg New Energy Finance. 2014. "Value of the world's Carbon Market to Rise again in 2014." *Bloomberg New Energy Finance*, January 8. Accessed January 15. http://about.bnef.com/pressreleases/value-of-the-worlds-carbon-markets-to-rise-again-in-2014/

Böhm, S., and S. Dabhi. 2009. *Upsetting the Offset: The Political Economy of Carbon Markets*. London: Mayfly books.

Clark, B., and R. York. 2005. "Carbon Metabolism: Global Capitalism, Climate Change, and the Biospheric Rift." *Theory and Society* 34 (4): 391-428.

Cormier, A., and V. Bellassen. 2013. "The Risks of CDM Projects: How Did Only 30% of Expected Credits Come Through?" *Energy Policy* 54: 173-183.

Descheneau, P., and M. Paterson. 2011. "Between Desire and Routine: Assembling Environment and Finance in Carbon Markets." *Antipode* 43 (3): 662-681.

Foster J. B. 1999. "Marx's Theory of Metabolic Rift: Classical Foundations for Environmental Sociology." *American Journal of Sociology* 105 (2): 366-405. September 1.

Foucault, M. 1977. *Discipline and Punish*. London: Allen Lane.

Gilbertson, T., and O. Reyes. 2010. "Carbon Trading: How It Works and Why It Fails." *Soundings* 45 (45): 89-100.

Glynos, J., and D. R. Howarth. 2007. *Logics of Critical Explanation in Social and Political Theory*. London: Routledge.

Jessop, B. 2010. "Cultural Political Economy and Critical Policy Studies." *Critical Policy Studies* 3 (34): 336-356.

Kossoy, A., and P. Ambrosi. 2010. *State and Trends of the Carbon Market 2010*. Washington, DC: World Bank.

Kossoy, A., and P. Guignon. 2012. *State and Trends of the Carbon Market 2012*. Washington, DC: World Bank.

Koteyko N., M. Thelwall, and B. Nerlich. 2010. "From Carbon Markets to Carbon Morality: Creative Compounds as Framing Devices in Online Discourses on Climate Change Mitigation." *Science Communication* 32 (1): 25-54. March 1.

Lohmann, L. 2005. "Marketing and Making Carbon Dumps: Commodification, Calculation and Counterfactuals in Climate Change Mitigation." *Science as Culture* 14: 203-223.

Lohmann, L. 2006. "Carbon Trading: A Critical Conversation on Climate Change, Privatization and Power." *Development Dialogue* 48: 1-356.

Lohmann L. 2010. "Commodity Fetishism in Climate Science and Policy." In Imperial College, London.

Lövbrand, E., and J. Stripple. 2011. "Making Climate Change Governable: Accounting for Carbon as Sinks, Credits and Personal Budgets." *Critical Policy Studies* 5 (2): 187-

200.

Lovell, H., and D. MacKenzie. 2011. "Accounting for Carbon: The Role of Accounting Professional Organisations in Governing Climate Change." *Antipode* 43 (3): 704-730.

MacKenzie D. 2009. "Making Things the Same: Gases, Emission Rights and the Politics of Carbon Markets." *Accounting, Organizations and Society* 34 (3-4): 440-455. April.

Mattelart, A. 1996. *The Invention of Communication.* Minneapolis: University of Minnesota Press.

Maxton, G., and J. Wormald. 1995. *Driving Over a Cliff? Business Lessons from the World's Car Industry.* Reading, MA: Addison-Wesley.

McShane, C. 1994. *Down the Asphalt Path: The Automobile and the American City.* New York: Columbia University Press.

Mellor, M. 2010. *The Future of Money: From Financial Crisis to Public Resource.* London: Pluto Press.

Mert, A. 2013. "Discursive Interplay and Co-constitution: Carbonification of Environmental Discourses." In *Interpretive Approaches to Global Climate Governance,* edited by C. Methmann, D. Rothe, and B. Stephan, 23-39. London: Routledge.

Methmann, C. 2010. "Climate Protection as Empty Signifier: A discourse theoretical perspective on climate mainstreaming in world politics." *Millennium–Journal of International Studies* 39 (2): 345-372.

Methmann, C., D. Rothe, and B. Stephan. 2013. *Interpretive Approaches to Global Climate Governance: (De)constructing the Greenhouse.* London: Routledge.

Minn, M. 2013. "The Political Economy of High Speed Rail in the United States." *Mobilities* 8 (2): 185-200.

Mol, A. P. J. 2012. "Carbon Flows, Financial Markets and Climate Change Mitigation." *Environmental Development* 1 (1): 10-24. January.

Moolna A. 2012. "Making Sense of CO2: Putting Carbon in Context." *Global Environmental Politics* 12 (1): 1-7.

Moore, J. W. 2000. "Environmental Crises and the Metabolic Rift in World-Historical Perspective." *Organization & Environment* 13 (2): 123-157. June 1.

Moore, J. W. 2011. "Transcending the Metabolic Rift: A Theory of Crises in the Capitalist World-ecology." *Journal of Peasant Studies* 38 (1): 1-46.

Nerlich, B., V. Evans, and N. Koteyko. 2011. "Low Carbon Diet: Reducing the Complexities of Climate Change to Human Scale." *Language and Cognition* 3 (1): 45-82.

OECD. 2003. *Analysis of the Links Between Transport and Economic Growth.* Project on Decoupling Transport Impacts and Economic Growth. Paris: Organisation for Economic Cooperation and Development.

Paterson, M. 2007. *Automobile Politics: Ecology and Cultural Political Economy.* Cambridge: Cambridge University Press.

Paterson, M. 2009. "Resistance Makes Carbon Markets." In *Upsetting the Offset: The Political Economy of Carbon Markets,* edited by S. Böhm and S. Dabhi, 244-254. London: Mayfly Books.

Paterson, M. 2010. "Legitimation and Accumulation in Climate Change Governance." *New Political Economy* 15 (3): 345-368.

Paterson, M., and J. Stripple. 2012. "Virtuous Carbon." *Environmental Politics* 21 (4): 563-582.

Paulsson E. 2009. "A Review of the CDM Literature: From Fine-tuning to Critical Scrutiny?" *International Environmental Agreements: Politics, Law and Economics* 9 (1): 63-80. February 1.

Rae, J. 1971. *The Road and the Car in American Life.* Cambridge, MA: MIT Press.

Reyes, O. 2011. "Zombie Carbon and Sectoral Market Mechanisms." *Capitalism Nature Socialism* 22(4): 117-135.

Salter, M. B. 2013. "To Make Move and Let Stop: Mobility and the Assemblage of Circulation." *Mobilities* 8 (1): 7-19.

Sandbag. 2010. *The Carbon Rich List: The Companies Profiting from the EU Emissions Trading Scheme.* London: Sandbag.

Shove, E. 2010. "Beyond the ABC: Climate Change Policy and Theories of Social Change." *Environment and Planning A* 42 (6): 1273-1285.

Spaargaren, G., and A. P. J. Mol. 2013. "Carbon Flows, Carbon Markets, and Low-carbon Lifestyles: Reflecting on the Role of Markets in Climate governance." *Environmental Politics* 22 (1): 174-193.

Stephan, B. 2012. "Bringing Discourse to the Market: The Commodification of Avoided Deforestation." *Environmental Politics* 21 (4): 621-639.

Stripple, J., and M. Paterson. 2012. "Carbon's Body Politic" Paper presented at conference on the Cultural Politics of Climate Change, University of Colorado, Boulder, September.

Sum, N.-L., and B. Jessop. 2013. *Towards a Cultural Political Economy.* Cheltenham: Edward.

Taylor, A. J. P. 1969. *War by Timetable: How the First World War Began.* London: Purnell.

UNFCCC. 1992. *United Nations Framework Convention on Climate Change.* New York: United Nations.

Urry, J. 2007. *Mobilities.* Cambridge, MA: Polity.

Urry, J. 2011. *Climate Change and Society.* Cambridge, MA: Polity.

Virilio, P. 1986. *Speed and Politics.* New York: Semiotexte.

Yamin, F., and J. Depledge. 2004. *The International Climate Change Regime: A Guide to Rules, Institutions and Procedures*. Cambridge: Cambridge University Press.

7장 '사회-기술적 체제'에 힘 싣기: 정치적 과정으로서의 중국 e-모빌리티 전환

Bærenholdt, J. O. 2013. "Governmobility: The Powers of Mobility." *Mobilities* 8 (1): 20-34.

Banister, D. 2008. "The Sustainable Mobility Paradigm." *Transport Policy* 15 (2): 116-131.

Birtchnell, T., and J. Caletrío. 2014. *Elite Mobilities*. Abingdon: Routledge.

Böhm, S., C. Jones, C. Land, and M. Paterson. 2006. "Introduction: Impossibilities of Automobility." *Sociological Review* 54 (s1): 1-16.

Boston Consulting Group. 2011. *Powering Autos to 2020: The Era of the Electric Car?* Boston: BCG.

Breznitz, D., and M. Murphree. 2011. *Run of the Red Queen*. New Haven, CT: Yale University Press. "The Bubble Car is Back: Cheap, Small and Simple – an Idea from the 1950s Bubbles up Again". *The Economist*, September 30, 2010. http://www.economist.com/node/17144853.

Chen, Q., S. Liu, and F. Feng. 2004. *The Coming of the Auto Age in China*. Beijing: China Development Press.

Christensen, C. 1997. *The Innovator 's Dilemma*. Cambridge, MA: Harvard Business School Press.

Climate Group. 2008. *China's Clean Revolution*. Beijing & London: The Climate Group.

Cohen, M. 2010. "Destination Unknown: Pursuing Sustainable Mobility in the Face of Rival Societal Aspirations." *Research Policy* 39: 459-470.

Cohen, M. 2012. "The Future of Automobile Society: A Socio-technical Transitions Perspective." *Technology Analysis & Strategic Management* 24 (4): 377–390.

Dean, M. 2010. *Governmentality: Power and Rule in Modern Society*. 2nd ed. London: Sage.

Diken, B., and C. Laustsen. 2005. *The Culture of Exception*. London: Routledge.

Elzen, B., F. Geels, and K. Green, eds. 2004. *System Innovation and the Transition to Sustainability: Theory, Evidence and Policy*. Cheltenham: Edward Elgar.

Feng, W., S. Wang, W. Ni, and C. Chen. 2004. "The Future of Hydrogen Infrastructure for Fuel Cell Vehicle in China and a Case of Application in Beijing." *International Journal of Hydrogen Energy* 29: 355-367.

Foucault, M. 2004. *Society Must Be Defended*. Translated by D. Macey. London: Penguin.

Foucault, M. 2009. *Security, Territory, Population: Lectures at the Collège de France 1977-1978*. Translated by G. Burchell. Basingstoke: Palgrave Macmillan.

Foucault, M. 2010. *The Birth of Biopolitics: Lectures at the Collège de France 1978-1979*. Translated by G. Burchell. Basingstoke: Palgrave Macmillan.

Gao, P., A. Wang, and A. Wu. 2008. *China Charges Up: The Electric Vehicle Opportunity*. New York: McKinsey Global Institute. http://www.mckinsey.com/locations/greaterchina/mckonchina/pdfs/China_Charges_Up.pdf.

Geels, F. 2002. "Technological Transitions as Evolutionary Reconfiguration Processes: A Multi-level Perspective and a Case-study." *Research Policy* 31 (8/9): 1257−1274.

Geels, F. 2005. "The Dynamics of Transitions in Socio-technical Systems: A Multi-level Analysis of the Transition Pathway from Horse-drawn Carriages to Automobiles (1860−1930)." *Technology Analysis & Strategic Management* 17 (4): 445-476.

Geels, F. 2012. "A Socio-technical Analysis of Low-carbon Transitions: Introducing the Multi-level Perspective into Transport Studies." *Journal of Transport Geography* 24: 471-482.

Geels, F., G. Dudley, and R. Kemp. 2013. "Findings, Conclusions and Assessments of Sustainability in Automobility." In *Automobility in Transition?*, edited by F. Geels, R. Kemp, G. Dudley, and G. Lyons, 335−373. Abingdon: Routledge.

Geels, F., and R. Kemp. 2013. "The Multi-level Perspective." In *Automobility in Transition?* edited by F. Geels, R. Kemp, G. Dudley, and G. Lyons, 49-79. Abingdon: Routledge.

Geels, F., R. Kemp, G. Dudley, and G. Lyons, eds. 2013a. *Automobility in Transition?* Abingdon: Routledge.

Geels, F., R. Kemp, G. Dudley, and G. Lyons. 2013b. "Preface." In *Automobility in Transition?*, edited by F. Geels, R. Kemp, G. Dudley, and G. Lyons, xiii-xv. Abingdon: Routledge.

Geels, F., and J. Schot. 2007. "Typology of Sociotechnical Transition Pathways." *Research Policy* 36 (3): 399-417.

Girardet, H. 2004. *CitiesPeoplePlanet*. Chichester: Wiley-Academy.

Goodwin, K. 2010. "Reconstructing Automobility: The Making and Breaking of Modern Transportation." *Global Environmental Politics* 10 (4): 60-78.

International Energy Agency. 2011. *Oil Market Report*. Paris: IEA. October 12. http://omrpublic.iea.org/currentissues/full.pdf.

Jessop, B., and N.-L. Sum. 2006. *Beyond the Regulation Approach: Putting Capitalist Economies in their Place*. Cheltenham: Edward Elgar.

Kemp, R., F. Geels, and G. Dudley. 2013. "Introduction." In *Automobility in Transition?* edited by F. Geels, R. Kemp, G. Dudley, and G. Lyons, 3-28. Abingdon: Routledge.

Kern, F. 2011. "Ideas, Institutions, and Interests: Explaining Policy Divergence in

Fostering ʿSystem Innovationsʾ towards Sustainability." *Environment and Planning C* 29: 1116−1134.

Law, J. 1991. "Power, Discretion and Strategy." In *A Sociology of Monsters*, edited by J. Law, 165−191. London: Routledge.

Lemke, T. 2011. *Foucault, Governmentality, and Critique. Boulder*, CO: Paradigm Publishers.

Meadowcroft, J. 2009. "Engaging with the Politics of Sustainability Transitions." *Environmental Innovation and Societal Transitions* 1: 70-75.

NBS (National Bureau of Statistics of China). 2005. *Statistical Communiqué of the People's Republic of China on the 2004 National Economic and Social Development.* Beijing: NBS. http://www.stats.gov.cn/was40/gjtij_en_detail.jsp?channelid-4920&record=37.

"No parking". *The Economist*, March 24, 2012. http://www.economist.com/node/2155 1084.

Orsato, R., M. Dijk, R. Kemp, and M. Yarime. 2013. "The Electification of Automobility." In *Automobility in Transition?* edited by F. Geels, R. Kemp, G. Dudley, and G. Lyons, 205-228. Abingdon: Routledge.

Paterson, M. 2007. *Automobile Politics: Ecology and Cultural Political Economy.* Cambridge: Cambridge University Press.

Polanyi, K. 1957. *The Great Transformation.* Boston, MA: Beacon Press.

Rajan, S. C. 2006. "Automobility and the Liberal Disposition." *Sociological Review* 54 (s1): 113-129.

Salter, M. B. 2013. "To Make Move and Let Stop: Mobility and the Assemblage of Circulation." *Mobilities* 8 (1): 7−19.

Sheller, M. 2013. "The Emergence of New Cultures of Mobility: Stability, Openings and Prospects." In *Automobility in Transition?* edited by F. Geels, R. Kemp, G. Dudley, and G. Lyons, 180-201. Abingdon: Routledge.

Shove, E., and G. Walker. 2007. "CAUTION! Transitions Ahead: Politics, Practice, and Sustainable Transition Management." *Environment and Planning A* 39: 763-770.

Smith, A., and A. Stirling. 2007. "Moving Outside or Inside? Objectification and Reflexivity in the Governance of Socio-technical Systems." *Journal of Environmental Policy & Planning* 8 (3-4): 1-23.

Smith, A., J.-P. Voß, and J. Grin. 2010. "Innovation Studies and Sustainability Transitions: The Allure of the Multi-level Perspective and its Challenges." *Research Policy* 39: 435-448.

Sperling, D., and D. Gordon. 2009. *Two Billion Cars.* Oxford: Oxford University Press.

Tyfield, D. 2012. "A Cultural Political Economy of Research and Innovation in an Age of Crisis." *Minerva* 50 (2): 149-167. doi:10.1007/s11024-012-9201-y.

Tyfield, D. 2013. "Transportation and Low-carbon Development." In *Low-carbon Development: Key Issues*, edited by F. Urban and J. Nordensvard, 108-201. London: Routledge.

Tyfield, D., J. Jin, and T. Rooker. 2010. *Game-changing China: Lessons from China about Disruptive Low-carbon Innovation*. London: NESTA.

Tyfield, D., and J. Urry. 2012. *Greening China's Cars*. CeMoRe Working Paper, Lancaster: Lancaster University.

Urry, J. 2004. "The 'System' of Automobility." *Theory, Culture and Society* 21 (4/5): 25-39.

Urry, J. 2013. *Societies Beyond Oil*. London: Zed.

Van Bree, B., G. Verbong, and G. Kramer. 2010. "A Multi-level Perspective on the Introduction of Hydrogen and Battery-electric Vehicles." *Technological Forecasting and Social Change* 77 (4): 529-540.

Wang, J. 2011. ""The Shanzai Electric Car Revolution in China". http://blog. p2pfoundation.net/the-shanzai-electric-car-revolution-in-china/2011/06/03.

Wang, T. 2013. *Recharging China's Electric Vehicle Policy*. Beijing: Carnegie-Tsinghua Centre for Global Policy.

Weinert, J., J. Ogden, D. Sperling, and A. Burke. 2008. "The Future of Electric Two-wheelers and Electric Vehicles in China." *Energy Policy* 36: 2544-2555.

Wells, P., P. Nieuwenhuis, and R. Orsato. 2013. *Automobility in Transition?* edited by F. Geels, R. Kemp, G. Dudley, and G. Lyons, 123-139. Abingdon: Routledge.

Wen, D., and M. Li. 2007. "China: Hyper-development and Environmental Crisis." *Socialist Register* 2007: 130-146.

Willis, R., M. Webb, and J. Wilsdon. 2007. *The Disrupters*. London: NESTA.

Winebrake, J., S. Rothenberg, J. Luo, and E. Green. 2008. "Automotive Transportation in China: Technology, Policy, Market Dynamics, and Sustainability." *International Journal of Sustainable Transportation* 2: 213-238.

World Bank. 2011. *The China New Energy Vehicles Program*. New York: World Bank.

Zeng, M., and P. Williamson. 2007. *Dragons at your Door: How Chinese Cost Innovation is Disrupting Global Competition*. Cambridge, MA: Harvard Business School Press.

8장 이동 문제, 자동차와 미래 모빌리티 체제: 규제 양식과 장치로서의 자동차모빌리티

Adey, P., and D. Bissell. 2010. "Mobilities, Meetings, and Futures: An Interview with John Urry." *Environment and Planning D: Society and Space* 28 (1): 1-16.

Aglietta, M. 1979. *A Theory of Capitalist Regulation. The US Experience*. London: Verso Classics.

Aglietta, M. 1998. "Capitalism at the Turn of the Century: Regulation Theory and the Challenge of Social Change." *New Left Review* 232 (1): 41-90.

Alnasseri, S., U. Brand, T. Sablowski, and J. Winter. 2001. "Raum, Regulation und Periodisierung des Kapitalismus [Space, Regulation and Periodisation of Captialism]." *Das Argument* 43 (1): 23-42.

André, C. 2002. "The Welfare State and Institutional Compromises: From Origins to Contemporary Crisis." In *Régulation Theory. The State of the Art*, edited by R. Boyer and Y. Saillard, 94-100. London: Routledge.

Bærenholdt, J. O. 2008. *Mobility and Territoriality in the Making of Societies: Approaching "Governmobility"*. Diverse Europes: Urban and Regional Openings, Connections and Exclusions, Istanbul, Turkey.

Bærenholdt, J. O. 2013. "Governmobility: The Powers of Mobility." *Mobilities* 8 (1): 20-34.

Bauman, Z. 2000. *Liquid Modernity*. Cambridge: Polity Press.

Beck, U. 1992. *Risk Society: Towards a New Modernity*. London: Sage.

Bissell, D. 2010. "Narrating Mobile Methodologies: Active and Passive Empiricisms." In *Mobile Methodologies*, edited by B. Fincham, M. McGuinness, and L. Murray, 53-68. New York: Palgrave Macmillan.

Böhm, S., C. Jones, C. Land, and M. Paterson. 2006. "Introduction: Impossibilities of Automobility." In *Against Automobility. Special Issue: Sociological Review Monograph Series*, edited by S. Böhm, C. Jones, C. Land, and M. Paterson, 54:3-16. Malden: Blackwell.

Bonham, J. 2006. "Transport: Disciplining the Body That Travels." In *Against Automobility*, edited by S. Böhm, J. Campbell, C. Land, and M. Paterson, 57-74. Malden, MA: Blackwell.

Bourdieu, P. 2000. *Distinction. A Social Critique of the Judgment of Taste*. Cambridge, MA: Harvard University Press.

Boyer, R. 2011. "Are There Laws of Motion of Capitalism?" *Socio-Economic Review* 9 (1): 59-81.

Braidotti, R. 1994. "Nomadic Subjects. Embodiment and Sexual Difference in Contemporary Feminist Theory." In *Gender and Culture*, edited by C. C. Heilbrun and N. K. Miller. New York: Columbia University Press.

Bührmann, A. D. 2004. "Das Auftauchen des unternehmerischen Selbst und seine gegenwärtige Hegemonialität. Einige grundlegende Anmerkungen zur Analyse des (Trans-) Formierungsgeschehens moderner Subjektivierungsweisen [The

Appearance of the Entrepreneurial Subject and its Current Hegemony. Some Foundational Remarks on the Analysis of the (Trans-) Formation of Modern Subjectivities]." *Forum Qualitative Sozialforschung/Forum: Qualitative Social Research* 6 (1): Art. 16 [49 Absätze].

Bührmann, A. D., and N. F. Schneider. 2010. "Die Dispositivanalyse als Forschungsperspektive. Begrifflich-konzeptionelle Überlegungen zur Analyse gouvernementaler Taktiken und Technologien [Dispositif Analysis as a Research Perspective. Terminological and Conceptual Reflections on the Analysis of Governmental Strategies and Technologies]." In *Diskursanalyse meets Gouvernementa-litätsforschung. Perspektiven auf das Verhältnis von Subjekt, Sprache, Macht und Wissen*, edited by J. Angermüller and S. van Dyk, 261-288. Frankfurt am Main: Campus.

Büscher, M., and J. Urry. 2009. "Mobile Methods and the Empirical." *European Journal of Social Theory* 12 (1): 99-116.

Büscher, M., J. Urry, and K. Witchger. 2011. *Mobile Methods*. Oxon: Routledge.

Canzler, W. 2000. "Das Auto im Kopf und vor der Haustür. Zur Wechselbeziehung von Individualisierung und Autonutzung [The Car in the Head and Outside the Door. About the Interrelation of Individualisation and Car-usage]." *Soziale Welt* 51: 191-208.

Cass, N., and K. Manderscheid. 2010. *Mobility Justice and the Right to Immobility. From Automobility to Autonomobility*. Paper given at American Geographers Meeting, Washington, DC.

Castells, M. 2005. "Space of Flows, Space of Places: Materials for a Theory of Urbanism in the Information Age." In *Comparative Planning Cultures*, edited by B. Sanyal, 45-63. New York: Routledge.

Collins, D., C. Bean, and R. Kearns. 2009. "Mind That Child': Traffic and Walking in Automobilized Space." In *Car Troubles. Critical Studies of Automobility and Auto-Mobility*, edited by J. Conley and A. T. McLaren, 127-143. Farnham: Ashgate.

Conley, J., and A. T. McLaren. 2009. "Car Troubles. Critical Studies of Automobility and Auto-mobility." *Transport and Society*. Farnham: Ashgate.

Cresswell, T. 2006. *On the Move: Mobility in the Modern Western World*. New York: Routledge.

Cresswell, T. 2010. "Towards a Politics of Mobility." *Environment and Planning D: Society and Space* 28 (1): 17-31.

Cresswell, T. 2011. "The Vagrant/Vagabond: The Curious Career of a Mobile Subject." In *Geographies of Mobilities: Practices, Spaces, Subjects*, edited by T. Cresswell and P. Merriman, 239-253. Farnham: Ashgate.

D'Andrea, A., L. Ciolfi, and B. Gray. 2011. "Methodological Challenges and

Innovations in Mobilities Research." *Mobilities* 6 (2): 149-160.

Deleuze, G., and F. Guattari. 1987. *A Thousand Plateaus*. Minneapolis, MN: University of Minnesota Press.

Demirović, A. 1992. "Regulation und Hegemonie. Intellektuelle, Wissenspraktiken und Akkumulation [Regulation and Hegemony. Intellectuals, Practices of Knowledge and Accumulation]." In *Hegemonie und Staat. Kapitalistische Regulation als Projekt und Prozess*, edited by A. Demirović, H.-P. Krebs, and T. Sablowski, 128-158. Münster: Westfälisches Dampfboot.

Dennis, K., and J. Urry. 2009. *After the Car*. Cambridge: Polity Press.

Donzelot, J., D. Meuret, P. Miller, and N. Rose. 1994. "Zur Genealogie der Regulation. Anschlüsse an Michel Foucault [On the Genealogy of Regulation. Connections to Michel Foucault]." Edition Bronski im Decaton Verlag.

Dowling, R., and C. Simpson. 2013. "'Shift–The Way You Move': Reconstituting Automobility." *Continuum* 27 (3) (March 7): 421-433.

Elden, S. 2007. "Governmentality, Calculation, Territory." *Environment and Planning D: Society and Space* 25 (3): 562-580.

Elden, S. 2010. "Thinking Territory Historically." *Geopolitics* 15 (4) (November 19): 757-761.

Elias, N. 1999. *Über den Prozess der Zivilisation. Soziogenetische und psychogenetische Untersuchungen. Zweiter Band Wandlungen der Gesellschaft. Entwurf zu einer Theorie der Zivilisation* [On the Process of Civilisation. Socio-Genetic and Psych-Genetic Analyses. Second Volume Transformation of Society. Draft of a Theory of Civilisation]. Frankfurt/M: Suhrkamp.

Elliot, A., and J. Urry. 2010. *Mobile Lives*. Fanham: Routledge.

Fincham, B., M. McGuinness, and L. Murray. 2010. *Mobile Methodologies*. London: Palgrave, Macmillan.

Flyvbjerg, B. 1998. *Rationality and Power. Democracy in Practice*. Chicago: University of Chicago Press.

Foucault, M. 1977. "Nietzsche, Genealogy, History." In *Language, Counter-memory, Practice: Selected Essays and Interviews*, edited by D. F. Bouchard, 139-164. Ithaca: Cornell University Press.

Foucault, M. 1980. *Power/Knowledge. Selected Interviews and Other Writings 1972-1977*. Harlow: Longman.

Foucault, M. 2007. *Security, Territory, Population: Lectures at the Collège de France, 1977-78*. London: Palgrave Macmillan.

Foucault, M. 2008. *The Birth of Biopolitics. Lectures at the Collège de France, 1978-79*. Edited by Michel Senellart. Basintstoke: Palgrave Macmillan.

Frello, B. 2008. "Towards a Discursive Analytics of Movement: On the Making and

Unmaking of Movement as an Object of Knowledge." *Mobilities* 3 (1): 25-50.

Freudendal-Pedersen, M. 2007. "Mobility, Motility and Freedom: The Structural Story as an Analytical Tool for Understanding the Interconnection." *Schweizerische Zeitschrift Für Soziologie* 33 (1): 27-43.

Gartman, D. 2004. "Three Ages of the Automobile. The Cultural Logics of the Car." *Theory, Culture & Society* 21 (4-5): 169-195.

Geels, F. W., R. Kemp, G. Dudley, and G. Lyons. 2012. "Automobility in Transition? A Socio-technical Analysos of Sustainable Transport." *Routledge Studies in Sustainability Transition*. New York: Routledge.

Gegner, M. 2007. "Verkehr und Daseinsvorsorge [Transportation and Public Service]." In *Handbuch Verkehrspolitik*, edited by O. Schöller, W. Canzler, and A. Knie, 455-470. Wiesbaden: VS Verlag für Sozialwissenschaften.

Glick Schiller, Nina, and Noel B. Salazar. 2013. "Regimes of Mobility across the Globe." *Journal of Ethnic and Migration Studies* 39 (2): 183-200.

Glotz-Richter, M., W. Loose, and C. Nobis. 2007. "Car-Sharing als Beitrag zur Lösung von städtischen Verkehrsproblemen [Car-sharing as Internationales an Element of Solving Urban Traffic Problems]." *Internationales Verkehrswesen* 59 (7): 8.

Goodwin, K. J. 2010. "Reconstructing Automobility: The Making and Breaking of Modern Transportation." *Global Environmental Politics* 10 (4): 60-78.

Graefe, S. 2010. "Effekt, Stützpunkt, Überzähliges? Subjektivität zwischen hegemonialer Rationalität und Eigensinn [Effect, Foundation, Redundancy? Subjectivity Between Hegemonic Rationality and Stubbornness]." In *Diskursanalyse meets Gouvernementalitätsforschung. Perspektiven auf das Verhältnis von Subjekt, Sprache, Macht und Wissen*, edited by J. Angermüller and S. van Dyk, 289-313. Frankfurt am Main: Campus.

Graham, S., and S. Marvin. 2001. *Splintering Urbanism. Networked Infrastructures, Technological Mobilities and the Urban Condition*. London: Routledge.

Groebner, V. 2007. *Who Are You? Identification, Deception, and Surveillance in Early Modern Europe*. New York: Zone Books/MIT Press.

Henderson, J. 2009. "The Politics of Mobility: De-essentializing Automobility and Contesting Urban Space." In *Car Troubles. Critical Studies of Automobility and Auto-mobility*, edited by J. Conley and A. T. McLaren, 147-164. Farnham: Ashgate.

Hindess, B. 2000. "Citizenship in the International Management of Populations." *American Behavioral Scientist* 43 (9) (June 1): 1486-1497.

Institut für Mobilitätsforschung (ifmo). 2011. "*Mobilität junger Menschen im Wandel – Multimodaler und weiblicher* [Changing Mobility of young People–More Multimodal and Feminine]." *Ifmo-Studien*. München: Institut für Mobilitätsforschung.

Jessop, B. 1999. "The Changing Governance of Welfare: Recent Trends in Its Primary

Functions, Scale, and Modes of Coordination." *Social Policy & Administration* 33 (4): 348-359.

Jessop, B. 2009. "Kontingente Notwendigkeit in den kritischen politisch-ökonomischen Theorien [Contingent Necessity in Critical Political Economic Theories]." In *Globalisierung, Macht und Hegemonie*, edited by E. Hartmann, C. Kunze and U. Brand, 143-180. Münster: Westfälisches Dampfboot.

Jessop, B., B. Röttger, and V. R. Diaz. 2007. *Kapitalismus, Regulation, Staat : Ausgewählte Schriften* [Capitalism, Regulation, State. Selected Papers]. Hamburg: Argument Verlag.

Jessop, B., and N.-L. Sum. 2006. *Beyond the Regulation Approach. Putting Capitalist Economies in Their Place.* Cheltenham: Edward Elgar.

Kemp, R., F. W. Geels, and G. Dudley. 2012. "Introduction. Sustainability Transitions in the Automobility Regime and the Need for a New Perspective." In *Automobility in Transition? A Socio-technical Analysis of Sutstainable Transport*, edited by F. W. Geels, R. Kemp, G. Dudley, and G. Lyons, 3-28. London: Routledge.

Kesselring, S. 2012. "Betriebliche Mobilitätsregime. Zur Sozio-Geografischen Strukturierung mobiler Arbeit [Corporate Mobility Regimes. On the Socio-geographical Structuring of Mobile Work]." *Zeitschrift für Soziologie* 41 (2): 83-100.

Krätke, S. 1996. "Regulationstheoretische Perspektiven in der Wirtschaftsgeographie [Perspectives of Regulation Theory in Economic Geography]." *Zeitschrift Für Wirtschaftsgeographie* 40 (1-2): 6-19.

Kuhm, K. 1995. *Das eilige Jahrhundert. Einblicke in die automobile Gesellschaft* [The Hasty Century. Insights into the Automobile Society]. Hamburg: Junius.

Kuhm, K. 1997. *Moderne und Asphalt. Die Automobilisierung als Prozeß technologischer Integration und sozialen Vernetzung* [Modernity and Asphalt. Automobilisation as a Process of Technological Integration and Social Interconnection]. Pfaffenweiler: Centaurus.

Kuhnimhof, T., D. Zumkeller, and B. Chlond. 2013. "Who Made Peak Car, and How? A Breakdown of Trends over Four Decades in Four Countries." *Transport Reviews* 33 (3) (May): 325-342.

Larsen, J., and M. H. Jacobsen. 2009. "Metaphors of Mobility – Inequality on the Move." In *Mobilities and Inequality*, edited by T. Ohnmacht, H. Maksim, and M. Max Bergman, 75-96. Aldershot: Ashgate.

Leitner, H., and E. Sheppard. 2002. "The City is Dead, Long Live the Net': Harnessing European Interurban Networks for a Neoliberal Agenda." In *Spaces of Neoliberalism. Urban Restructuring in Nort America and Western Europe*, edited by N. Brenner and N. Theodore, 148-171. Malden: Blackwell.

Lemke, T. 2002. "Foucault, Governmentality and Critique." *Rethinking Marxism: A Journal of Economics, Culture & Society* 14 (3): 49-64.

Lipietz, A. 1985. "Akkumulation, Krisen und Auswege aus der Krise [Accumulation, Crises and Exits to the Crisis]." *PROKLA* 15 (1): 109-137.

Lucas, K. 2011. "Driving to the Breadline." In *Auto Motives. Understanding Car Use Behaviours*, edited by K. Lucas, E. Blumenberg, and R. Weinberger, 209-224. Bingley: Emerald.

Mahnkopf, B. 1988. "Soziale Grenzen ˙Fordistischer Regulation." In *Der Gewendete Kapitalismus. Kritische Beiträge zur Theorie der Regulation*, edited by Birgit Mahnkopf, 99-143. Münster: Westfälisches Dampfboot.

Manderscheid, K. 2009. "Integrating Space and Mobilities into the Analysis of Social Inequality." *Distinktion: Scandinavian Journal of Social Theory* 10 (1) (January): 7-27.

Manderscheid, K. 2010. "Mobilities as Dimensions of Social Inequality." In *Transformations of Social Inequality and Globalization*, edited by U. Schurkens, 31-57. New York: Routledge.

Manderscheid, K. 2012a. "Automobilität als raumkonstituierendes Dispositiv der Moderne [Automobility as a Space-Constituting Dispositive of Modernity]." In *Die Ordnung der Räume*, edited by H. Füller and B. Michel, 145-178. Münster: Westphälisches Dampfboot.

Manderscheid, K. 2012b. "Relationale Mobilitäten im Geschlechterverhältnis. Eine vergleichende Untersuchung zwischen England und der Schweiz [Relational Mobilities and Gender Relations. A Comparative Analysis of England and Switzerland]." In *Transnationale Vergesellschaftungen. Kongressband des 35. Kongress der Deutschen Gesellschaft für Soziologie 2010 in Frankfurt am Main*, edited by Deutsche Gesellschaft für Soziologie, CD-Rom. Wiesbaden: VS Verlag für Sozialwissenschaften.

Manderscheid, K. 2014. "Criticising the Solitary Mobile Subject: Researching Relational Mobilities and Reflecting on Mobile Methods." *Mobilities* 9 (2): 188-219.

Manderscheid, K., and T. Richardson. 2011. "Planning Inequality. Social and Economic Spaces in National Spatial Planning." *European Planning Studies* 19 (10): 1797-1815.

Martin, G. 2009. "The Global Intensification of Motorization and Its Impacts on Urban Social Ecologies." In *Car Troubles. Critical Studies of Automobility and Auto-mobility*, edited by J. Conley and A. T. McLaren, 219-233. Farnham, Burlington: Ashgate.

Merriman, P. 2013. "Rethinking Mobile Methods." *Mobilities*: 1-21.

Metz, D. 2013. "Peak Car and beyond: The Fourth Era of Travel." *Transport Reviews* 33 (3) (May): 255-270.

Miller, P., and N. Rose. 2009. *Governing the Present: Administering Economic, Social and Personal Life*. Cambridge: Polity.

Murray, L. 2008. "Motherhood, Risk and Everyday Mobilities." In *Gendered Mobilities*, edited by T. P. Uteng and T Cresswell, 47-63. Aldershot: Ashgate.

Noël, A. 1987. "Accumulation, Regulation, and Social Change: An Essay on French Political Economy." *International Organization* 41 (2) (April 1): 303-333.

Norton, P. D. 2008. *Fighting Traffic. The Dawn of the Motor Age in the American City*. Cambirdge: MIT Press.

Packer, J. 2008. *Mobility Without Mayhem. Safety, Cars, and Citizenship*. Durham: Duke University Press.

Paterson, M.. 2007. *Automobile Politics. Ecology and Cultural Political Economy*. Cambridge: Cambridge University Press.

Pearce, L. 2012. "Automobility in Manchester Fiction." *Mobilities* 7 (1): 93-113.

Povinelli, E., and G. Chauncey. 1999. "Thinking Sexuality Transnationally." *GLQ: A Journal of Gay and Lesbian Studies* 5 (4): 1-11.

Procacci, G. 1991. "Social Economy and the Government of Poverty." In *The Foucault Effect. Studies in Governmentality*, edited by G. Burchell, C. Gordon, and P. Miller, 151-168. London: Havester Wheatsheaf.

Rajan, S. C. 2006. "Automobility and the Liberal Disposition." *The Sociological Review* 54: 113-129.

Rammler, S. 2008. "The Wahlverwandtschaft of Modernity and Mobility." In *Tracing Mobilities. Towards a Cosmopolitan Perspective*, edited by W. Canzler, Vincent Kaufmann, and Sven Kesselring, 57-75. Aldershot: Ashgate.

Ramona, L. 2010. *Mobilitäten in Europa. Migration und Tourismus auf Kreta und Zypern im Kontext des Europäischen Grenzregimes* [Mobilities in Europe. Migration and Tourism in Crete and Cyprus against the Background of European Border Regimes]. Wiesbaden: VS Research.

Richardson, T., and O. B. Jensen. 2003. "Linking Discourse and Space: Towards a Cultural Sociology of Space in Analysing Spatial Policy Discourses." *Urban Studies* 40 (1): 7-22.

Rose, N. 1999. *Powers of Freedom. Refraiming Political Thought*. Cambridge: Cambridge University Press.

Salter, M. B. 2013. "To Make Move and Let Stop: Mobility and the Assemblage of Circulation." *Mobilities* 8 (1): 7-19.

Sassen, S. 2000. *Cities in a World Economy*. 2nd edition. Thousand Oaks, CA: Pine Forge Press.

Sassen, S. 2001. *The Global City. New York, London, Tokyo*. 2nd edition. Princeton, NJ: Princeton University Press.

Scheiner, J., and C. Holz-Rau. 2012. "Gender Structures in Car Availability in Car Deficient Households." *Research in Transportation Economics* 34 (1) (January): 16-26.

Schipper, S. 2012. "Zur Geneaolgie neoliberaler Hegemonie am Beispiel der "unternehmerischen Stadt" in Frankfurt am Main [On the Genealogy of the Neoliberal Hegemony at the Example of the "Entrepreneurial City" in Frankfurt am Main]." In *Diskurs und Hegemonie. Gesellschaftskritische Perspektiven*, edited by I. Dzudzek, C. Kunze, and J. Wullweber, 203-231. Bielefeld: Transcript.

Schwiertz, H. 2011. *Foucault an der Grenze. Mobilitätspartnerschaften als Strategie des Europäischen Migrationsregimes* [Foucault at the Border. Mobility Cooperations as a Strategy within the European Migration Regime]. Münster: Lit Verlag.

Seiler, C. 2008. *Republic of Drivers: A Cultural History of Automobility in America*. Chicago: The University of Chicago Press.

Sheller, M. 2004. "Automotive Emotions." *Theory, Culture & Society* 21 (4-5): 221-242.

Sheller, M. 2011. "Sustainable Mobility and Mobility Justice: Towards a Twin Transition." In *Mobilities: New Perspectives on Transport and Society*, edited by M. Grieco and J. Urry, 289-304. Fanham: Ashgate.

Sheller, M., and J. Urry. 2006. "The New Mobilities Paradigm." *Environment and Planning A* 38 (2): 207-226.

Sheppard, E. 2002. "The Spaces and Times of Globalization: Place, Scale, Networks, and Positionality." *Economic Geography* 78: 307-330.

Soron, D. 2009. "Driven to Drive: Cars and the Problem of 'Compulsory Consumption'." In *Car Troubles. Critical Studies of Automobility and Auto-mobility*, edited by J. Conley and A. T. McLaren, 181-196. Farnham: Ashgate.

Urry, J. 2000. *Sociology Beyond Societies. Mobilities for the Twenty-First Century*. New York: Routledge.

Urry, J. 2004. "The 'System' of Automobility." *Theory, Culture & Society* 21 (4/5): 25-39.

Urry, J. 2006. "Inhabiting the Car." *The Sociological Review* 54: 17-31.

Urry, J. 2007. *Mobilities*. Cambridge: Polity.

Urry, J. 2008. Governance, Flows, and the End of the Car System?" *Global Environmental Change* 18(3) (August): 343-349.

Urry, J. 2010. "Consuming the Planet to Excess." *Theory Culture Society* 27 (2-3): 191-212.

West, C., and D. H. Zimmerman. 1987. "Doing Gender." *Gender & Society* 1 (2): 125-151.

World Bank. 2014. *Passenger Cars (per 1,000 People)*. Accessed July 24. http://data.
  worldbank.org/indicator/IS.VEH.PCAR.P3

모빌리티와 푸코

2022년 2월 28일 초판 1쇄 발행

지은이 | 카타리나 만더샤이트 · 팀 슈바넨 · 데이비드 타이필드
옮긴이 | 김나현
펴낸이 | 노경인 · 김주영

펴낸곳 | 도서출판 앨피
출판등록 | 2004년 11월 23일 제2011-000087호
주소 | 우)07275 서울시 영등포구 영등포로 5길 19(37-1 동아프라임밸리) 1202-1호
전화 | 02-336-2776   팩스 | 0505-115-0525
전자우편 | lpbook12@naver.com
블로그 | blog.naver.com/lpbook12

ISBN 979-11-90901-76-5